CB015077

para uma história
da *belle époque*
a coleção de cardápios de olavo bilac

para uma história da *belle époque*

a coleção de cardápios de olavo bilac

lúcia garcia

prefácio

alberto da costa e silva

Bilac

BORDEAUX

Ch.au Pichon Longueville

BOURGOGNE

Beaune - Greves

CHAMPAGNE

Mumm Cordon Vert

Liqueurs

Cigares

POISSONS

Filets de sole Cancalaise

ENTRÉES

Cœur de durian à la Duse

LÉGUMES

Asperges Sauce mousseline

RÔTIS

Dinde Farcie

Jambon d'York

Salade de Saison

ENTREMETS

Parfait Sportsman

DESSERT

Fromages, Gâteaux

Fraises au Champagne

Café

S. PAULO, 1 DE AGOSTO DE 1907.

para uma história da *belle époque*

ALBERTO DA COSTA E SILVA

Nesta fotografia para documentar as presenças num banquete, conto 73 pessoas. Nesta outra, 52. Nesta terceira, 124. Lembro-me de algumas nas quais se vêem, na fila da frente, sentadas, senhoras de luvas, chapéus floridos e sombrinhas. Nas que tenho diante dos olhos, e que foram tiradas no início do século XX, duas no Rio de Janeiro e uma em Manaus, só há homens, quase todos de terno branco ou cinza pérola. O fotógrafo arrumou-os em três ou quatro filas: os da primeira estão sentados, os das outras, de pé, os mais altos atrás. Ninguém está sorrindo, e a distância em que foi posta a máquina, para com suas lentes recolher o grupo inteiro, mostra uma sala enorme, onde não ficaria apertada a grande mesa em candelabro, com quatro ou seis braços, na qual se acomodavam os comensais, servidos à francesa por um batalhão de garçons.

Os melhores hotéis e os clubes dispunham desses salões de baile, que eram usados corriqueiramente para abrigar grandes jantares e, sobretudo, grandes almoços. Em muitos deles, todos os presentes encontravam os lugares marcados por um cartão com seu nome; noutros, abertos à adesão até o último momento, só tinham assentos certos o homenageado e as pessoas consideradas mais importantes. Não terá sido assim, provavelmente, no banquete oferecido a Olavo Bilac, em outubro de 1907, pelo diretor da *Gazeta de Notícias*, Henrique Chaves, e ao qual compareceram políticos, escritores e artistas, como Machado de Assis e o todo poderoso senador Pinheiro Machado, Oliveira Lima e o Ministro da Guerra Hermes da Fonseca, Coelho Neto, Artur Napoleão e o Ministro da Fazenda David Campista, João do Rio e o Ministro da Viação e Obras Públicas Miguel Calmon, Manuel Bonfim, Graça Aranha, o Prefeito do Rio de Janeiro Souza Aguiar e Henrique e Rodolfo Bernardelli, para ficar em poucos nomes.

Não era a primeira vez nem seria a última que Bilac seria homenageado com um grande almoço. Em vários, sentado no lugar de honra, respondeu ao brinde de sobremesa alongado em discurso, com as belas palavras que dele se esperavam — era o mais famoso poeta de seu tempo — e que lhe saíam de improviso ou trouxera cuidadosamente pensadas ou escritas. Algumas vezes, coube-lhe saudar o amigo ou a personalidade a quem se oferecia o banquete, e em muitas foi apenas mais um dos comensais, cuja presença, porém, se buscava, como grande escritor e não menor jornalista. Estar na mesma sala com Bilac e trocar duas frases com ele fazia os demais sentirem-se importantes.

Não era somente para homenagear e ver e ouvir grandes nomes que se promoviam esses almoços e jantares. Com eles, acolhiam-lhe os que vinham morar ou trabalhar na cidade, dizia-se adeus aos que dela partiam e se comemorava tudo — o lançamento de um livro, a recuperação de uma doença, a estreia de uma peça de teatro, a posse num cargo público, o regresso de uma viagem à Europa, a formação de uma sociedade comercial, as pazes e alianças de políticos. Foi assim até a Segunda Grande Guerra, quando os banquetes comemorativos foram rareando, e o que estava no horizonte do cotidiano passou quase imperceptivelmente a ser algo excepcional.

Quer houvesse ou não o cartão a marcar o lugar, havia sempre, ao lado do prato e dos talheres, um outro, bem maior, do qual constava, impresso ou em cuidada caligrafia, o motivo do banquete e o que nele seria servido. Passava-se esse cardápio para os vizinhos de frente e de lado, para que o assinassem, e se guardava como lembrança e prova. Na maioria dos casos, os cardápios acabavam esquecidos em fundos de gavetas. Havia, contudo, quem os colecionasse, e é uma dessas coleções que se mostra neste livro de Lúcia Garcia: justamente a de Olavo Bilac, conservada no Centro de Memória da Academia Brasileira de Letras.

Cronista de jornal durante a maior parte da vida, o poeta sabia o valor do que sobrava do efêmero e acariciava o passado com gosto de antiquário. Tinha possivelmente a consciência de que, ao colecionar esses cardápios, preservava com eles o pouco de uma vida que todos os dias se mudava em saudade. Talvez dali a meio século não houvesse mais desses almoços, para os quais se chegava antes do meio-dia, e que se prolongavam pela tarde adentro. Neles, comia-se e bebia-

-se muito, ou se simulava comer e beber muito, pois a importância de um banquete media-se pelo número de pratos servidos e pela qualidade dos discursos. Aos olhos de hoje, também pelo requinte gráfico dos cardápios e pelas assinaturas que neles encontramos.

Este livro em que Lúcia Garcia reuniu, com gosto e rigor, o melhor da coleção de cardápios de Olavo Bilac — a mais importante de que, no Brasil, se tem notícia — revela como novos padrões estéticos se iam popularizando no país, na chamada *belle époque*, e como, pela lista de pratos de prestígio e de festa, se afrancesavam cada vez mais as suas elites. Diante de cada um desses cardápios, ficamos a imaginar os assuntos que animariam as conversas entre vizinhos de mesa. É provável que, num almoço, se discutisse a abertura da Avenida Central pelo prefeito Pereira Passos ou a campanha sanitária de Oswaldo Cruz. E que, noutro, este convidado revelasse àquele o quanto continuava perplexo diante das grandes mudanças por que passara e continuava a passar o mundo, nos últimos anos do século XIX e os primeiros do XX. Pois ainda havia quem não tivesse saído do assombro ou se acostumado, de alma rendida, à aspirina, à lâmpada elétrica, ao telégrafo, ao cabo submarino, ao rádio, ao telefone, ao navio a vapor com hélice e casco de ferro, ao motor de combustão interna, ao automóvel com pneu de câmara de ar, às máquinas voadoras, aos raios-X, ao cinematógrafo e à partilha da África e de parte da Ásia entre as potências europeias.

A não ser sob o disfarce de crônicas de jornal, não nos ficaram ecos dessas conversas. De alguns daqueles que as tiveram não se foram, no entanto, as cicatrizes, já que puseram suas assinaturas — claras ou ilegíveis, modestas ou espalhafatosas — nesses cartões de cardápios, às vezes acompanhadas por uma frase de circunstância, pilhéria, carinho ou gratidão. E não faltou sequer quem, como a desafiar Bilac, nas costas de um *menu*, deixasse versos.

EL — Dusseldorf
ée dans le quartier le plus aris-
ée avec le plus grand confort

e
Palace
nte-Carlo

Sommer-Etablissement « VENEDIG ».
Englischer Garten. WIEN. K. K. Prater
Operetes. — Variétés. — Concerts Vergnuegungen aller Art. — Taeglich geoeffnet bis 3 Uhr Frueh.

chy
Célestins

ER ANVERS
3 (*près la Gare Centrale*)
ffage central; Appartements et
Maison de 1er ordre.
WEBER, PROPRIÉTAIRE.

CHAMPAGNE DEUTZ & GELDERMANN
Marques GOLD-LACK et JOCKEY-CLUB dans les Voitures de la Compagni

DANS LES GRANDS RESTAURA
DEMANDEZ AU DESSERT
TRIPLE-SEC COINTRE
LIQUEUR DIGESTI

l'Extrait de Viande **Liebig** indi
pour la p
d'un b
a
Voyag

Cie Internle des Wagons-Lits et des Grands Express

LUXE SUD-EXPRESS

MENU

Dîner

du

Consommé au Tapioca
Hors-d'œuvre
Maquereaux grillés M. d'Ho
Sauté de veau Printanière
Haricots verts panachés
Poulet de grain rôti au cress
Salade
Entremets Fromage Fru

Liqueur Grand Marnier, le verre 1

SUPRÊME-FÉCAM

CONTREXEVILLE-PAVILLON ARTI A JEUN

Grand Marni
LIQVOR

GRAND HOTEL NATIONAL, Lu

OLAVO BILAC

Dernier Confort, ouvert toute l'année

RHUM DES PLANTATIONS St

Para Alberto da Costa e Silva
Lilia Schwarcz
Nilo Garcia (*in memoriam*)
Maria Inez Cruz

1

olavo bilac e sua época

Temos ordem no progresso e as ordens prosperam.
Dissiparam-se os fantasmas que assustavam a burguesia.
Ninguém mais está preocupado com atentados ora que as companhias teatrais oferecem tantas tentações [...].
O Brasil vaga sereno e galhardamente em mar de rosas e em completa calmaria... maduro. Graças ao pulso firme dos atuais governantes, tudo é paz no interior. Foram extirpadas as últimas raízes de conspirações reais ou imaginárias [...].
Somos pois em plena bonança e as instituições momentaneamente abaladas prontamente consolidadas [...].
Fala-se aqui em crise financeira, mas isso não passa de boato, e para prová-lo aí temos o desenvolvimento do gosto pela bicicleta, luxo caro.[1]

1 *Rua do Ouvidor*, 14.5.1898, p. 2.

PP. 16-17
O ALMOÇO DE OLAVO BILAC
NA FAZENDA PAULISTA
DE JÚLIO DE MESQUITA,
C. 1910

PP. 20-21
O CENTRO DO RIO DE JANEIRO
EM 1910. DETALHE DE UM
MAPA DE CARLOS AENISHÄNSLIN.
MARC FERREZ.

PP. 22-23
"AVENIDA CENTRAL UM ANO APÓS
A INAUGURAÇÃO DA INSTALAÇÃO
DE ILUMINAÇÃO INCANDESCENTE.
AV. CENTRAL (ATUAL RIO BRANCO)".
RIO DE JANEIRO, 7.6.1906.
AUGUSTO MALTA. COLEÇÃO BRASCAN.
CEM ANOS NO BRASIL.

O ano de 1898 marca, no Rio de Janeiro e no resto do país, uma sensível mudança no clima político, transformação que atingiu diretamente o ambiente cultural e social. A posse de Manuel Ferraz de Campos Salles na Presidência da República, a política dos governadores[2] e as medidas de saneamento econômico implementadas ao longo do seu mandato (1898-1902), garantiram a consolidação da jovem República e das suas elites.

O Rio de Janeiro, capital da República, assiste ao surgimento da *belle époque*, momento em que a sociedade e a cultura de elite — embora recriando em novas bases um meio aristocrático — são fortemente influenciadas pelo cosmopolitismo francês.

A influência da França na virada do século XIX é marcante e se fez notar, sobretudo, no governo de Rodrigues Alves, tanto na reforma urbana do Rio de Janeiro — empreendida pelo prefeito Francisco Pereira Passos, entre 1903 e 1906 — quanto no "afrancesamento" da elite carioca, que não hesitava em adotar, ou mesmo em copiar, práticas sociais francesas.

O fascínio exercido pelos padrões de etiqueta, educação, tradição e moda francesas, no início do século XX, era reforçado pelo impacto da imprensa e do comércio livreiro sobre as elites cariocas. No Rio de Janeiro o gosto do leitor típico era francófilo, assim como a educação da aristocracia era literária e francesa.

Nada, porém, define melhor a *belle époque* carioca do que a Avenida Central[3] — o grande *boulevard* francês que cortou transversalmente a Cidade Velha e suas construções coloniais. Em 1910, ocasião em que seus edifícios ficaram prontos — o Palácio Monroe, a Escola Nacional de Belas Artes, o Teatro Municipal e a Biblioteca Nacional —, a Capital Federal exibia uma paisagem urbana que embelezava o Rio de Janeiro, sendo a Avenida Central uma vitrine de civilização.[4]

2 A política dos governadores consistia nas relações de apoio mútuo e favorecimento político entre o governo central, representado pelo Presidente da República, e os estados, representados pelos respectivos governadores, e municípios, representados pelos coronéis.

3 Atual Avenida Rio Branco.

4 Jeffrey D. Needell. *Belle époque tropical — Sociedade e Cultura de Elite no Rio de Janeiro na Virada do Século*. São Paulo: Companhia das Letras, 1993, p. 61.

Franco Belisario
Grande Oriente
Lapa
Lo da Lapa
Pa dos Arcos
Maranguape
R. Evaristo da Veiga
Syllogeo
Passeio Publico
R. do Ladario
Quartel Central da Policia
M. de Sto Antonio
63 m 500
Rua Senador Dantas
Palacio Monroe
Obelisk
Conselho Municipal
Theatro Municipal
Theatro Lyrico
Convento S. Antonio
Pa Fer. a Vianna
Mal Floriano Peixoto
Supremo Tribunal
Bibliotheca Nacional
Imprensa Nacional
Estação S.ta Theresa
Lo da Carioca
Hotel Avenida
R. D. Viriato
Rua Santa Luzia
Escola Nacional de Bellas Artes
Palast Hotel
R. Chile
R. Rodrigo Silva
Convento dos Capuchinos
Estação Semaforica
Caixa de Agua
Jgr. Sa Lucia
PRAIA DE Sta LUCIA
Pa do Castello
Observatorio
Ladeira do Castello
Rua de S. José
Rua da Assembléa
Rua Julio
Museu Commercial
Hospital da Misericordia
Misericordia
Camara dos Deputados
Telegrapho Geral
Escola de Medicina
Rua D. Manoel
Lo do Moura
R. Clapp
Ministerio de Viação
Pa Quinze de Novembro
Estação Cantareira
Policia Maritima
Antigo Arsenal de Marinha
Mercado
Caes Pharoux

Archivo Nacional
Escola Tiradentes
Ministerio da Guerra
Prefeitura
Escola Normal
Ministerio do Interior
Delegacia Policial
Ministerio do Exterior
Mº Dom Pedro I
Musica
Maison Moderne
Pª Tiradentes
Theatro S. Pedro
Ministerio da Fazenda
Escola Politechnica
Jgreja S. Francisco de Paula
Lº do Deposito
Escola Affonso Penna
R. Camerino
Rua General Gomes Carneiro
Tamarindo
Pª Gl. Osorio
Lº Con. Dias
Jgr. de Bom Jesus
Jgreja Sª Rita
Lº de Sta Rita
R. de Sta Rita
Sede do Bispo
Morro da Conceição
Lº de S. Fco da Prainha
Caixa de Amortisação
Correio Geral
Jgr. do Carmo
Jgreja da Candelaria
Mº Visconde de Mauá
Pª Visc. de Maua
Pagagem
32m M. de S. Bento
Pª das Marinhas
Alfandega
Ministerio de Marinha
Caes dos Mineiros
Mosteiro de S. Bento
Arsenal de Marinha
Rua Larga de S. Joaquim
Rua da Assembléa
Rua do Ouvidor
Rua Primeiro de Março
Rua S. Bento
Rua de Geraldo
Beccodo Consulado

ONIO JANNUZZI
MÃO C

Quando teve início a construção da Avenida Central, Olavo Bilac exclamou:

Há poucos dias, as picaretas, entoando um hino jubiloso, iniciaram os trabalhos de construção da Avenida Central, pondo abaixo as primeiras casas condenadas [...] começamos a caminhar para a reabilitação.

No aluir das paredes, no ruir das pedras, no esfarelar do barro, havia um longo gemido. Era o gemido soturno e lamentoso do Passado, do Atraso, do Opróbio. A cidade colonial, imunda, retrógada, emperrada nas suas velhas tradições, estava soluçando no soluçar daqueles apodrecidos materiais que desabavam. Mas o hino claro das picaretas abafava esse protesto impotente.

Com que alegria cantavam elas — as picaretas regeneradoras! E como as almas dos que ali estavam compreendiam bem o que elas diziam, no seu clamor incessante e rítmico, celebrando a vitória da higiene, do bom gosto e da arte![5]

5 Olavo Bilac. "Chronica". *Kosmos*. Rio de Janeiro, vol. 1, n. 3, mar. 1904, p. 2.

Celebrando o bom gosto e a arte e, metaforicamente, a ação das "picaretas regeneradoras", estava Olavo Braz Martins dos Guimarães Bilac que, nos idos de 1904, contava 39 anos de idade.

Nascido no Rio de Janeiro a 16 de dezembro de 1865, Olavo Bilac faleceu na mesma cidade em 28 de dezembro de 1918.

Filho de Braz Martins dos Guimarães Bilac, cirurgião do Corpo Militar de Polícia da Corte, e Delfina Belmira dos Guimarães Bilac, Olavo publicou na *Gazeta Acadêmica* algumas notas sobre sua infância, na ocasião em que estudava Medicina no Rio de Janeiro, a 19 de setembro de 1883:

RETRATADO À ESCRIVANINHA DE SEU GABINETE DE TRABALHO, OLAVO BILAC TRANSFORMOU A FOTOGRAFIA EM CARTÃO DE NATAL, ONDE É POSSÍVEL LER NO ALTO, NA LETRA DO POETA, "BOAS FESTAS. SAUDAÇÕES." S/D.

> Quando eu nasci o Brasil vibrava no apogeu de sua era épica, entre a batalha do Riachuelo e a batalha de Tuyuty. Findava o ano de 1865. Todas as energias do país estavam nos campos do sul. Meu pai, poucos meses antes, partira para a guerra. No lar atribulado e pobre, havia sustos e esperanças, lágrimas e sonhos: as cartas que vinham do teatro da luta, traziam à família moralmente desamparada, sorrisos e raios de fé; mas, entre as raras notícias, enlutava-se a casa e apertavam-se os corações. Em toda a cidade a mesma inquietação, o mesmo sobressalto, a mesma alternativa de clamores de júbilo e queixas de desesperação. Nessa pesada e angustiosa atmosfera moral, correram os primeiros quatro anos da minha vida... As festas que coroaram a vitória, os hinos e as flores que recebiam os batalhões, a paz e a fortuna regozijando a cidade e todo o país, as fardas e as condecorações, os arcos de triunfo e os cortejos, as narrativas dos combates, o desempenho dos vencedores, o orgulho dos mutilados, o entusiasmo dos moços, o enternecimento dos velhos, o enlevo das mulheres — todo esse espetáculo de heroísmo, dominando a vida nacional e, por muitos anos, alimentando a altivez do povo, encheu e maravilhou toda a adolescência.[6]

Quando criança, tendo ainda frescas as memórias da Guerra do Paraguai relatadas pela figura paterna, Bilac foi matriculado na escola do Padre Belmonte, à rua do Sacramento. A rotina de aulas e a severidade dos mestres tornavam o aprendizado enfadonho e, como confessou Olavo Bilac, "a voz do professor soava arrastada e monótona [...]. E, como eu, todos os outros pequenos estavam ali, sonhando, palpitando, vibrando, ansiando pela terminação do cativeiro, e namorando o ar livre, a luz, a alegria...".[7] Findo o curso do Padre Belmonte, ingressou no Colégio Vitório, à rua Gonçalves Dias, estabelecimento de prestígio na época e lá concluiu os exames para matrícula na Faculdade de Medicina do Rio de Janeiro.

A infância e a adolescência de Olavo Bilac foram marcadas pelo rigor e austeridade da educação conservadora, seja no ambiente familiar, seja nos estabelecimentos de ensino que frequentou. Em 1908, aos 43 anos, ao visitar suas lembranças de menino, publicará em *A Notícia*:

6 *Gazeta Acadêmica*, Rio de Janeiro, 19.9.1883 (*apud* Artur Motta, "Perfis Acadêmicos. Olavo Bilac". *Revista da Academia Brasileira de Letras*. Ano XX, volume XXX, n. 90, jun. 1929, p. 211).

7 Eloy Pontes. *A Vida Exuberante de Olavo Bilac*. Rio de Janeiro: José Olympio, 1944, v. 1, p. 19.

8 Idem, p. 22.

OLAVO BILAC AOS DOIS ANOS.
RIO DE JANEIRO, 1867.

NO RETRATO DEDICADO AO AMIGO
E POETA ALBERTO DE OLIVEIRA,
OLAVO BILAC AOS 23 ANOS.
S/L. MAIO, 1888.

Olavo Bilac com 2 annos de
idade.

Ao Alberto.
Olavo Bilac
Maio, 88

[...] nunca fui verdadeiramente menino e nunca fui verdadeiramente moço [...]. Fomos criados para gente macambúzia e não para gente alegre. Nunca nos deixaram gozar essas duas quadras deliciosas da vida, em que o existir é um favor divino. Os nossos avós e os nossos pais davam-nos a mesma educação que haviam recebido: cara amarrada, palmatória dura, estudo forçado e escravização prematura e estupidez das fórmulas, das regras e das hipocrisias. Tudo quanto era divertimento, estroinice, namoro, surto para o ideal e para a liberdade tinha que ser feito às escondidas. Aos dezesseis anos ainda éramos tratados como meninas [...].[8]

8 Idem, p. 22.

RETRATO DE OLAVO BILAC
AOS 31 ANOS, COM DEDICATÓRIA
AUTÓGRAFA. 1.3.1896

Sem qualquer afinidade com as ciências médicas, viajou para São Paulo na década de 1880 para seguir o curso de Direito. Na capital paulista deu voz à sua vocação como jornalista, colaborando no *Correio Mercantil.*

De volta ao Rio de Janeiro em 1888, sem concluir os estudos jurídicos, dedicou-se ao trabalho na imprensa e à literatura, publicando suas *Poesias,* produzidas entre os 19 e os 22 anos, entre as quais, *Via Láctea.* Ao lado de Pardal Mallet, Raul Pompéia e Luiz Murat, criou o jornal literário *A Rua*[9] e colaborou na *Revista Brasileira, A Semana, Gazeta de Notícias, A Notícia*, entre outros. Com o caricaturista e ilustrador Julião Machado, fundou *A Cigarra* e em seguida *A Bruxa*, para a qual escreveu em todas as seções, debaixo de pseudônimos vários.[10]

Aos 28 anos, Bilac partiu para o exílio em Ouro Preto, onde permaneceu entre novembro de 1893 e junho de 1894, para fugir das perseguições políticas decorrentes das suas ideias antiflorianistas. Na cidade mineira conviveu com o jornalista igualmente exilado Afonso Arinos, na ocasião professor da Faculdade Livre de Direito de Ouro Preto, e passou a conhecer de modo amplo a cultura e a história de Minas Gerais.

O escritor e jornalista alagoano Guimarães Passos, amigo dos mais próximos de Bilac, publicou, em março de 1893, interessante notícia biográfica sobre o poeta carioca. Sob o título *Biographia Express*:[11]

> Para não dar um tom pesado à notícia biográfica de um escritor tão leve, faço aqui neste número do Álbum uma espécie de *portrait documenté*, a exemplo do que publicava *L'Echo* de Paris.
>
> [...] Sob o pseudônimo de Arlequim revela-se prosador tão elegante e tão correto, como é elegante e correto poeta, e com tal encanto e ironia, com tal finura e leveza serve-se da pena que funda definitivamente a crônica no Brasil.
>
> [...] Passaporte: — Idade, 28 anos, estatura 1 metro e 80 centímetros, cabelos negros, curtos e brilhantes. Olhos, negros, meio estrábicos, amendoados e salientes; míope grau 5. Fronte, larga. Nariz, fino e comprido. Boca, rasgada. Mãos, esculturais. Orelhas, largas. Pouco bigode.
>
> Sinal particular: — Memória prodigiosa.
>
> Detectiva: — Mora em Botafogo. Deita-se tarde; levanta-se a horas incertas, lê todos os jornais com um cuidado extraordinário, almoça ao meio dia no hotel, e a 1 hora está na redação. 4 horas, vermouth no Castelões. 6 horas, jantar. Feito o jornal, vai ao teatro, mas não adora a ópera lírica.
>
> [...] Adora vinhos finos e as mulheres belas; fuma cigarros turcos, ama os charutos caros e detesta o cachimbo [...].

9 Jornal efêmero que circulou no Rio de Janeiro entre abril e julho de 1889.

10 Estudo exemplar sobre a atuação de Olavo Bilac na imprensa foi realizado por Antonio Dimas. *Bilac, o Jornalista: Ensaios*. 3 v. São Paulo: Imprensa Oficial do Estado de São Paulo, Edusp e Editora Unicamp, 2006.

11 Guimarães Passos. "Olavo Bilac". *O Álbum*. Rio de Janeiro, ano 1, n.13, mar. 1893.

Sobre a predileção por vinhos finos declarada por Guimarães Passos, cabe a observação feita pelo jornalista, poeta e bibliotecário pernambucano Manuel Bastos Tigre (1882-1957), de que por mais de vinte anos, até sua morte em 1918, Bilac manteve-se abstêmio, "inundando-se de Caxambu ou cajuadas. Não era por virtude, desculpava-se às vezes: é que a bebida não se dava com seu fígado. Gostava do bom vinho e do bom whisky, mas gostava mais ainda da saúde e da vida".[12]

A geração de intelectuais formada por Olavo Bilac, Guimarães Passos, Coelho Neto, Araripe Júnior, José do Patrocínio, Luís Murat, Valentim Magalhães, Aluísio e Artur Azevedo, Raimundo Correia, Alberto de Oliveira, Medeiros e Albuquerque, Pedro Rabelo — para citar alguns nomes —, coesa pela amizade e pela afinidade de ideais políticos e valores socioculturais, foi responsável pela criação da Academia Brasileira de Letras a 20 de julho de 1897, data de sua sessão inaugural.

Ao longo do século XIX, a influência cultural da França era absoluta no campo literário e a Academia Brasileira de Letras seguiu o modelo da Academia Francesa, fundada em 1635. No discurso de posse como presidente da primeira diretoria da ABL, na sessão inaugural, Machado de Assis dizia "a Academia Francesa, pela qual esta se modelou, sobrevive aos acontecimentos de toda a casta, às escolas literárias e às transformações civis. A vossa há de querer ter as mesmas feições de estabilidade e progresso".[13]

12 Manoel Bastos Tigre. *Reminiscências. A Alegre Roda da Colombo e Algumas Figuras do Tempo de Antigamente.* Brasília: Thesaurus, 1992, p. 43.

13 Rodrigo Lacerda. 110 *anos da Academia Brasileira de Letras.* Rio de Janeiro: Academia Brasileira de Letras, 2007, p. 25.

NO DIA 3 DE MARÇO DE 1901, APÓS O ALMOÇO OFERECIDO A LÚCIO DE MENDONÇA PELA PUBLICAÇÃO DE *HORAS DO BOM TEMPO*, O GRUPO DE ESCRITORES POSOU PARA A FOTOGRAFIA, REPRESENTATIVA DA GERAÇÃO DE INTELECTUAIS E ARTISTAS FUNDADORES DA ACADEMIA BRASILEIRA DE LETRAS. SENTADOS, DA ESQUERDA PARA A DIREITA: JOÃO RIBEIRO, MACHADO DE ASSIS, LÚCIO DE MENDONÇA E SILVA RAMOS. DE PÉ, NA MESMA ORDEM: RODOLFO AMOEDO, ARTUR AZEVEDO, INGLÊS DE SOUZA, OLAVO BILAC, JOSÉ VERÍSSIMO, SOUSA BANDEIRA, FILINTO DE ALMEIDA, GUIMARÃES PASSOS, VALENTIM MAGALHÃES, HENRIQUE BERNARDELLI, RODRIGO OTÁVIO E HEITOR PEIXOTO. MODESTO DE ABREU. *BIÓGRAFOS E CRÍTICOS DE MACHADO DE ASSIS.* RIO DE JANEIRO: NORTE, 1939.

À DIREITA
ALMOÇO OFERECIDO A LÚCIO DE MENDONÇA POR UM GRUPO DE AMIGOS, EM LARANJEIRAS, RIO DE JANEIRO, NO DIA 3 DE MARÇO DE 1901, PARA FESTEJAR A PUBLICAÇÃO DE SEU LIVRO *HORAS DO BOM TEMPO.* MACHADO DE ASSIS É O PRIMEIRO SENTADO À ESQUERDA E, DE PÉ, AO FUNDO, OLAVO BILAC AOS 36 ANOS. MODESTO DE ABREU. *BIÓGRAFOS E CRÍTICOS DE MACHADO DE ASSIS.* RIO DE JANEIRO: NORTE, 1939.

O reconhecimento pelo entusiasmo lírico de seu estilo poético fez Bilac vitorioso na eleição do Príncipe dos Poetas Brasileiros, no concurso lançado pela revista *Fon Fon!* em 1º de março de 1913[14]. O periódico era um dos principais documentos da vida sociocultural do Rio de Janeiro na primeira metade do século XX. Circulou de 13 de abril de 1907 a 28 de dezembro de 1945 e tratava dos acontecimentos do *Rio parisiense*, conforme a informação que trazia na primeira página do seu número inaugural.

Fon-Fon! — onomatopeia da buzina dos carros que circulavam *na Avenida Central* — registrava a vida mundana, na euforia da *belle époque* no Rio. A revista oferecia as últimas novidades de Paris, o maior centro de elegância do mundo, além de proporcionar boa literatura e caricaturas políticas e sociais, na representação das damas elegantes e dos cavalheiros de fraque e polainas.[15]

O início da circulação de *Fon Fon!* coincide com a conclusão da reforma que criou a Avenida Central e com um momento de incremento do consumo dos produtos de luxo franceses, oferecidos sobretudo nas lojas das ruas do Ouvidor e Gonçalves Dias.

A *Maison Charles Schmitt*, por exemplo, estabelecimento do popular cabeleireiro francês Charles Schmitt, ficava à rua Gonçalves Dias, 49. A fama espalhada por seu bom gosto na elaboração de penteados elegantes e o fato de ter sido por dezoito anos o cabeleireiro da imperatriz Teresa Cristina, fez de Charles Schmitt o preferido pela aristocracia da capital republicana, tendo sua loja sido premiada com medalhas de prata nas Exposições Brasileiras de 1878 e 1879.[16]

Nos idos de 1910, no número 37 da rua do Ouvidor, em suntuoso edifício com 800 m² de área, situava-se a elegante Casa Raunier que oferecia oficinas de costura para as senhoras, ditando a moda no Rio de Janeiro conforme o modelo parisiense. Havia ainda, além das oficinas de alfaiataria e costuras, chapéus, perfumarias, chapelaria para homens, camisaria, tapetes e cortinados, artigos para presentes e viagens. A Raunier oferecia, nesse contexto *belle époque*, casa de compras em Paris e filial em São Paulo, sendo a mais notável das alfaiatarias brasileiras.[17]

Como afirmou Brito Broca, no primeiro quartel do século XX, "o chique era mesmo ignorar o Brasil e delirar por Paris, numa atitude afetada e nem sempre inteligente"[18]. Em 5 de agosto de 1916, durante a Primeira Guerra Mundial, a *Revista da Semana* reproduzia telegrama de Paulo de Gardênia, autor do romance *Letícia*. Dizia o escritor: "Paris, 2 — Cheguei. Dormi pela primeira vez no meu berço. Sinto-me um recém-nascido. Vou aprender a falar. Resolvi batizar-me na Madalena. Todas as *nourrices* de Luxemburgo se oferecem para me criar".[19] Ao texto do telegrama acrescentava a *Revista*: "Que lhe atire a primeira pedra ou o

14 *Fon-Fon!*, Rio de Janeiro, ano VII, n. 9, 1.3.1913.

15 Cláudio Mello Souza. *Impressões do Brasil*. São Paulo: Práxis Artes Gráficas, 1986, pp. 76-79.

16 Ernesto Senna. *O Velho Comércio do Rio de Janeiro*. Rio de Janeiro: G. Ermakoff Casa Editorial, 2006, pp. 133-138.

17 Ernesto Senna, op. cit., pp. 239-244.

18 Brito Broca. *A Vida Literária no Brasil*. Rio de Janeiro: José Olympio. ABL, 2004, p. 143.

19 Idem.

NA PÁGINA DE *FON FON!*, O DESTAQUE PARA O CONCURSO QUE ELEGEU OLAVO BILAC. 1.3.1913. RIO DE JANEIRO

A Carestia da Vida

Um aspecto do *meeting* popular de segunda-feira passada, no largo de S. Francisco de Paula. No medalhão, um dos inflammados oradores.

O Principe dos Poetas Brazileiros

GRANDE CONCURSO DE "FON-FON"

Fon-Fon vae tentar uma cousa difficil. Vae procurar saber a quem caberá actualmente o titulo dignificador de

Principe dos Poetas Brazileiros

Entretanto, *Fon-Fon* não quer sujeitar a sua tentativa aos azares de uma eleição popular, sempre deficiente e sempre sujeita a fraudes e disvirtuamentos, por mais serio que seja o motivo desta eleição.

Fon-Fon mandará pedir directamente aos nossos homens de lettras que já tenham o seu nome litterario documentado pela publicação de um livro o seu voto que será por escripto e assignado pelo eleitor.

Vae ser, portanto, uma eleição seria e real.

Os votos serão pedidos aos homens de lettras residentes nesta Capital que representa incontestavelmente, o centro superior da intellectualidade brasileira.

As difficuldades de communicação e o desconhecimento lamentavel em que vivemos da vida litteraria dos nossos Estados, são as causas principaes da restricção deste plesbicito.

Fon-Fon está organizando uma lista, tão completa como possivel, dos nomes litterarios que devem formar o eleitorado intellectual que deve eleger o

Principe dos Poetas Brazileiros

Antes da eleição que será depois marcada, *Fon-Fon* publicará essa lista.

Aos eleitores *Fon-Fon* dirigirá pessoalmente, por escripto, a seguinte consulta:

Na opinião de V. Ex. a quem cabe actualmente o titulo de — Principe dos Poetas Brazileiros?

Está claro que neste Concurso não haverá premios.

Ahi vae a lista. Forçosamente deve ter havido omissão de alguns nomes; pedimos, por isso, aos que se interessarem por estas cousas, auxiliar-nos com os seus esclarecimentos.

primeiro riso o brasileiro que, ao chegar em Paris pela primeira vez, não sentiu a mesma emoção".[20]

A reação de Paulo Gardênia não constituía exceção à época. Era comum a manifestação apaixonada sobre a capital francesa e, tanto o câmbio favorável, as facilidades oferecidas a escritores e jornalistas pelas companhias de navegação, quanto os jornais que desejavam manter correspondentes na Europa, facilitavam a viagem de brasileiros à França.

A primeira viagem de Olavo Bilac à Europa ocorreu em 1890 na ocasião em que trabalhava como correspondente do *Correio do Rio*. De Paris escreveu a Max Fleuiss perguntando sobre o Brasil: "*Como vai essa terra ignóbil?*".[21]

Ao noticiar o regresso de Bilac ao Brasil, Artur Azevedo comentava no *Correio do Povo*[22]: "O nosso poeta está seriamente intoxicado, ingeriu pantagruélicas doses de 'parisina', a famosa bebida de que falava Charles Nodier, e agora não há volta a dar-lhe. Se ficar aqui a passear, entre o beco das Canelas e a rua da Vala, morre da pior das nostalgias, a nostalgia de Paris". Bilac dizia ter regressado com os bilhetes de ida e volta da Companhia Messageries, na certeza de que retornaria à França, o que ocorreu somente no começo do século XX, em 1904, em sua segunda viagem à Europa.

No final da década de 1890, após a publicação do bem-sucedido volume de poesia, Olavo Bilac participa da fundação da Academia Brasileira de Letras e passa a colaborar regularmente com a *Gazeta de Notícias* assumindo a coluna que Machado de Assis abandonara em 1901. Na década de 1900, o respeito por sua atuação como jornalista e o contato com sucessivos governos presidenciais permitem que ocupe cargos públicos bem remunerados, que garantiram viagens ao exterior e uma vida social intensa e luxuosa, marcada por banquetes e encontros literários, nos grandes salões e cafés de prestígio da capital da República.

Em 1904, Olavo Bilac ocupava um cargo administrativo no governo Pereira Passos e elogiava as ações do prefeito em sua coluna na revista *Kosmos*. Nessa ocasião, enquanto o parnasianismo cedia lugar ao simbolismo, a prosa de Bilac constituía-se volumosa e atual. Ensaísta cosmopolita, seu texto revelava a ambivalência de um escritor contaminado pela alta cultura francófila do Rio e que, a despeito de sua infância difícil, fora transformado ao longo do tempo, como a então capital da República que desejava ver progredir, mas que, em certa medida, desprezava por ser como era.[23]

A popularidade de Bilac como jornalista, poeta e orador levaram-no a diversos destinos no exterior. A rotina de viagens levou-o a Lisboa.[24] Entre 26 de março e 3 de abril de 1916, quando Bilac propagava seu nacionalismo em discursos e campanhas cívicas para a mocidade, no con-

20 Idem.

21 Idem, p. 144

22 Artur Azevedo. "Flocos". *Correio do Povo*, 25.3.1891 (*apud* idem).

23 Jeffrey D. Needell, op. cit., p. 236.

24 Sobre a presença de Olavo Bilac em Lisboa, ver o artigo de Antonio Dimas "Bilac em Lisboa" (*Via Atlântica*. São Paulo, USP, n. 2, jul. 1999, pp.175-189. Disponível em www.fflch.usp.br/dlcv/posgraduacao/ecl/pdf/viao2/viao2_15.pdf. Acesso em 31.10.2010.

texto da implantação do serviço obrigatório militar, o poeta foi recebido oficialmente pela Academia das Ciências de Lisboa e reverenciado pela revista *Atlântida* na capital portuguesa. O contexto político-ideológico era o da valorização da lusitanidade e da latinidade, por meio da defesa do idioma e do nacionalismo nos dois países. A redação da revista *Atlântida* destacava a passagem de Bilac por Lisboa:

> Durante a sua recente permanência em Lisboa, Olavo Bilac foi alvo das mais significativas homenagens de admiração e carinho por parte de todas as classes sociais. O chefe do Estado quis ter a honra de o sentar à sua mesa, oferecendo-lhe um jantar íntimo em que foram igualmente convivas algumas ilustres personalidades literárias e o diretor da Atlântida, dr. João de Barros. Domingo, 26 de março, realizou-se em honra do presidente da República uma grandiosa manifestação popular, a propósito da entrada de Portugal na guerra europeia. O cortejo, composto de muitos milhares de pessoas, foi desfilar perante o edifício da câmara municipal, em cuja varanda estava o dr. Bernardino Machado, os membros do governo e os ministros das nações aliadas. Pouco antes, passara em frente do Avenida Palace e como a multidão descortinasse a uma das janelas Olavo Bilac, que presenciava o desfile, ergueram-se de todas as bocas, frementes de entusiasmo, vivas calorosos ao Brasil, à República irmã e ao seu grande poeta. Foram alguns minutos de inolvidável comoção. As salvas de palmas estrugiram, os chapéus e os lenços agitaram-se no ar, todos pararam voltados para Bilac surpreendido com aquela admirável demonstração de afeto à sua gloriosa pátria. O eminente lírico agradeceu profundamente sensibilizado, erguendo um Viva a Portugal![25]

25 Idem, p. 183.

Após ouvir os discursos de recepção na Academia de Ciências de Lisboa, onde foi recebido na noite de 30 de março de 1916, Bilac respondeu em defesa do nacionalismo e do tradicionalismo dizendo: "Sempre fui um tradicionalista, sem ser um retrógrado. Este meu tradicionalismo não é incompatível com o meu nacionalismo".[26]

No dia seguinte, a 31 de março, a *Atlântida* ofereceu um banquete a Olavo Bilac, que significou o auge da recepção e reverência portuguesa ao poeta brasileiro.

26 *Atlântida*, Lisboa, n. 6, 15.4.1916, p. 571 (*apud* idem, p. 185).

À ESQUERDA
FOTOGRAFIA DA MANHÃ DO DIA 26 DE MARÇO, DA VARANDA DO HOTEL AVENIDA PALACE, EM LISBOA, ONDE OLAVO BILAC ACENA PARA A MULTIDÃO QUE O REVERENCIA DURANTE O DESFILE POR OCASIÃO DA ENTRADA DE PORTUGAL NA PRIMEIRA GUERRA. LISBOA, 26.3.1916

ACIMA
O ELEGANTE BANQUETE OFERECIDO PELA *REVISTA ATLÂNTIDA* AO POETA OLAVO BILAC, DE PÉ, À ESQUERDA. LISBOA, 31.3.1916

OLAVO BILAC É RETRATADO DE PERFIL, COMO NA MAIORIA DOS SEUS RETRATOS, PROCURANDO DISSIMULAR O ESTRABISMO E DEFEITO DO OLHO ESQUERDO, CAUSADO POR UMA INFECÇÃO OCULAR EM 1901, QUE O MANTEVE LONGOS DIAS NO LEITO E NO ESCURO DE UM QUARTO. S/D.

CORA BILAC E AMÉLIA DE OLIVEIRA, IRMÃ E NOIVA DO POETA. S/D.

À DIREITA
EM LISBOA, NO MÊS DE MARÇO DE 1916, O RARO ENCONTRO DE OLAVO BILAC COM O POETA PORTUGUÊS GUERRA JUNQUEIRO DIANTE DA ESTÁTUA DE EÇA DE QUEIRÓS. AO SAUDAR BILAC NESSA OCASIÃO TERIA DITO O POETA PORTUGUÊS "QUE BEIJANDO-LHE A FRONTE, BEIJAVA O BRASIL NO CORAÇÃO". LISBOA, 3.1916

Olavo Bilac foi autor também de textos de moral e cívica para crianças. Depois da publicação, em 1910, da obra *Através do Brasil*, que contou com a colaboração de Manoel Bonfim, publicou *A Pátria Brasileira*, em 1916, em co-autoria com Coelho Neto, seu amigo e colaborador, romancista de grande popularidade.[27]

Olavo Bilac nunca casou e não deixou filhos. Foi noivo de Amélia Mariano de Oliveira, irmã do poeta parnasiano Alberto de Oliveira, nascida em 14 de abril de 1868, no interior do estado do Rio de Janeiro. Após a morte do pai da noiva, por oposição de Alberto, que não aprovava o relacionamento da irmã com um escritor boêmio, Amélia e Bilac desfizeram o compromisso.

27 José Murilo de Carvalho. *Pontos e Bordados. Escritos de História e Política*. Belo Horizonte: Editora da UFMG, 1998, p. 253.

a boemia dos salões cariocas

As transformações verificadas no aspecto urbano da cidade do Rio de Janeiro no início do século XX pareceram espraiar-se para a paisagem literária carioca daquele mesmo período. Era o momento da decadência da boemia dos cafés e o início da boemia dos clubes, restaurantes e salões frequentados por requintados, por *dândis*, que difundiam o hábito do *five o'clock tea*, servido às cinco da tarde conforme a tradição britânica.

A revista *Fon Fon!* esclarecia sobre o novo hábito do chá das cinco: "é o pretexto, a intenção benevolente para a elegância de reuniões de escola, da delícia da palestra sussurrada, em *tête-à-tête*, numa sala aromada de hortênsias, iluminada à eletricidade, cheia de mulheres lindas".[28]

Esse foi o ambiente frequentado por Olavo Bilac, com suas polainas e *pince-nez*, assim como pelo cronista João do Rio, que tinha "a elegância de um fato bem cortado e uma lindíssima gravata com desenho esquisito, em que há das rosáceas bizantinas e das paisagens do Japão".[29]
A esse respeito, o cronista Luiz Edmundo, irônico, diz:

> As nossas elegâncias, pela época, são, na verdade, mais dignas de lástima que de exaltação. Possuímos em todo caso, as polainas do Sr. Guerra Durval, as gravatas cor de abóbora do Sr. Ataulfo de Paiva [...] e as calças brancas do Conselheiro Andrade Figueira, obrigadas a sobrecasaca preta, botinas de elástico, cartola e chapéu de chuva com um cabo de volta.[30]

A boemia dourada era produto da nova cidade que surgia e, nesse contexto, as confeitarias Colombo e Pascoal, assim como a Cailteau e a Castelões abrigavam as rodas literárias, sendo os dois primeiros estabelecimentos considerados de *primeira ordem*[31] pelos cronistas da época e, a Pascoal, localizada à rua do Ouvidor, a mais antiga.

Nas confeitarias reuniam-se os grandes nomes da literatura, da política e os grandes comerciantes e nelas nasceu e se criou a geração de Bilac — regada a absintos, xerez e vermouth.

28 *Fon Fon!*, 15.6.1911 (*apud* Brito Broca, op. cit., p. 56).

29 Idem.

30 Luiz Edmundo. *O Rio de Janeiro do Meu Tempo*. Rio de Janeiro: Conquista, 1957, v. III, p. 505.

31 Idem, p. 596.

NESTE INSTANTÂNEO INÉDITO VÊ-SE NO ESPELHO O CUIDADO DO POETA COM SUA IMAGEM. TRAJADO CONFORME OS PADRÕES DE REQUINTE DA ÉPOCA, A ATENÇÃO DE BILAC AO "NÓ DA GRAVATA" DENOTA A VAIDADE E O FORMALISMO DO ESCRITOR, RECONHECIDO POR SUA ELEGÂNCIA, PELAS ROUPAS DE BOM CORTE E GRAVATAS DE ESMERADO GOSTO. A FOTOGRAFIA FOI FEITA NO SEU GABINETE DE TRABALHO QUE, DE ACORDO COM SEUS BIÓGRAFOS, REUNIA UMA COLEÇÃO DE OBJETOS DE ARTE. ALÉM DA ESCRIVANINHA — NÃO VISÍVEL NA FOTO, MAS QUE POSICIONAVA-SE À ESQUERDA DO POETA — O ESPELHO, A PAREDE DECORADA COM FOTOGRAFIAS, PÁGINAS DE JORNAL E, NO ALTO, UM RETRATO DO ESCRITOR E POETA FRANCÊS VICTOR HUGO, CULTUADO POR BILAC QUE NÃO PRONUNCIAVA SEU NOME A ELE REFERINDO-SE SOMENTE COMO "O VELHO", COMO NUMA ALUSÃO AO PRÓPRIO PAI. S/D.

Em 1894, surgia a Confeitaria Colombo, fundada por Manoel José Lebrão e Joaquim Borges de Meireles. Embora a Confeitaria Colombo fosse um estabelecimento confortável, a Confeitaria Pascoal continuava a ser o espaço privilegiado de encontro dos literatos da época.

Diariamente na Confeitaria Colombo a rotina era marcada, às duas da tarde, pelo horário das famílias:

> [...] vêm as Candocas, as Bembéns, as Mundicas, as Titas e as Lolós, a mão direita arrepanhando as saias, muitíssimas saias, a mão esquerda movendo vistoso leque de papel ou seda olhando por chapelões enormes e de onde se dependuram flores, frutas e até legumes. É a moda. [...] Falam das noitadas do Lírico, dos bailes do Cassino, da estação em Petrópolis, lançando olhares para esquerda e para direita, para onde se instalam os gabirus de polaina e monóculo, dentro de hirtas e solenes sobrecasacas, líricos e tranquilos limpando, a cotoveladas, o pelo das cartolas *huit-reflets*.[32]

Até às cinco da tarde as famílias ocupavam o salão da confeitaria, à rua Gonçalves Dias. A partir das cinco e meia, outra clientela: os grandes capitalistas da época e suas divas.

Entre as quatro e as cinco horas, entre o final do turno das famílias e o início da chegada dos "coronéis", Olavo Bilac costumava frequentar a Colombo. O horário era de grande movimento e da preferência dos figurões das letras. Bilac, em geral, sempre tinha a companhia dos poetas Guimarães Passos, Pedro Rabelo e Plácido Júnior.

Antes de começar a frequentar a Colombo, Bilac e sua roda de amigos escritores reunia-se comumente na Confeitaria Pascoal, instalada à rua do Ouvidor no ano de 1864.[33]

A Pascoal era o estabelecimento mais requisitado para os grandes banquetes da Capital. No Segundo Império, a Confeitaria era fornecedora da Casa Imperial e, mesmo após as transformações políticas do ano de 1889, seu prestígio se manteve. A rua do Ouvidor foi, portanto, o local privilegiado dos encontros de literatos do início do século até o dia em que Bilac se desentendeu com o gerente da Confeitaria Pascoal, transferindo sua roda para a Colombo.

Algum tempo depois de inaugurada, saindo o sócio Meireles, Manoel José Lebrão mudou a refinação do açúcar e a fábrica de doces da Colombo para outro local, reformando as instalações da confeitaria. Surgiu então um grande e luxuoso bar e, quase ao mesmo tempo, ocorreu o desentendimento entre Olavo Bilac e o gerente da Pascoal, ocasião em que os encontros literários foram transferidos para a rua Gonçalves Dias, nas novas instalações da Confeitaria Colombo.

32 Idem, pp. 603-604.

33 Ernesto Senna, op. cit., p. 59.

Lebrão, empresário sagaz, compreendeu a importância de abrigar em seu estabelecimento o encontro diário dos grandes intelectuais e letrados do seu tempo e, sempre gentil e grato aos seus clientes ilustres, acabou por conquistar a sincera amizade de todos. Manoel Lebrão tinha também um empregado de nome França que ajudava a reforçar os laços da clientela com a Confeitaria. Era delicado, fino e inteligente, conquistando a imediata afeição dos escritores e das senhoras que muitas vezes o consideraram o funcionário padrão da Colombo.

Anos mais tarde, já cansado, Manoel Lebrão retirou-se para dedicar-se com exclusividade à sua fábrica de doces em conserva, e França — que assumiu a direção da Confeitaria — reformou-a novamente.[34]

A Colombo era, assim, o quartel general de poetas, escritores, jornalistas ao qual aderiram políticos e homens de negócio.

Bastos Tigre, por exemplo, chegou no Rio de Janeiro em 1898 e seguiu os estudos na Escola Politécnica, no Largo de São Francisco. Embora mais moço, conviveu com a geração de Olavo Bilac e privou da amizade de Emílio de Menezes, entre outros escritores da época. A propósito, a geração de Bilac experimentou uma agitação sem precedentes na história do país. Passou pela abolição da escravatura, pela proclamação da República e pelos primeiros governos republicanos. Viu o Brasil crescer e se modernizar.

Em suas *Reminiscências*, Bastos Tigre justifica a preferência dos intelectuais de seu tempo pelas confeitarias como local de encontro:

> É justo que se explique, abrindo um oportuno parêntesis, o motivo por que os cafés e as confeitarias eram tão frequentados pela turma de intelectuais. Essa gente bebia e batia papo a tarde inteira. Trabalhava também (o ambiente das redações dos jornais era insuportável). Ali se comentavam os fatos do dia, os boatos e mexericos da politicagem. E escreviam-se coisas sérias ou burlescas, "ao som" de uma cerveja, de um Madeira ou mesmo de uma Água de Vichy ou Caxambu. Sim, porque havia também os bebedores de água, como Bilac, por exemplo.
>
> Assim, procuravam as confeitarias como ponto de encontro para palestrar ou para negócios. A bebida era um pretexto para conversar-se. Outras vezes, a conversa era um pretexto para beber-se.
>
> Mas não pensem que o pessoal vivia a emborrachar-se diariamente. Basta dizer-se que a Colombo não registra em seus anais, nem um rolo, nem um sururu, nem um quebra garrafas, que o excesso de álcool fatalmente provocaria. Todas as coisas se resolviam, ali, entre sorrisos e abraços, com uma piada ou uma quadrinha.[35]

34 Outras memórias sobre a Confeitaria Colombo e o Rio de Janeiro na virada do século podem ser encontradas no precioso texto do escritor Bastos Tigre intitulado *Reminiscências. A Alegre Roda da Colombo e Algumas Figuras do Tempo de Antigamente.* Brasília: Thesaurus, 1992.

35 Manuel Bastos Tigre, op. cit., pp. 15-16.

A Colombo foi ainda palco de episódios burlescos. Bilac foi um intelectual boêmio, ativo e sua trajetória contrasta com a imagem que se costuma projetar do poeta fechado em uma torre de marfim. Contudo, a popularidade e reconhecimento que conquistou como poeta de maior prestígio literário do seu tempo, faziam de Bilac, aos olhos de seu público leitor, uma figura quase sacralizada, que causava surpresa ao adotar quaisquer reações ou atitudes prosaicas.

Bastos Tigre narra um desses episódios envolvendo Bilac, ocorrido no dia em que o escritor pernambucano foi apresentado pela primeira vez à roda literária da Colombo, pelas mãos de Emílio de Menezes:

> —Conheçam aqui este animal de pêlo! Retumbou Emílio, apontando-me à roda: Bilac, Pedro Rabelo e Plácido Junior. Apertamos as mãos com as palavras protocolares. E, enquanto Emílio confabulava com o Pedro e o Plácido, eu, disfarçadamente, olhava Bilac, à espera (como o Eça em casa de Fradique Mendes) que o poeta abrisse os lábios e deixasse cair sobre a minha miséria de provinciano, calouro das letras, os diamantes e pérolas do seu fino espírito de esteta perfeito.
>
> E atento, toda a minha alma concentrada nos olhos e nos ouvidos, eu esperava... esperava a frase sutil, caprichosamente burilada ao sabor parnasiano, ou a rutilância do paradoxo, ou a percuciante ironia, ou ainda, a sátira fina e penetrante como um estilete.
>
> Nisso, entra no salão, aprumado, elegante, do chapéu à polaina, de lapela florida, esmagando entre os lábios um cigarro "Barbacena", Guimarães Passos, o poeta do "Lenço".
>
> E Bilac, o vate excelso, o cinzelador da "Inânia Verba", o cantor magnífico da "Tentação de Xenócrates", atira, de chofre, ao Guimarães esta pergunta:
>
> — Seu Guima, que bicho deu?
>
> Por Apolo e suas filhas! Que desencantamento, que decepção! Rolei do Pico do Parnaso aos paralelepípedos da rua Gonçalves Dias e ainda não me levantara do trambolhão, quando Bilac pragueja dando uma palmada na coxa!
>
> — Bolas! Deu o peru! E eu que joguei no elefante...

O ajuste político-social que acompanhou a proclamação da República era contrário à proliferação de hábitos mundanos. Porém, a valorização das letras e a espécie de relação que a literatura da época mantinha com o mundanismo favoreceram o surgimento de alguns salões de viés literário no Rio de Janeiro do início do século. O Salão de Laurinda dos Santos Lobo, no alto de Santa Teresa — considerado dos mais notáveis —, de Coelho Neto, na rua do Rozo, de Araújo Viana, na Muda da Tijuca, de Sampaio Araújo, na rua Voluntários da Pátria, e o do casal Azeredo, na praia de Botafogo, são alguns exemplos.

Nos salões os convidados poderiam apreciar uma apresentação de orquestra típica ou, até mesmo, ouvir um célebre escritor proferir uma conferência que tinha sido anteriormente apresentada a um numeroso público. Os senhores e as damas conversavam sobre as novidades parisienses, discutiam a moda e a etiqueta da época. Em alguns salões prevalecia o tom afetado, superficial e esnobe, em outros, como era o caso dos salões de Coelho Neto, Sousa Bandeira, à rua Barão de Itambi, e de Inglês de Sousa, à rua São Clemente, predominava a cordialidade e a literatura.

As reuniões à casa de dois andares de Coelho Neto ocorriam geralmente aos sábados e, pelos corredores, esbarravam-se figuras da velha e da nova geração: Olavo Bilac, Humberto de Campos, Olegário Mariano, Gustavo Barroso, Alberto de Oliveira, entre tantos outros. Além dos escritores, frequentavam a rua do Rozo violinistas, cantores, pintores, escultores, caricaturistas, alunos e professores da Escola de Belas Artes.

Na ocasião em que foi eleito *Príncipe dos Poetas* pela *Fon Fon!* Olavo Bilac foi homenageado com uma grande festa no salão de Coelho Neto, com direito à récita de *Caçador de Esmeraldas*, leitura de páginas de *Terra do Sol*, por Gustavo Barroso e de trechos do romance *Ruínas Vivas*, por Alcides Maia.[36]

Além das confeitarias e dos salões, as livrarias eram pontos de reuniões dos escritores e, entre elas, merece destaque a Livraria Garnier, frequentada por Machado de Assis, à rua do Ouvidor.

36 Brito Broca, op. cit. p. 63.

NO SALÃO LITERÁRIO UM PÚBLICO
SELETO ASSISTE O ORADOR
OLAVO BILAC. IMPRESSO EM CORES.
ANÔNIMO. S/D.

a vida social de olavo bilac

A vida social do poeta carioca era intensa e os convites para participar de reuniões promovidas pelas agremiações da imprensa, das letras e das artes, de saraus e de banquetes proliferavam à proporção de sua popularidade.

Numa crônica espirituosa de abertura da revista *Kosmos*,[37] Olavo Bilac resume a vida social concorrida da gente elegante do Rio de Janeiro no início do século XX:

37 *Kosmos*, Rio de Janeiro, agosto de 1907, *apud* Herman Lima. *História da Caricatura no Brasil*. Rio de Janeiro: José Olympio Editora, 1963, vol. 2, pp. 602-603.

> Agosto e setembro são dois meses de martírio para a gente elegante e rica (ou que se supõe elegante e se finge rica) no Rio de Janeiro. As corridas e regatas, o corso, os almoços, os jantares, o teatro, os bailes — juntem tudo isso e vejam que torvelinho, que redemoinho, que maelstron. É o delírio do divertimento, é a exasperação do prazer, é o assanhamento da folia!
>
> Uma destas manhãs, encontrei um amigo, no seu escritório, cabeceando sobre a mesa cheia de papéis. Despertei-o com um safanão:
>
> — Dormindo aqui, a esta hora?
>
> Ele, estremunhando, esfregou os olhos, soltou do peito um longo suspiro, e abriu a torneira das lamentações:
>
> — Que vida, meu amigo, que vida! Eu sou o calceta da Elegância! Em que dia estamos hoje? Sábado, não? Pois ouça a história da minha vida nesta semana fatal... No domingo tive um almoço na Tijuca, passei a tarde no Pavilhão de Botafogo a ver as regatas, e levei a família à casa do Fagundes, cuja senhora fazia anos; depois do jantar, as meninas entra-

38 Herman Lima, op. cit., p. 603.

ram a dançar valsas; deitei-me na madrugada da segunda-feira, às 4 horas. Às 9 vim para o escritório, de onde me veio arrancar o Milcíades, para um almoço de cerimônia, que acabou às 3 da tarde; às 3 da tarde arrastaram-me para um *five o'clock* em casa do Melo; quando cheguei à casa, já a família tinha jantado, e estava vestida para ir ao teatro; enverguei às pressas a casaca e voamos para o Coquelin. Na terça feira houve um piquenique nas Furnas, um jantar em Botafogo —, e outra vez Coquelin. Na quarta feira, caindo de sono e sobrecarregado de trabalho urgente, tive de ir a bordo de um paquete inglês receber um amigo, almocei com ele no City-Club, levei-o ao Clube dos Diários onde joguei pocker até às 4 da tarde; das 5 às 6 ½ fui ao Corso da Praia de Botafogo, e abalei para casa, disposto a cair na cama como uma pedra; mas as meninas queriam ir a um concerto; lá fomos; e, à saída, esbarramos com as Alcântara, que iam acabar a noite num bailarico em casa das Fonseca: e lá fui eu, cochilando, ao bailarico, para poupar lágrimas às meninas! Na quinta feira, às 10 da manhã, quando vinha para o escritório, fui apanhado na Avenida pelo Bastos, que me forçou a ir a um almoço de caráter... íntimo onde arrasei o estômago com foie gras e champagne, e onde enchi os ouvidos de trocadilhos franceses e cançonetas. Às 4 horas, carregaram-me para uma conferência musical; às 7 tive de jantar com o Barão Procópio no Pavilhão Mourisco, e daí fui encontrar a família no Lírico. Ontem, sexta-feira tive de servir de padrinho a um casamento às 11 horas; depois da cerimônia, *lunch* que acabou quase à noite; à noite, outra vez, Coquelin, e, depois do Coquelin, uma partida de voltarete no Guanabara. E, aqui onde você me vê, dormi apenas três horas, e tenho que estudar e despachar toda esta papelada! Que vida, meu amigo, que vida!

Herman Lima assegura que "a caricatura que o poeta faz da gente de 'bem' da época é na verdade cintilante, mas, por trás da charge, não é menos certo que a realidade há de repontar em grande parte desse delirante *compte-rendu* da semana" de um dos elegantes da sociedade carioca.[38]

A despeito da vida social de Bilac — pontuada por viagens, banquetes, festas, recepções, idas ao teatro e aos salões, salvo os excessos da crônica — é possível considerá-la quase confessional.

Em sua trajetória como jornalista, poeta e conferencista, Olavo Bilac participou de inúmeros banquetes — ocasiões em que a confraternização dos convivas se dava em torno de farta e requintada gastronomia. Por conta do seu prestígio intelectual e da sua ampla rede de sociabilidade, Olavo Bilac era nome sempre lembrado na relação dos convidados dos almoços e jantares de gala organizados por agremiações políticas, das artes ou da imprensa.

Com recepção requintada — além do variado *menu* elaborado nos moldes da elegante gastronomia francesa, delicadas porcelanas, pratarias e cristais — os banquetes oferecidos aos membros da elite intelectual e política brasileira celebravam efemérides da História pátria, a conclusão de obras públicas ou de equipamentos urbanos, homenageavam um escritor, artista ou político, comemoravam seu natalício, marcavam a despedida de um intelectual que partia em viagem ou a alegria do seu regresso.

Diante do fausto dessas recepções, não é difícil relegar às motivações dos banquetes importância secundária. O espírito era o de celebração regada à boa comida, com atenção aos rituais que envolviam a recepção e a etiqueta à mesa.

Os banquetes representavam, assim, a pretensão do refinamento da elite, que preservava seu *status* também por meio dessas confraternizações sociais, celebrando um certo gosto: aquele praticado pelas elites francesas.

Olavo Bilac, em 3 de outubro de 1907, no banquete a ele oferecido no Palace Théatre do Rio de Janeiro pela sociedade carioca, brindou os convivas com um discurso[39] bastante representativo do significado e da função social dessas celebrações naquele tempo. Disse o poeta:

> [...] Eu estou hoje gozando aqui, minhas senhoras e meus senhores, um desses raros, exclusivos, absorventes, entontecedores instantes de alegria suprema e de suprema ventura. Ver reunida em torno de mim, nesta noite inolvidável para a minha inteligência e para o meu afeto, a representação real e legítima da mais culta sociedade do abençoado ponto da terra em que nasci, ver-vos aqui, minhas senhoras, dando luz, perfume, encanto a esta sala, honrando e nobilitando com o vosso concurso a esta festa o meu trabalho e o meu desejo de ser bom e útil; ver-vos aqui, e lembrar-me que entre os nomes dos que assinaram os convites para este banquete havia seis nomes de senhoras — seis condecorações rutilantes que até a hora da morte estrelarão o meu peito; ver aqui altas autoridades da República e da cidade, Ministros de Estado, o Senhor Prefeito do Distrito Federal, Senadores, Deputados [...] representantes da indústria, do comércio e da imprensa, e tantos amigos íntimos e queridos cuja amizade carinhosa tantas vezes tem animado e protegido a minha agitada vida de labor e de sonho [...]

39 Artur Motta referiu-se a Bilac como "um orador mágico. Seduzia pelo brilho da palavra, o vigor da expressão, a sonoridade da voz, pelo conjunto de requisitos e eloquência, que nele se integravam". (Cf. Artur Motta, op. cit., p. 208.

Mas é força que este meu agradecimento termine por um brinde. Em nossas festas de família, quando há ainda a felicidade de estar viva, iluminando e abençoando a casa com a sua presença, a mãe sacrossanta que com o seu amor nos guiou na vida — é sempre a ela que dirigimos a última e mais carinhosa saudação. Sigamos aqui esse exemplo, e respeitemos essa tradição. Podem todos os que aqui estão acompanhar-me neste brinde uma vez que no Brasil não há e praza aos céus que jamais haja estrangeiros, sendo todos os que vivem nesta terra iguais, amigos e irmãos, pelo trabalho e pelo afeto. Levanto a minha taça em honra de uma grande Mãe: a Pátria Brasileira![40]

No discurso proferido no *Palace Théatre*, para além do seu sentido retórico, é possível identificar o nacionalismo do poeta e a forte carga ideológica e política das suas palavras, justificada pelo cargo que ocupava naquele ano de 1907, como secretário do então prefeito do Distrito Federal, Francisco Marcelino de Souza Aguiar, presente no banquete.

40 Olavo Bilac. "Sobre a Minha Geração Literária". In: *Últimas Conferências e Discursos*. Rio de Janeiro: Francisco Alves, 1924, pp. 71 e 81.

Em São Paulo, no dia 2 de abril de 1917, Olavo Bilac foi homenageado em banquete realizado no Clube Trianon, ao lado do político, advogado e jornalista Alfredo Pujol (1865-1930), com quem Bilac iniciara o curso de Direito em São Paulo na década de 1890.

Em 1916, durante a Primeira Guerra Mundial (1914-1918), Olavo Bilac fundou a Liga de Defesa Nacional, com Miguel Calmon e Pedro Lessa e, não por acaso, no decorrer de 1917, ano em que o Brasil declarou guerra à Alemanha, viajou até o Paraná, São Paulo e Rio Grande do Sul, onde realizou palestras em quartéis para difundir o ideário nacionalista, fomentando o conceito de *cidadão-soldado* e valorizando as Forças Armadas como uma escola de cidadania e civismo.

Na ocasião do banquete do Trianon, Bilac estava em São Paulo promovendo a campanha da Liga de Defesa Nacional e foi homenageado na presença de autoridades militares. Os registros fotográficos dessa recepção foram reunidos em um álbum inédito sob a guarda do Centro de Documentação da Academia Brasileira de Letras e integra o acervo pessoal do acadêmico.

FOTOGRAFIA OFICIAL DO GRUPO DE CONVIDADOS NO BANQUETE REALIZADO NO CLUBE TRIANON, EM SÃO PAULO. SENTADO AO CENTRO ESTÁ OLAVO BILAC. DESTACA-SE NO OLHAR DE HOJE O MENINO NEGRO QUE PRESTA CONTINÊNCIA, COMO QUE REVERENCIANDO OS CONVIVAS. À DIREITA DE OLAVO BILAC, ESTÁ ALFREDO PUJOL. 2.4.1917

NO MESMO SALÃO ONDE
FOI FEITO O REGISTRO FOTOGRÁFICO
OFICIAL OS CONVIVAS APARECEM
AGORA REUNIDOS DE PÉ. À DIREITA
DE OLAVO BILAC ESTÁ O ADVOGADO,
POLÍTICO E ACADÊMICO ALFREDO
PUJOL. 2.4.1917
NO BANQUETE, APÓS DISCURSO
DE ALFREDO PUJOL, OLAVO BILAC
TOMOU A PALAVRA E RECORDOU
O TEMPO DE ESTUDANTE NA CAPITAL
PAULISTA, DECLARANDO SUA
GRATIDÃO E RECONHECIMENTO
À CIDADE QUE O ACOLHEU AINDA
NA JUVENTUDE.

OLAVO BILAC DURANTE O DISCURSO
DO BANQUETE DE 2.4.1917 EM
SÃO PAULO

41 Olavo Bilac. "*Nec nos Labor Iste Gravabit!*". In: idem, pp. 51-58.

SENHORES.

É bem verdade que o presente não existe. A vida é o passado e o futuro; vivemos de lembranças e ambições, entre a saudade e a esperança. [...] O hoje é uma ilusão; o que chamamos "agora" é uma vaga mistura de recordação e desejo, um pouco do gosto ou do pesar que já tivemos — e um pouco da felicidade ou do desgosto que adivinhamos. Já tenho saudade de vós, da vossa companhia e desta noite de tão suave encantamento para mim; e já estou prelibando os minutos, que daqui a pouco viverei, embalado pela evocação das vossas fisionomias e das vossas vozes...

Meu caro Alfredo Pujol, meu bom amigo de mais de trinta anos; este momento já passou; o presente não existe; estamos vivendo do passado, e estamos vivendo para o futuro.

A tua palavra ressuscitou a nossa mocidade. Ao lado do esplendor da atual cidade de São Paulo, acaba de estampar-se de leve, em trêmula névoa, esfumaçando-se, a visão do antigo burgo de estudantes, em que vivemos há mais de seis lustros... Que quer dizer "atualidade"? é o que tem estado efetivo. Mas nada é efetivo, senão uma transição entre o que passou e o que chega. Nada é permanente. Esta admirável capital está em formação perpétua: as ruas estão cheias de andaimes, de ossaturas de novos palácios em construção; avenidas novas entroncam-se nas velhas avenidas; em todas as árvores há a palpitação de gomos que rebentam; em todos os lares há vagidos de berços; e pela grande terra paulista novas cidades estão nascendo... A nossa querida São Paulo de 1885 era pequena, feia e escura. Mas ampliava a nossa mocidade; aquecia-a o calor do nosso sangue; iluminava-a o clarão da nossa jovialidade. Naqueles dias de pouco sol e naquelas noites de muita garoa, já tínhamos dentro de nós esta atual cidade, esta esplêndida metrópole; e já tínhamos conosco, dentro de nós, o atual Brasil. Ríamos, cantávamos, amávamos, versejávamos; éramos dois adolescentes, mas trabalhávamos pelo futuro do Brasil; éramos abolicionistas e republicanos; dentro destes dois estudantes boêmios havia dois soldados e dois construtores. Felizes nós que nos orgulhamos do que fizemos, e que, depois de tantos anos, ainda nos empenhamos, unidos, em nova campanha de civismo!

Senhores. A alta honra, que hoje me dás, é excessiva, pelo exagero do aplauso que ela encerra; mas é, até certo ponto, justa, porque, descontada a generosidade dos louvores imerecidos, é uma retribuição ao grande amor que devoto a São Paulo, — amor, que é feito de admiração e de gratidão.

Vir a São Paulo, e aqui passar alguns dias, é como demandar um retiro espiritual do patriotismo. Aqui, como numa nascente mágica, o entusiasmo se retempera e a crença se avigora. [...][41]

Os almoços frequentados por Bilac nem sempre eram acompanhados de discursos e excessivas formalidades. Em viagem a São Paulo, na década de 1910, Bilac visitou a fazenda de Júlio de Mesquita (1862-1927), proprietário e fundador do jornal *O Estado de S. Paulo*, do qual Bilac foi também colaborador. O almoço oferecido na fazenda foi fotografado e os registros desse encontro de jornalistas e amigos em torno da boa mesa estão acondicionados em álbum fotográfico.[42]

A mesa farta, a distinção dos convivas, a prosa após o almoço — enquanto um dos presentes degustava a sobremesa — foram devidamente registrados para a recordação de Bilac. Uma única fotografia desse conjunto traz observação escrita de próprio punho do poeta. Na foto, que exibe os convidados de Júlio de Mesquita sentados numa escadaria, entre eles Olavo Bilac — sempre de perfil — está um personagem particular, não menos importante no contexto do almoço. À frente do grupo, sentado de forma acanhada e aparentando certo constrangimento está "Juvenal, o cozinheiro", retratado pelos convivas que devem ter apreciado as iguarias por ele preparadas.

42 O álbum fotográfico da visita de Olavo Bilac a São Paulo, cuja data estima-se a década de 1910, pertence à coleção de documentos pessoais do poeta sob a guarda do Centro de Documentação da Academia Brasileira de Letras. No verso das fotografias ou no corpo do álbum não constam, em geral, anotações de Bilac, o que dificulta a identificação dos presentes à cena.

P. 54
SENTADO À FRENTE DO GRUPO, O COZINHEIRO JUVENAL.

O CONJUNTO DE FOTOGRAFIAS RETRATA O ALMOÇO DE OLAVO BILAC NA FAZENDA PAULISTA DE JÚLIO DE MESQUITA, C. 1910

No rol dos banquetes presenciados pelo poeta havia aqueles realizados aos 16 dias do mês de dezembro de cada ano, quando os amigos rendiam homenagens pelo aniversário de Olavo Bilac. No ano de 1898 foi oferecido um almoço em comemoração ao natalício do poeta cujo cardápio aqui se reproduz pela primeira vez.[43]

Na frente do luxuoso cardápio é possível reconhecer as assinaturas dos convidados Plácido Junior, Coelho Neto, Leôncio Correia, Henrique Holanda, Manuel Veloso Paranhos Pederneiras, Álvaro de Azevedo Sobrinho, Artur Azevedo e Pedro Rabelo e no seu interior, em espaço que pareceu reservado paras as mensagens dos convidados, Leôncio Correia deixa um poema inédito em homenagem ao aniversariante:

43 Uma análise mais detalhada desse cardápio, bem como dos autógrafos nele presentes, será feita mais adiante, no conjunto dos banquetes oferecidos a Olavo Bilac.

A OLAVO BILAC

Na alva cristalaria onde guardada
— Pontífice da Forma! — a alma impoluta
Trazes, a salvo do fragor da luta,
A galáxia do Sonho de abóbada.

Águias sem asa assaltem-te na estrada,
E leões sem juba com filância astuta,
Embora! — a praga da alcateia escuta,
E passa, em tua triunfal jornada.

São de ouro fino e raro as rutilantes,
Artísticas feituras inteiriças
Dos teus formosos versos triunfantes...

E todo esse vivo, esplêndido e opulento,
Com que pródiga não o desperdiças,
Ó glorioso nababo do talento!

16.12.1898
LEÔNCIO CORREIA

PP. 57-59
CARDÁPIO EM HOMENAGEM
A OLAVO BILAC POR OCASIÃO
DO SEU ANIVERSÁRIO.
16.12.1898

A Olavo Bilac.

Na alva crystalaria, onde, guardada,
– Pontifice da Fórma! – a alma, impolluta,
Trazes, a salvo do fragor da luta,
A galaxia do Sonho se abobáda.

=

Aguias sem aza assaltem-te na estrada,
E leões sem juba, com pilancia astuta,
Embora! – a praga da alcatéa escuta,
E passa, em tua triumphal jornada.

=

São de oiro fino e raro as rutilantes,
Artisticas feituras inteiriças
Dos teus formosos versos triumphantes...

=

E todo esse oiro, esplendido e opulento,
Com que prodiga mão o desperdiças,
O' glorioso nababo do Talento!

16-12-98.

Leoncio Correia

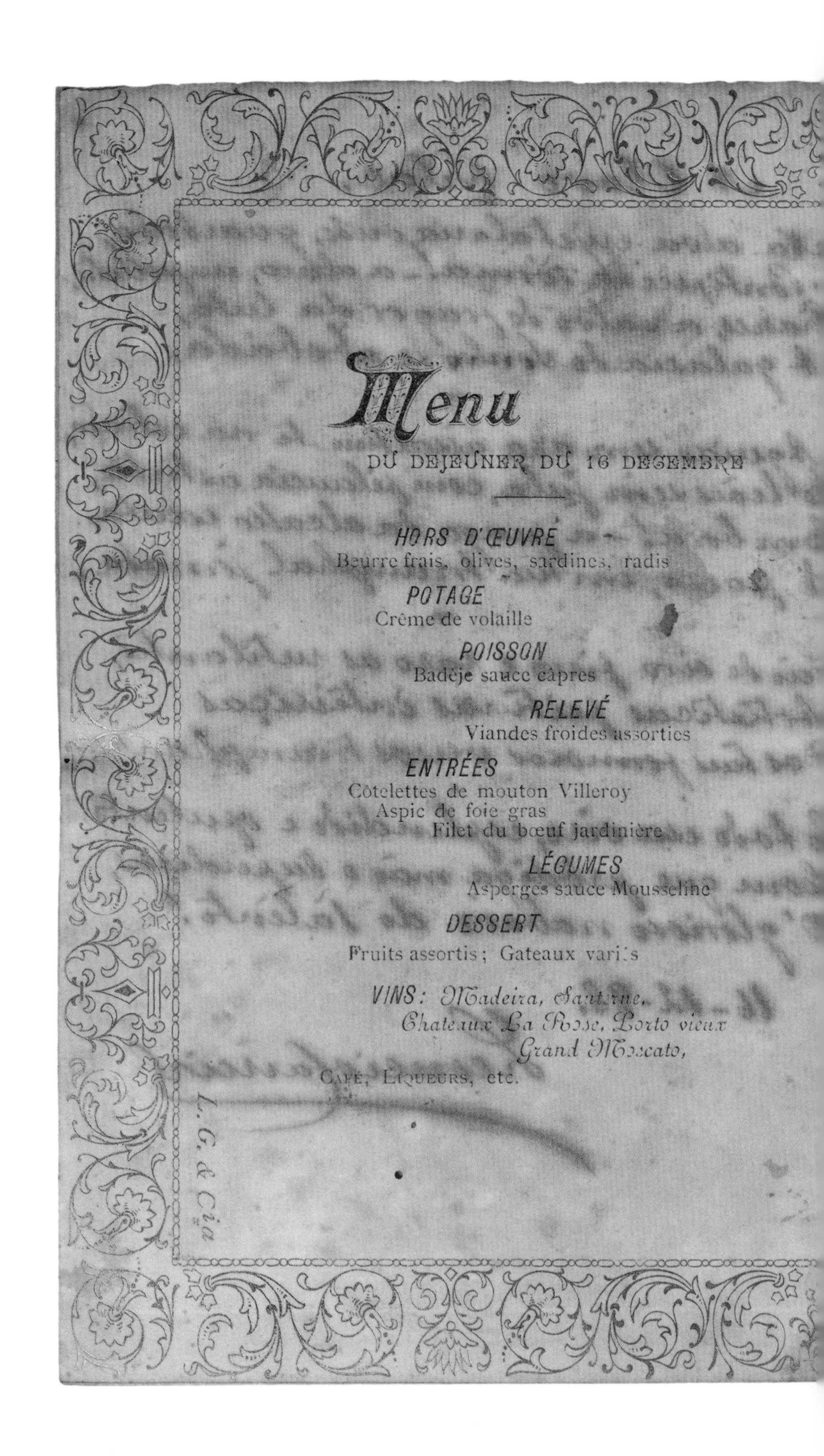

Menu

DU DEJEUNER DU 16 DECEMBRE

HORS D'ŒUVRE
Beurre frais, olives, sardines, radis

POTAGE
Crême de volaille

POISSON
Badèje sauce câpres

RELEVÉ
Viandes froides assorties

ENTRÉES
Côtelettes de mouton Villeroy
Aspic de foie-gras
Filet du bœuf jardinière

LÉGUMES
Asperges sauce Mousseline

DESSERT
Fruits assortis; Gateaux variés

VINS: Madeira, Santerne,
Chateaux La Rose, Porto vieux
Grand Moscato,

Café, Liqueurs, etc.

L. G. & Cia

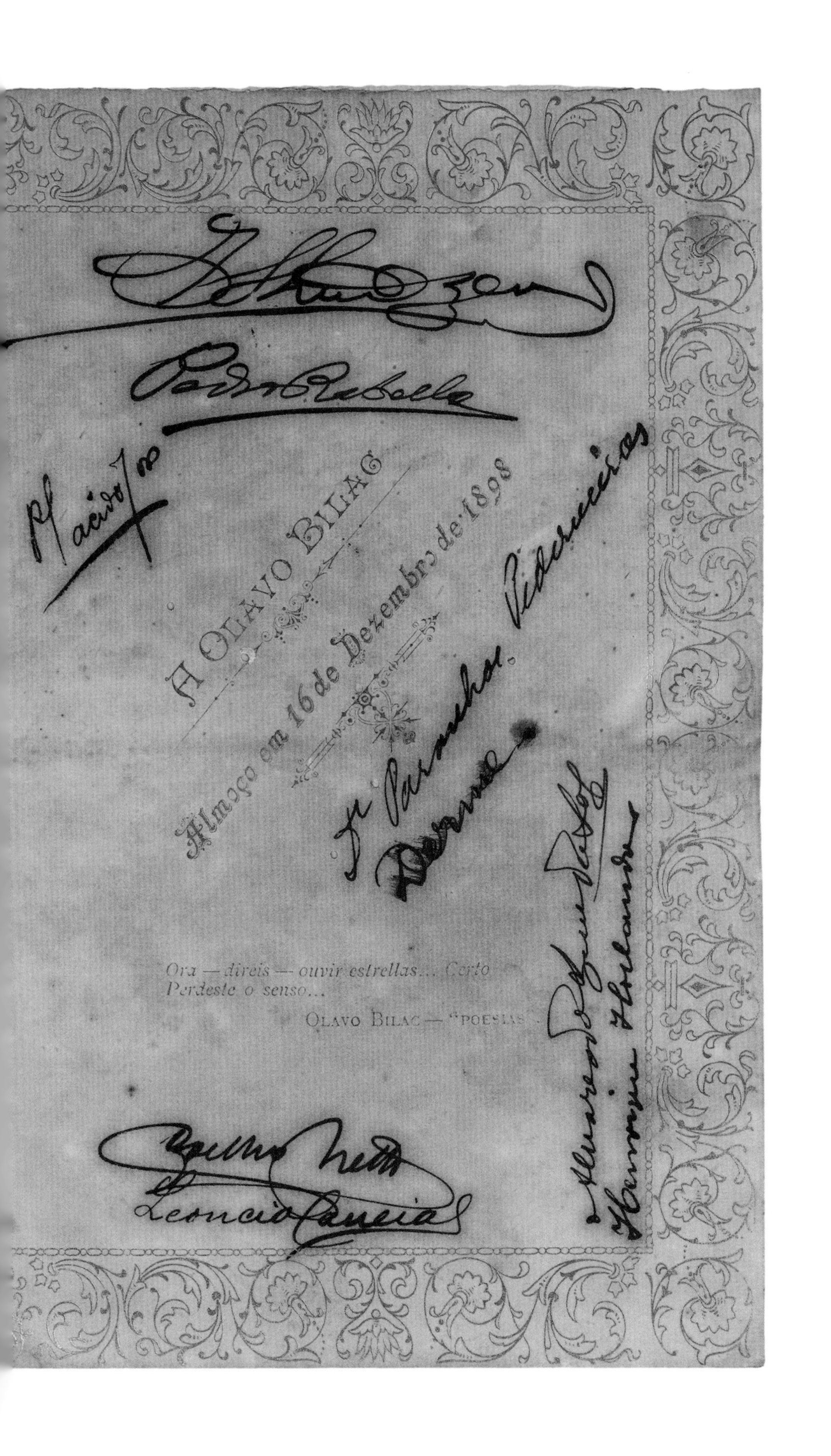
A Olavo Bilac
Almoço em 16 de Dezembro de 1898
Ora — direis — ouvir estrellas... Certo
Perdeste o senso...
Olavo Bilac — "Poesias"

Olavo Bilac

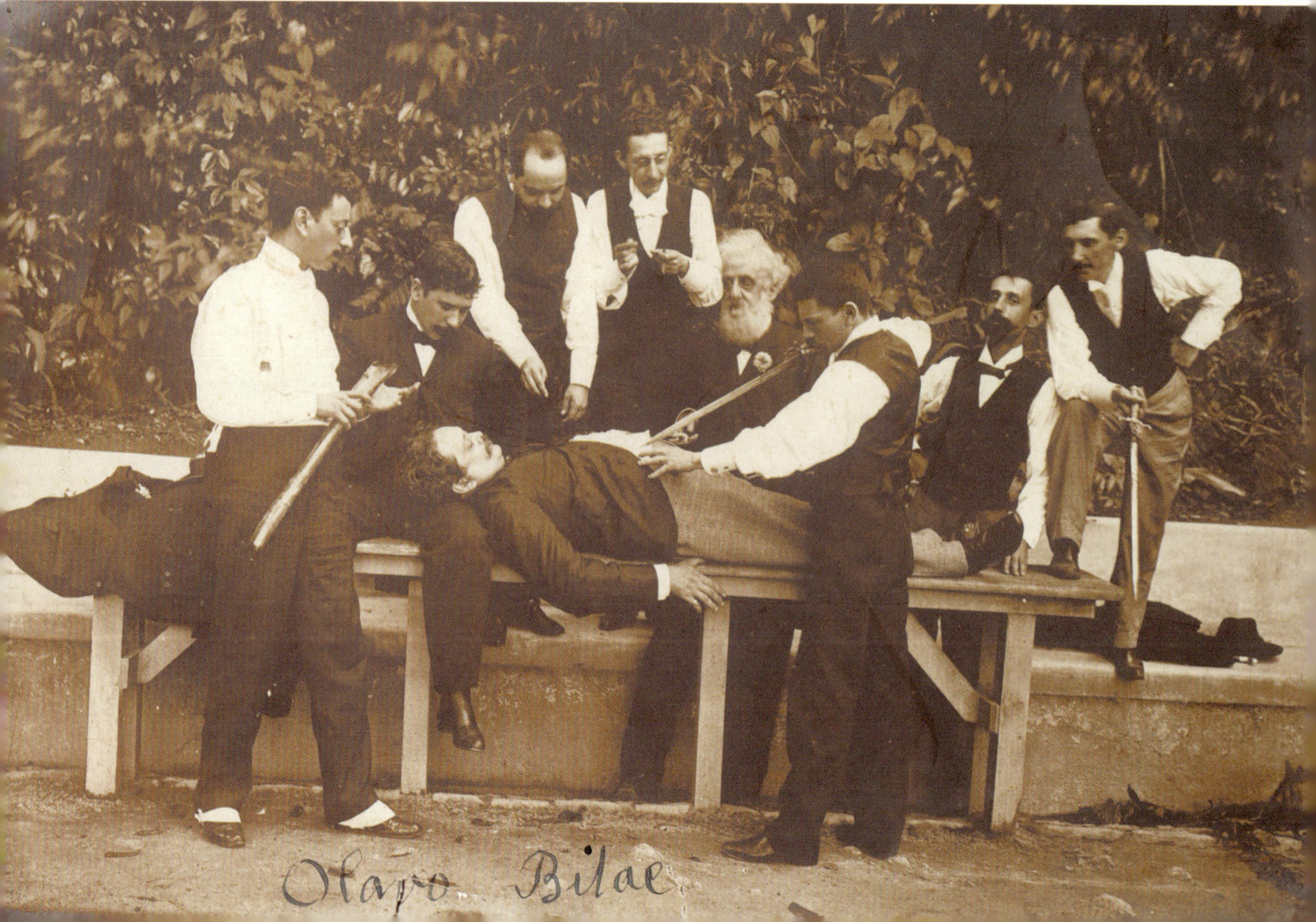
Olavo Bilac

As frequentes refeições presenciadas por Olavo Bilac na companhia dos seus colegas das letras e da imprensa, aos olhos de hoje, parecem marcadas pela leveza e descontração, e as imagens abaixo, sem indicação de data, refletem justamente o convívio ameno e jocoso de Bilac com seus amigos escritores. Curiosamente essas duas imagens retratam o poeta na companhia dos mesmos escritores que autografaram seu cardápio de aniversário em 16 de dezembro de 1898, fazendo crer que as fotografias excepcionais que se reproduzem na página ao lado teriam sido feitas após o almoço oferecido a Bilac, durante a comemoração do seu aniversário de 33 anos.

Olavo Bilac guardou este cardápio, e guardou também mais de uma centena deles — dos almoços e jantares de que participou, desde o Império até a República, no Brasil e pelo mundo afora. A dimensão menos conhecida do poeta de maior prestígio literário do Brasil na passagem do século XIX para o XX talvez seja a do jornalista *gourmet*, do cronista amante da boa mesa, do poeta que se rendia às delícias e ao luxo dos banquetes e que colecionava cardápios para relembrar esses momentos de sociabilidade, comensalidade e celebração do prazer à mesa. É sobre essa dimensão de Olavo Bilac e sobre sua coleção de cardápios, guardados na Academia Brasileira de Letras e apresentados pela primeira vez em conjunto, de que trata este livro.

NO CORCOVADO O GRUPO DE ESCRITORES TOMA DE EMPRÉSTIMO OS INSTRUMENTOS MUSICAIS DE UMA BANDA OFICIAL E — SOB A REGÊNCIA DE MANUEL VELOSO PARANHOS PEDERNEIRAS — FINGE EXECUTAR UMA MÚSICA. ESTA FOTOGRAFIA PERTENCIA A OLAVO BILAC E TRAZ SUA ASSINATURA AUTÓGRAFA. DA ESQUERDA PARA A DIREITA, EM PRIMEIRO PLANO: PLÁCIDO JUNIOR, OLAVO BILAC, COELHO NETO, LEÔNCIO CORREIA, HENRIQUE HOLANDA E MANUEL VELOSO PARANHOS PEDERNEIRAS. EM SEGUNDO PLANO, DA ESQUERDA PARA A DIREITA: ÁLVARO DE AZEVEDO SOBRINHO, ARTUR AZEVEDO, PEDRO RABELO

NA SEQUÊNCIA DAS PILHÉRIAS QUE SUCEDERAM O ALMOÇO, REPRODUZINDO A CENA DO QUADRO *A LIÇÃO DE ANATOMIA* DO MESTRE HOLANDÊS REMBRANDT, ESTÃO: OLAVO BILAC, LEÔNCIO CORREIA HENRIQUE HOLANDA, PEDRO RABELO, MANUEL VELOSO PARANHOS PEDERNEIRAS, ÁLVARO DE AZEVEDO SOBRINHO E PLÁCIDO JUNIOR. O AUTOPSIADO É ARTUR AZEVEDO E O LEGISTA, COELHO NETO

2

A C

Hors

Froids vari

Œufs bro

Garoupa sau

Côtelettes

Timbales de Inhamb

Aspic

Dinde truffé à la Pa

Aspe

Savarin au riz

Jús

Fromage glacê

.... As paysagens...
Cheias de vida, avultam, repentinas,
Claramente aos meus olhos desdobradas...
O. Bilac.

Dessert

Café et liqueurs

Vins

Rheins

Bordeaux

Bourgogne

Champagne. Oporto.

OLAVO BILAC

MENU DU DEJEUNER

16. 12. 900

d'œuvre

es

uillés aux truffes

e huitres

d'agneau au nature

ú

de foi-gras

risienne

rges sauce hollandaise

d'abricot

Bavaroise a la Vanille

etits-fours-fruits e marrons

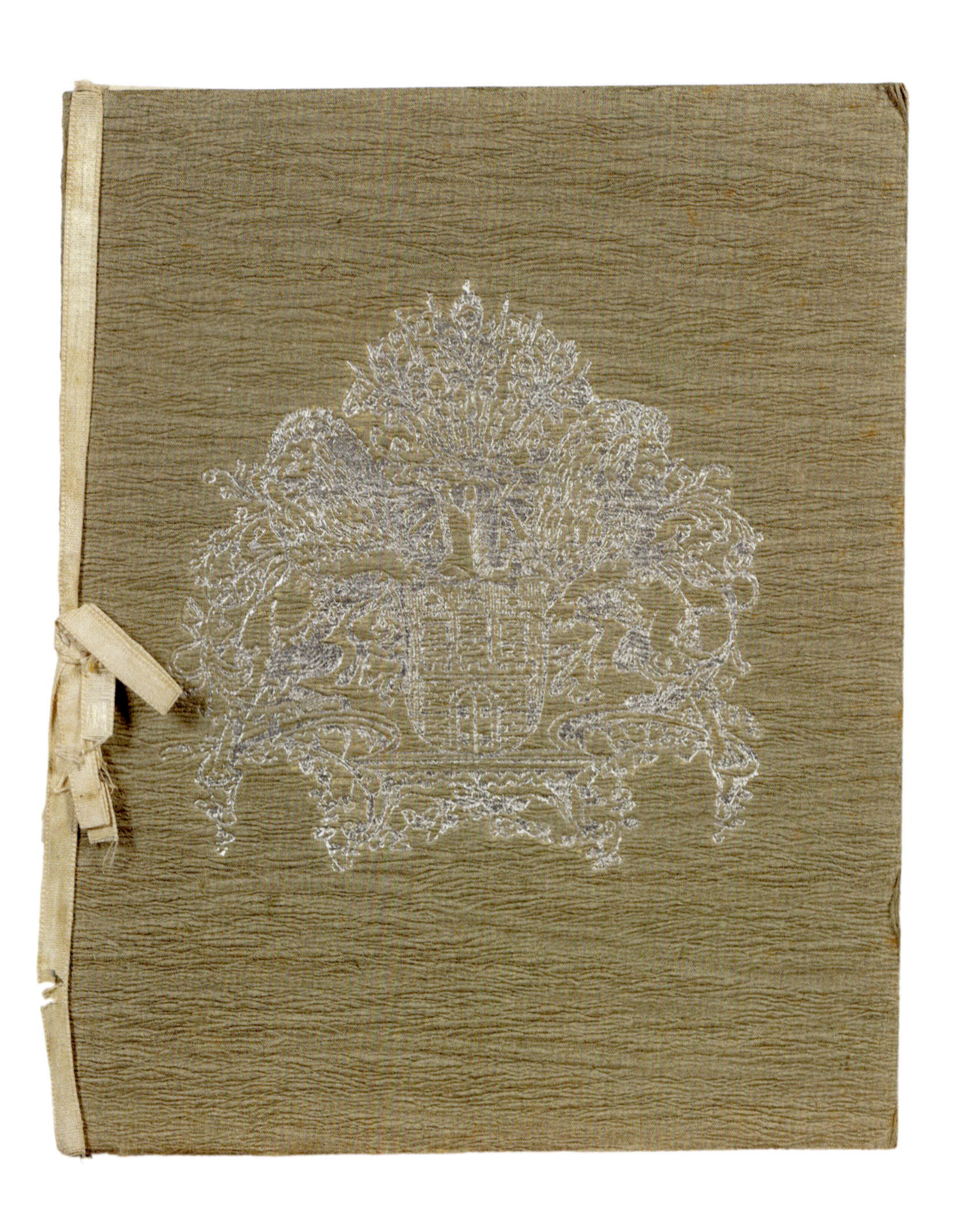

a coleção de cardápios de olavo bilac

"A sensibilidade e a História: assunto novo. Não sei de livro onde seja tratado [...]."[44]
—LUCIEN FEBVRE

Na década de 1950 quando Lucien Febvre, fundador da Escola dos *Annales*, defendia a escolha de novos objetos de estudo no campo da História, talvez não imaginasse que sua sugestão pudesse ser levada tão a sério pelos historiadores, provocando uma verdadeira revolução da consciência historiográfica.

A partir da segunda metade do século XX, muitos historiadores adotaram métodos e concepções diversos dos tradicionais para a realização do seu ofício, selecionando novos objetos para sua prática, inserindo a História no campo intelectual da sociedade que a pensou.[45]

Os numerosos trabalhos acadêmicos sobre História da culinária, da alimentação, a reedição de antigos livros de cozinha acompanhados de estudos críticos, com interpretação de receitas de todos os períodos para cozinheiros atuais,[46] são produto dessa revolução propiciada pela Escola dos *Annales* que resultou no paradigma historiográfico contemporâneo.

Os estudos já realizados sobre a comida e os festejos a ela relacionados, no Brasil e no exterior, apontam, em geral, para a história dos produtos alimentares, mas também, para a história do gosto, no duplo sentido desse termo: tanto o gosto de uma refeição, de um vinho, quanto o gosto dos convivas, o que apreciavam, o que buscavam. Os tratados culinários, por sua vez, quando reeditados, apresentam-se como reflexo da vida cotidiana e, muitas vezes, lugar de encontro de costumes seculares.

44 Lucien Febvre. *Combats pour l'Histoire*. Paris: Armand Colin, 1953, *apud* Jean — François Revel. *Um Banquete de Palavras. Uma História da Sensibilidade Gastronômica*. São Paulo: Companhia das Letras, 1996, p. 9.

45 Guilherme Pereira das Neves. "História: A Polissemia de uma Palavra". *Estudos Ibero-Americanos*. Porto Alegre, v. 10, nº 1, jul. 1984, pp. 17-39.

46 Algumas referências bibliográficas importantes sobre a história da alimentação, da culinária e do seu aspecto social são, entre outras, Jean-Louis Flandrin e Massimo Montanari (dir.). *História da Alimentação*. São Paulo: Estação Liberdade, 1998; Roy Strong. *Banquete. Uma História Ilustrada de Culinária, dos Costumes e da Fartura à Mesa*. Rio de Janeiro: Jorge Zahar Editor, 2004; Domingos Rodrigues. *Arte de Cozinha*, 1680. Organização de Flavia Quaresma. Rio de Janeiro: Editora Senac Rio, 2008; A obra *História da Alimentação no Brasil*, de Luís da Câmara Cascudo (São Paulo: Global, 2004) pode ser considerada uma exaustiva etnografia da alimentação brasileira e seu estudo mais abrangente. O autor é reconhecido como um dos grandes especialistas em Etnografia, História e Folclore brasileiros.

A prática historiográfica tributária dos *Annales* sugere que se utilize de leituras referenciais da Antropologia, ou de outras disciplinas das Ciências Humanas para a compreensão do passado histórico. Assim, a História serve-se, por exemplo, dos estudos de Claude Lévi-Strauss, antropólogo, para interpretar a cozinha que, enquanto linguagem, é uma forma de atividade humana universal, assim como o ato de comer é comum a todos os homens,[47] seja do ponto de vista da função corporal, seja por seu aspecto social, considerando que por meio da refeição os seres humanos estabelecem relações entre si e com a sociedade à qual pertencem.

Desde a Antiguidade, o ato de comer em conjunto transformou uma função corporal necessária em algo muito mais significativo. A refeição em comum simboliza o prazer da partilha, a solidariedade, a união entre os convivas e, em larga medida, é reveladora da hierarquia e da aspiração daquele grupo de indivíduos.

Para Antonio de Moraes Silva um banquete consiste, por definição, em "comida esplêndida, mesa extraordinária para vários convidados".[48] Trata-se da lógica de impressionar os participantes pela opulência explícita e pela hospitalidade, pela culinária pródiga e elaborada, numa típica manifestação de solidariedade de classe, uma demonstração de que o convidado possui o mesmo *status* que o anfitrião.

O ambiente e o espírito de celebração que servem de cenário a um banquete permitem análises que podem privilegiar diferentes aspectos. É possível estudar as interconexões entre o que ocorre na mesa e aquilo que se transforma em termos de poder e de classe a partir da culinária, da etiqueta, do mobiliário, da música, da decoração, das louças e dos cardápios, para citar alguns exemplos.

Os cardápios de banquetes e jantares festivos são, com frequência, peças de grande riqueza visual e, "para além de sua importância como vestígios da história gráfica — no caso dos cardápios impressos — as listagens de *menus*, quase sempre em francês, são uma fonte fascinante de informações sobre os hábitos das elites".[49]

O poeta Olavo Bilac, ao longo da vida, colecionou os cardápios dos muitos almoços, jantares e banquetes de que participou, no Brasil e no mundo.

A propósito, à época de Bilac, é bem provável que ele colecionasse *menus*. Afinal, *cardápio* constitui-se em neologismo criado em fins da década de 1890 pelo filólogo Antônio de Castro Lopes (1827-1901) para substituir a palavra *menu* em francês. Na segunda edição do livro *Neologismos Indispensáveis* datada de 1909, ao tratar da palavra francesa *menu*, Castro Lopes afirma:

47 "O Triângulo Culinário". In: Ana M. Goldberger; C. Neto; S. Bonumá. *Lévi-Strauss*. São Paulo: L'Arc Documentos, 1968.

48 Antonio Moraes Silva. *Diccionario da Lingua Portugueza — Recompilado dos Vocabularios Impressos ate agora, e nesta Segunda Edição Novamente Emendado e muito Acrescentado, por Antonio de Moraes Silva.* Lisboa: Typographia Lacerdina, 1813, p. 260.

49 Rafael Cardoso (org.). *Impresso no Brasil (1808-1930). Destaques da História Gráfica no Acervo da Biblioteca Nacional.* Rio de Janeiro: Verso Brasil Editora, 2009, p. 120.

50 Antônio de Castro Lopes. *Neologismos Indispensáveis.* 2ª ed. s/l.s/e. 1909. Oferecida a Academia das Ciências de Lisboa, p. 31.

Nobres e plebeus, ricos e pobres, sabem que nos suntuosos banquetes, ou nas casas de pasto de alta ou de medíocre categoria, chama-se afrancesadamente *menu* a lista das viandas, das iguarias, enfim, o rol dos manjares.

Desculpam-se do barbarismo todos os que o empregam, por não existir em português palavra que exprima o que *menu* francês significa.

Mas a verdadeira e genuína significação de *menu* é miúdo, e essa palavra foi por convenção admitida para substituir esta ou outra frase semelhante: almoço, jantar ou ceia, descritos pelo miúdo, minuciosamente.

Já no artigo *Focale* (antigo *cachez-nez*) eu o disse, e ficará para sempre entendido que todas as vezes que em português não tivermos termo para exprimir alguma coisa, que em língua especial, recorramos ao grego, ou ao latim, formando um neologismo; ou com os elementos do nosso próprio idioma creemos um novo vocabulário em condições convinháveis.

O vocábulo latino *charta* (papel), reunido ao vocábulo *daps, dapis* (comida, iguaria, manjar), pode produzir e produz, com as modificações que a eufonia requer, um termo muito mais expressivo do que o *menu* francês.

Diga-se portanto *Chardapio* (cardápio), isto é, papel, lista das comidas, das viandas. N'esta palavra. Formada pela intima soldadura das duas latinas (*Charta*, e *daps, dapis*), estão perfeitíssimamente contidas todas as ideias, que de um modo elítico buscaram os franceses exprimir com o seu vocábulo *Menu.*

No intuito de mais depressa atrair a simpatia para esse neologismo, lembrarei que os franceses chamam também a essa lista *Carte*, cuja origem latina é *charta.*

"*Garçon, donnez-moi la carte*", ouve-se a cada passo dizer tanto o francês, como o brasileiro, o português, ou qualquer outro estrangeiro.

Em conclusão; não se peça mais ao moço o *Menu*, nem a *Carte*; mas o *Chardapio* (cardápio), que é por todos os motivos preferível ao *menu.*[50]

Artur Azevedo ao escrever *O Badejo*, comédia em 3 atos, em versos, representada pela primeira vez em 15 de outubro de 1898 no Teatro São Pedro de Alcântara, registrou no diálogo de seus personagens essa aversão aos estrangeirismos ao gosto de Castro Lopes:

ANGELICA	Quer saber teu amo
	O que arranjaste para o almoço. Fala.
O COZINHEIRO	Não pode ser melhor o meu cardápio.
RAMOS	Cardápio? Não conheço essa palavra!
O COZINHEIRO	Foi arranjada pelo Castro Lopes
	Eu não digo *menu*, que é francesismo.
RAMOS	Temos um cozinheiro literato!
O COZINHEIRO	Literato não sou, mas sou purista;
	Embirro com palavras estrangeiras.
	Hoje, que tudo se nacionaliza,
	Nacionalize-se a cozinha!
RAMOS	Bravo!
	Você é um artista!
O COZINHEIRO	Eu, um artista?
RAMOS	Sim, um artista da culinária,
	E a arte não tem pátria! Porém, vamos...
	Diga lá o que temos para o almoço.
O COZINHEIRO	Em primeiro lugar os acepipes.
	Hors-d'oeuvres não direi nem que me rachem!

A extensa coleção de cardápios reunida na Academia Brasileira de Letras revela, entre outros aspectos, a rede de sociabilidade do escritor no final do século XIX e primeiro quartel do século XX, quer pela indicação do nome do anfitrião, ou pela assinatura dos comensais, como o prefeito Francisco Pereira Passos, o fotógrafo Marc Ferrez, os artistas Rodolpho Amoedo e Ângelo Agostini, o arquiteto Adolfo Morales de los Rios, além de escritores e intelectuais de sua época.

Bastos Tigre em suas *Reminiscências* lembra que, a esse tempo, colecionar autógrafos era uma verdadeira febre no Rio de Janeiro, a exemplo do que ocorria no estrangeiro. "Reinava pelo mundo afora a pandemia dos cartões postais. Era elegante colecioná-los e, ainda melhor, quando autografados por celebridades."[51] Olavo Bilac não colecionava autógrafos em cartões postais. Colecionava-os em cardápios.[52]

51 Manuel Bastos Tigre, op. cit., p. 45.

52 No entanto, não se deve justificar a formação da coleção unicamente tomando como argumento os autógrafos, pois alguns cardápios não trazem qualquer assinatura.

Analisando o conjunto da coleção — há que se registrar a presença de cardápios impressos e manuscritos — é possível identificar que o poeta não estabeleceu um critério claro na seleção daquilo que conservou. Entre *menus* exuberantes confeccionados em seda, e outros cuja ilustração é assinada por artistas da importância de Julião Machado e Raul Pederneiras, há alguns pouco expressivos e que sugerem a escolha a partir de critérios subjetivos, talvez afetivos, do poeta. Entende-se daí que Bilac preservava os cardápios para revisitar os momentos vividos, em benefício da memória, como antídoto ao esquecimento.

O que se constata é que para a gente elegante, do Império à República, qualquer motivo de celebração era um bom pretexto para se oferecer um banquete. Assim, a coleção guarda cardápios de banquetes em homenagem a Olavo Bilac, outros celebram o IV Centenário do Descobrimento do Brasil ou a visita ao Rio de Janeiro da famosa atriz italiana Tina di Lorenzo. Há também cardápios de banquetes oferecidos pelo anfitrião Bilac.

Nos *menus* estão presentes a Confeitaria Pascoal e a Colombo, oferecendo seus tradicionais serviços nas recepções de gala em casas de particulares ou salões, entre outros estabelecimentos comerciais do início do século XX no Rio de Janeiro.

Bilac também colecionou cardápios de restaurantes que frequentou nas muitas viagens que realizou à Europa e à América Latina e guardou muitos *menus* dos navios nos quais viajou ao estrangeiro.

É possível identificar na coleção cardápios em nome de Domício da Gama e Guimarães Passos, sugerindo que dessas refeições Bilac talvez não tenha participado. É possível até que tivesse desfrutado do requinte daquele encontro festivo, mas, por distração, esquecera de guardar o seu cardápio, tomando por empréstimo o exemplar de outros comensais para aumentar sua coleção. Há ainda a hipótese dessa escolha não ser ingênua e Bilac preservar justamente os cardápios que pertenceram aos dois escritores por conta dos seus autógrafos. Finalmente, a possibilidade de uma doação espontânea de Domício da Gama e Guimarães Passos que, próximos ao poeta, conheciam sua predileção pelos *menus*.

CARDÁPIO DO JANTAR SERVIDO NO CAFÉ VOISIN, OFERECIDO AO COMISSÁRIO GERAL DO IMPÉRIO DO BRASIL, O VISCONDE DE CAVALCANTI, POR OCASIÃO DA EXPOSIÇÃO UNIVERSAL DE 1889 GRAVADO POR ALEXIS DAVID, PARIS. PERTENCEU A DOMÍCIO DA GAMA. PARIS, 3.10.1889. 13 x 18 CM.

Exposition Universelle 1889.
MENU
Diner du 3 Octobre 1889.
En l'honneur de Son Excellence
Le Vicomte de Cavalcanti
Commissaire général de l'Empire du Brésil.
Hors-d'Œuvre.
Potages
Bisque. — Consommé Royal
Carpe du Rhin à la Chambord.
Filet de bœuf Richelieu.
Poulardes braisées à l'aurore.
Sorbets à la Romaine.
Rôts
Perdreaux.
Aspic Voisin.
Salade.
Haricots verts. — Céleri au Jus.
Biscuit glacé.
Petits-Fours. — Gaufrettes.
Dessert
VINS
1er Service
Xérès
Sauternes.
St Julien.
2me Service
Ch. Gruaud Larose 1875
Chambertin 1877.
Champagne frappé.
Café & Liqueurs
Très bien

Como se vê, as dúvidas sobre a constituição da coleção são muitas e as perguntas que sobre ela se faz também. Quando a coleção foi doada ao acervo da Academia Brasileira de Letras? Bilac, na condição de acadêmico, incorporou pouco a pouco as peças à Academia com o objetivo de preservar sua memória pessoal? Ou os cardápios teriam sido doados pela família do poeta após a sua morte? Por que há na coleção, junto aos cardápios em nome do poeta, exemplares em nome do casal "Cora e Alexandre", irmã e cunhado de Bilac? Cora também colecionava *menus* ou, para enriquecer a coleção do irmão, os oferecia em gesto espontâneo?

O historiador Carlo Ginzburg aponta um caminho metodológico importante para o estudo da coleção de cardápios. Ao analisar o paradigma indiciário, modelo epistemológico surgido por volta do final do século XIX, Ginzburg mostra o valor das pistas, dos indícios e dos pormenores para a explicação científica. Diz o autor que "é preciso procurar por detrás da realidade opaca chaves de acesso privilegiadas que ajudem a decifrá-la".[53] Os cardápios de Olavo Bilac são, desse modo, chaves de acesso importantes, que permitem não somente conhecer a rede de sociabilidade do poeta, como compreender os alimentos como símbolos de pertença social.

A pesquisa realizada nas atas de reuniões da Academia Brasileira de Letras não elucidou a origem da coleção, aspecto que fica por esclarecer em investigações futuras, se os eventuais vestígios assim o permitirem.

Uma pista, porém, possibilita traçar uma hipótese: a de que — depois da morte do poeta em 1918 — a coleção continuou a crescer pelas mãos de Cora Bilac, conclusão à qual se chegou após o exame de um cardápio do banquete realizado no Fluminense Football Club, no Rio de Janeiro, em 21 de agosto de 1922, e que traz os autógrafos de Gago Coutinho e Santos Dumont. Esse fato sugere a possibilidade de que a coleção tenha sido doada por Cora Bilac à Academia após esse ano.

Este livro, que apresenta a coleção de cardápios de Bilac com destaque para seus exemplares mais significativos — seja pela riqueza visual, seja por sua importância como objeto gráfico ou trabalho artístico, pelo pitoresco ou pela efeméride que se celebrava na ocasião —, aproxima o leitor da época em que viveu o poeta, das pessoas com as quais conviveu, dos costumes da elite e seus prazeres gastronômicos à francesa. Como se diria naquele tempo, usando o idioma da moda:

Bon appétit!

53 Cf. "Sinais: Raízes de um Paradigma Indiciário". In: Carlo Ginzburg. *Mitos, Emblemas, Sinais. Morfologia e História*. São Paulo: Companhia das Letras, 2003, p. 177.

PP. 75-77
CARDÁPIO DO JANTAR OFERECIDO AO SR. GABRIEL DE PIZA, MINISTRO DO BRASIL NA FRANÇA, EM COMEMORAÇÃO AO 1º ANIVERSÁRIO DA REPÚBLICA DOS ESTADOS UNIDOS DO BRASIL. PERTENCEU A DOMÍCIO DA GAMA. S/L. 15.11.1890. 29x22 CM.

15 Novembre

1890

DINER

COMMÉMORATIF

du

1er Anniversaire

de la

République des Etats-Unis

du Brésil

offert à

Monsieur Gabriel de Piza

Ministre du Brésil

en France

OLAVO BILAC

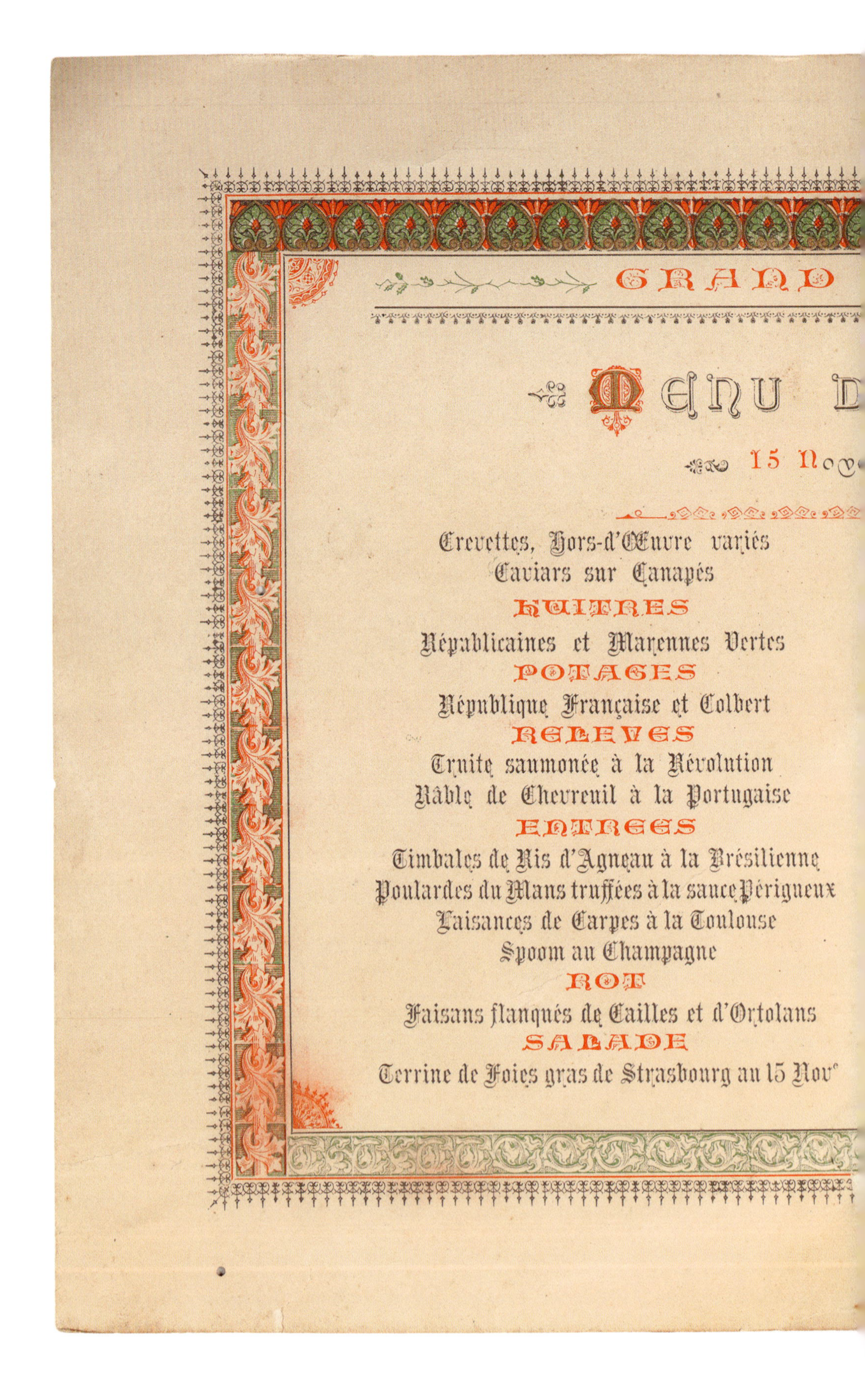

GRAND

MENU D

15 Nov

Crevettes, Hors-d'Œuvre variés
Caviars sur Canapés

HUITRES

Républicaines et Marennes Vertes

POTAGES

République Française et Colbert

RELEVES

Truite saumonée à la Révolution
Râble de Chevreuil à la Portugaise

ENTREES

Timbales de Ris d'Agneau à la Brésilienne
Poulardes du Mans truffées à la sauce Périgueux
Laisances de Carpes à la Toulouse
Spoom au Champagne

ROT

Faisans flanqués de Cailles et d'Ortolans

SALADE

Terrine de Foies gras de Strasbourg au 15 Nov[e]

VEFOUR

DINER

bre 1890

ENTREMETS

Asperges Fraîches en Branches

Petits Pois nouveaux à la Française

Ananas frais sur Pied

Cléopâtre et Véluzko Glacées

DESSERT

Corbeilles de Fruits

VINS

Grand Xérès et Latour-Blanche

Sauterne 1re tête - Bordeaux Médoc en Carafes

Margaux vieux

Tisane de Champagne en Carafes

Romanée Celé — Château-Latour

Champagne Rœderer Frappé

Lacryma Christi

CAFÉ ET LIQUEURS

CARDÁPIO DE BANQUETE OFERECIDO
NO HOTEL WHITE, AOS ILUSTRES
DELEGADOS DA COMISSÃO SANITÁRIA.
IMPRESSO NA OFICINA *KOSMOS*.
FIGURAM OS NOMES "CORA E ALEXANDRE"
RIO DE JANEIRO. 14.7.1904.
13x28,5 CM.

Canja Especial.

Olives, beurre, Pickles. et radis.

Paté de Foie gras, Jambon, et petit porc.

Roballo sauce de crevettes et capres.

Inhambú aux champignons.

Cotelette de mouton aux petits pois.
Riz avec des «Sabiá» de Tijuca.
Dindon farci a la Brésilienne.
Asperges au beurre.

Fruit-Péche en compote.
Bonbons, marron glacé, Fil d'or, Pruneaux.

Vins.

Xerez d'or, Chablis, Moullins vent, Chamberlin.
Pommard, Champagne, Porto, e Liqueurs.

Cora e Alexandre

HOTEL WHITE-ALTO DA TIJUCA
RIO DE JANEIRO

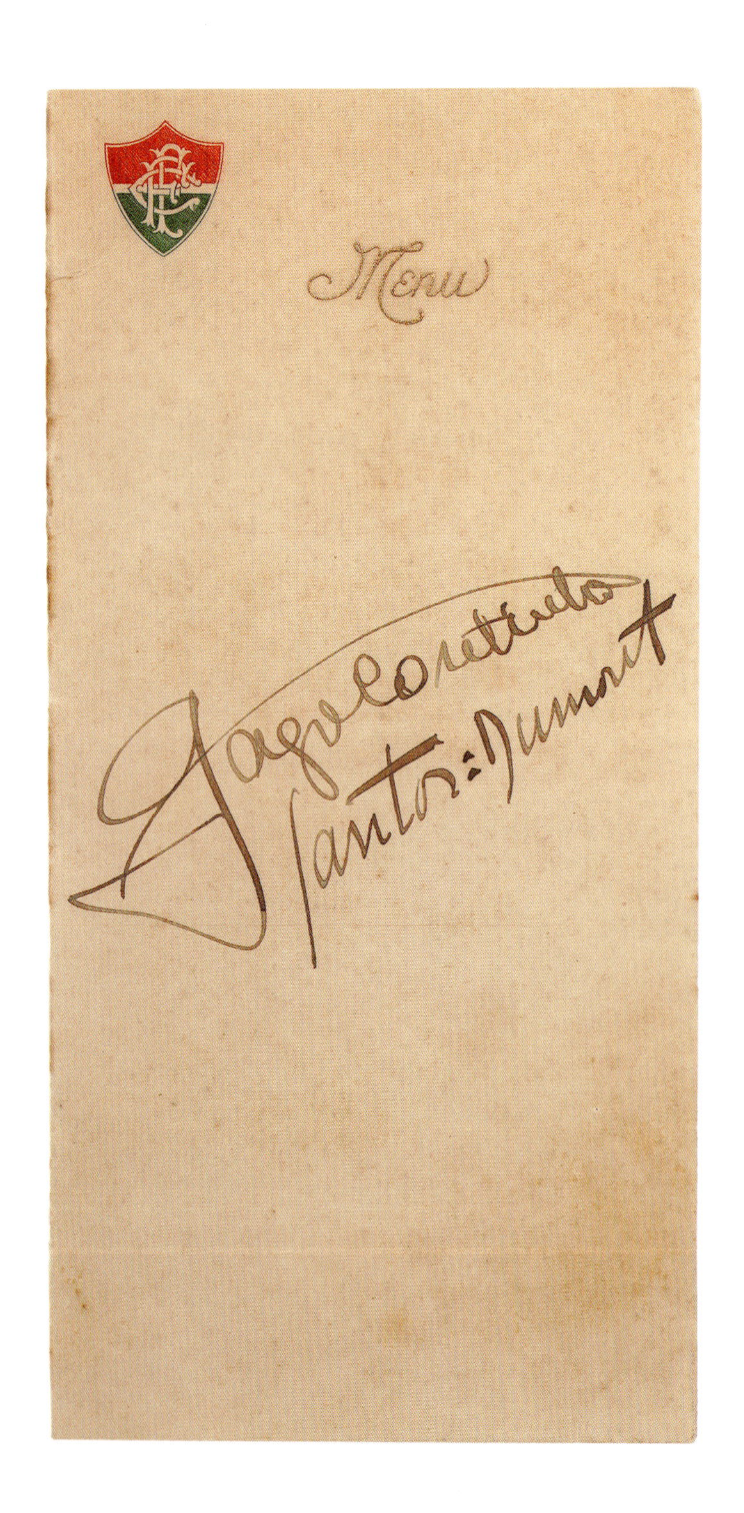

CARDÁPIO DE BANQUETE OFERECIDO
NO FLUMINENSE FOOTBALL CLUB.
RIO DE JANEIRO. 21.8.1922. 9 x 18 CM.
COM AUTÓGRAFOS DE GAGO COUTINHO
E SANTOS DUMONT

FLUMINENSE FOOTBALL CLUB
RESTAURANT

MENÚ

Creme d'Asperges

Poisson au gratin

Lièvre sauce salmi

Pommes cuites ?

Filet à la Rossine

Fruits

Vins. Café. Liqueurs.

Champagne. Cigarres.

Rio, 21 Agosto 922.

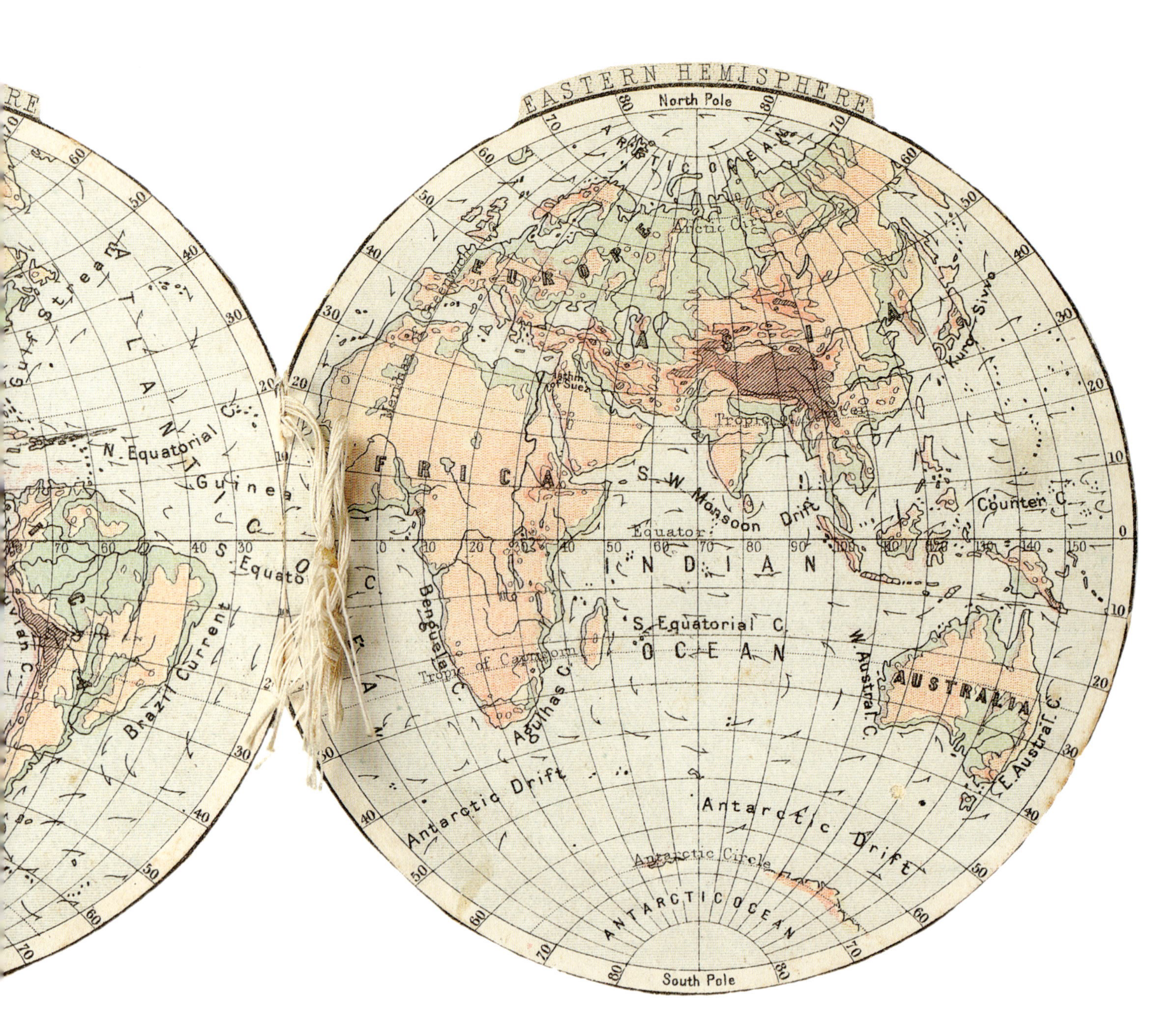
EASTERN HEMISPHERE
North Pole
ARCTIC OCEAN
Arctic Circle
EUROPE
ASIA
AFRICA
Isthm. of Suez
S.W. Monsoon Drift
Equator
INDIAN
OCEAN
S. Equatorial C.
Benguela C.
Agulhas C.
W. Austral. C.
AUSTRALIA
E. Austral. C.
Counter C.
Kuro Sivo
Antarctic Drift
Antarctic Circle
ANTARCTIC OCEAN
South Pole
N. Equatorial C.
Guinea
S. Equato
Brazil Current
Gulf Stream
ATLANTIC OCEAN

servindo um banquete

Os franceses [...] comem com esmero e com frugalidade, isto é, com preceito. Na sua mesa abundam os pratos delicados, como as aves e certos legumes saborosos e leves, os molhos brancos, os queijos frescos e a manteiga sem sal. [...][54]

Luís Pereira Barreto (1840-1923), médico e intelectual brasileiro, descreveu as regras de servir um banquete.[55] O criado deveria estender uma toalha sobre a mesa, acrescentando um guardanapo ao centro e, em roda, dispor os pratos com um guardanapo e o pão por cima. Garfo e faca à direita, colher à esquerda de cada prato. Para a água um copo e, para o vinho, três ou quatro taças, conforme as quantidades oferecidas. Os pratos chamados de entradas, como manteiga, rabanetes, picles, pepinos, seriam dispostos à mesa, enfeitada com jarros de flores e cestos de frutas. Os convidados, estando assentados, receberiam a sopa de quem a distribuísse. Terminada a sopa, as louças seriam trocadas e o criado iria então buscar o primeiro prato, apresentando-o a cada pessoa, para servir-se do que lhe agradasse e, assim, na sequência, com todas as iguarias. Após a retirada dos pratos, seria servida a sobremesa e, ao final, o criado aprontaria o café, oferecido em xícaras colocadas em uma bandeja onde estariam também o açucareiro e o licoreiro, que seriam servidos a cada um dos convidados.

Utilizado no Brasil, o banquete e sua divisão de serviços — *potage, hors d'oeuvres, entrées, rôtis, entremets, dessert* — foi uma criação francesa e sua perfeição funcional data do governo do Imperador Napoleão III, na década de 1850.

54 João Chagas (1863-1925). "Viagem ao Redor de um Almoço". In: Luís da Câmara Cascudo. *Antologia da Alimentação no Brasil*. Rio de Janeiro/São Paulo: Livros Técnicos e Científicos, 1977, p. 125.

55 Luís Pereira Barreto. "Regras de Servir à Mesa". In: idem, pp. 28-29.

No Brasil, os banquetes tiveram *menus* em francês e foram servidos à francesa. A disposição das mesas seguia dois padrões: em ferradura, também denominada em U, ou em T. Outros banquetes, de menor ressonância, apresentavam-se em H ou em E.

O banquete era aberto pela sopa leve e clara, *potage*. Na mesa ficava o *hors-d'oeuvre*, frios, picles, azeitonas, sardinhas. Seguia-se o *relevé*, que sucedia imediatamente a sopa e que podia ser de peixe, *relevé de poisson*. Em seguida as *entrées* que substituíam o *relevé*. Servia-se o *rôti*, prato de gala, que podia ser acompanhado de *patés de foie gras*. Hora dos *entremets*, sorvetes e doces gelados. Na sequência o *dessert*, a sobremesa, quando era aberto o *champagne* e, havendo motivo, era feito o brinde de honra, encerrando o banquete. O café era servido na mesa do banquete e também o licor, oferecido ao mesmo tempo em que o charuto cordial.

No *menu*, os licores clássicos oferecidos eram *chartreuse* ou *bénédictinne*. Para um jantar de importância menor eram servidos *anisette*, curaçau, *peppermint* e cacau.

Também eram franceses os vinhos que prevaleciam: Bordeaux, Bourgogne, Chambertin, os Pommard e os de Montrachet. Os vinhos alemães, quando servidos, eram os do Reno, Niersteiner e o Johannisberger. Da Espanha os Xerez e os Málaga e, os italianos, Chianti e Barbera. Com exceção dos da Madeira e do Porto, que figuravam nos banquetes, os vinhos portugueses eram mais populares.

apresentando os cardápios

56 Olavo Bilac (sob o pseudônimo *Fantasio*). "A Eloquência de Sobremesa. Oratória e Estômago". *Kosmos*, junho de 1906.

A oratória política de sobremesa é hoje uma instituição indestrutível. É em banquetes que os presidentes eleitos apresentam a sua plataforma, é em banquetes que se fundam partidos, e é em banquetes que se fazem e desfazem ministérios. São banquetes fartos, magníficos, em que se gasta dinheiro a rodo: e isso não admira, porque, neles, é sempre o povo quem paga o pato... ou o peru. O champagne espuma nas taças. Os convivas, encasacados e graves, fingem prestar atenção ao programa político do orador, mas estão realmente namorando o prato de fios d'ovos... E o orador invoca os "fundadores da nossa nacionalidade", os "sagrados princípios de Oitenta e Nove", e declara solenemente que "o Brasil, este colosso que vai do Amazonas ao Prata e do Atlântico aos Andes, será em breve, graças a uma política enérgica, o primeiro país do mundo! porque ele, orador, está disposto a dar por isso a sua tranquilidade, o seu saber, o seu estudo, a sua saúde, a sua vida!". E senta-se, suado e comovido, dizendo ao vizinho da esquerda: "Que tal? Falei bem? passe-me aquele prato de marrons glacés..." E, enquanto não chega o momento de morrer pela pátria, arrisca-se a morrer... de uma indigestão, devorando quatro *desserts* diferentes![56]

FANTASIO (OLAVO BILAC)

A popularidade de Olavo Bilac como orador é indiscutível e muitos foram os discursos proferidos ao longo da sua trajetória, seja em escolas e quartéis, na ocasião em que atuou na campanha em defesa do serviço militar obrigatório, nos idos de 1917, ou nos tantos banquetes dos quais participou.

Em 1906, na Revista *Kosmos*, sob o pseudônimo *Fantasio*, Bilac apresentou em tom irônico alguns perfis de oradores, a exemplo daqueles de Grêmios Literários e das Sociedades Beneficentes, sem esquecer, *dos oradores políticos*, que faziam da mesa dos banquetes o cenário de prélios literários, beneficentes ou políticos. Seria, portanto, a *Eloquência de Sobremesa* que invadia os banquetes e, sobre ela, alertou o poeta:

> É absurdo confundir a oratória [...] da praça pública, e das tribunas populares, eclesiásticas, forenses e acadêmicas, onde o orador fala com o estômago vazio, e apenas tendo o direito a um copo d'água para a irrigação periódica da garganta — com a oratória dos banquetes, dos piqueniques, e das ceias, onde o orador fala com o estômago abarrotado, e onde as imagens saltam, com a farofa, do bojo dos perus assados, e os tropos saltam, com os vapores alcoólicos, das taças de champagne, dos copos de cerveja e dos cálices de vinho do Porto.
>
> No Brasil, o gênero é novo...
>
> Os nossos avós não praticavam, nem sequer conheciam este gênero particular de Eloquência: quando se reuniam em torno de uma mesa fartamente servida, tratavam de comer e de beber à larga, conversavam e, quando se sentiam entusiasmados, cantavam. Eram canções patrióticas ou cançonetas brejeiras [...] ou modinhas graciosas, que facilitavam a digestão.[57]

57 Idem.

Além de oferecer o prazer gastronômico, manifestado na variedade e fartura dos pratos, vinhos e sobremesas, os banquetes permitiam também o exercício da eloquência e da retórica, tanto por meio dos discursos quanto pelo conteúdo dos *menus*.

Para além do valor estético e gráfico, os cardápios se constituem como gênero textual e podem ser entendidos como artifícios de retórica, por conta de sua terminologia ornamental, do seu objetivo enunciativo e de um padrão sociocomunicativo característico, que integra elementos históricos, sociais, institucionais e técnicos.

A utilização de *menus* começou a fazer parte da cultura gastronômica no século XIX. Apresentavam grande formato e ficavam pendurados na entrada dos estabelecimentos comerciais. Com o passar do tempo, os empresários notaram que o atendimento e o serviço de mesa poderiam ser mais atraentes. Os grandes cardápios deram lugar aos que ficavam pendurados na cintura dos garçons e, posteriormente, originaram o *menu* individual de mesa.

Além de comunicar a variedade dos pratos que serão oferecidos aos convivas — no caso dos banquetes —, ou que podem ser consumidos pelos clientes — no caso dos restaurantes —, o cardápio revela a complexidade do preparo dos alimentos nele dispostos, a sofisticação de alguns ingredientes, a *expertise* e habilidade do cozinheiro e o tipo de louça e talheres que devem ser dispostos à mesa. Parte importante da elaboração de um banquete, o cardápio estimula a imaginação gastronômica, evocando um casamento de sabores que será comprovado durante a experiência, quase sempre prazerosa, da degustação dos pratos, após o início da refeição.

A coleção reunida por Olavo Bilac é composta por mais de duas centenas de *menus*. Em sua maioria impressos, outros, em menor quantidade, manuscritos, todos são finamente decorados, seja com desenhos assinados por artistas importantes da época, ou com ilustrações que inspiravam o prazer à mesa. Os formatos também variam; enquanto alguns cardápios de restaurante apresentam 18 cm. de largura por 26 de altura, outros têm menor formato apresentando 9 cm. de largura por 13 de altura.

Muitos *menus* que integram a coleção foram impressos no exterior, outros, no Brasil, com destaque para a Casa Leuzinger, importante oficina tipográfica do Rio de Janeiro estabelecida na segunda metade do século XIX ou, para a Imprensa Nacional, criada em 1808 no Rio de Janeiro pelo Príncipe Regente D. João com o nome de Impressão Régia.

Compostos em sua quase totalidade na língua francesa, com exceção de alguns poucos, que apresentam os pratos em língua portuguesa, os cardápios são confeccionados, em sua maioria, em papel de gramaturas distintas. No entanto, alguns se destacam pelo fino e caro material com que foram confeccionados e impressos: a seda. A coleção possui, assim, raros exemplares em tecido, que serão aqui apresentados pela primeira vez.

Em francês ou em português, o que se comprova por meio dos cardápios é que Olavo Bilac e sua rede de sociabilidade estavam acostumados a uma rotina de jantares, almoços e banquetes, cuja presença garantia a manutenção das relações sociais e do prestígio pessoal, necessário para o bom trânsito político nas instituições da elite que desejavam frequentar, manter influência ou obter privilégios.

Os motivos para comemorar eram diversos e a sofisticação dos banquetes, verificada no conteúdo dos *menus*, dão testemunho de que, para Olavo Bilac e sua geração intelectual, o prazer à mesa era fundamental. Melhor ainda quando — a exemplo dos programas musicais que acompanham alguns dos *menus* presentes na coleção de Olavo Bilac — o deleite gastronômico corria ao som de orquestras regidas por maestros de renome, que executavam um cardápio musical igualmente variado e inspirador.

Nas próximas páginas será possível conhecer os *menus* mais representativos da coleção de Olavo Bilac pertencentes ao acervo da Academia Brasileira de Letras, acompanhados de comentários breves, que destacam sua importância no contexto histórico-social no qual foram produzidos.

banquetes oferecidos a olavo bilac

58 João Chagas. "Viagem ao Redor de um Almoço", op. cit., p. 127.

Noto, sobre uma *étagére*, grande número de pratos com comidas frias, já feitas, aguardando apenas que as peçam para serem aquecidas.

Explicam-me que é um costume e que assim quem chega poupa-se ao incômodo de percorrer a lista dos pratos do dia, escolhendo sobre o aparador aqueles que mais lhe apeteçam. Eu, no entanto, reclamo a lista. Quero ver a lista, porque a lista é o meu primeiro documento. Vem a lista, que um criado, de maneiras sacudidas e sem trajo especial que o distinga, coloca um pouco bruscamente sobre a mesa a que me sento. Abro-o e, em duas longas folhas de papel, leio uma interminável enumeração de iguarias. O que primeiramente me choca é que essa lista está eivada de vocábulos estrangeiros. Por outro lado, noto a cada verbo, nomes próprios de aves de caça e de legumes do país e, com as genuínas expressões portuguesas de cozinha, certos diminutivos como mãozinha, picadinho, coxinha. Como iguarias — tudo, tudo o que eu não conheço é suspeito picante, ardente, diabólico, extravagante e apetitoso. Se o restaurante é banal, a lista não o é. Tudo são camarões, ostras, caranguejos, picados, *ragoûts*, doces, compotas, conservas e uma data de nomes raros, tais como moqueca, farofa, churrasco, que me desorientam e me atraem.[58]

JOÃO CHAGAS

La Cuisine

Restaurant Particulier
ici
L'on paye en mangeant

Causerie Obligatoire

Menu du 22 Janvier

Hors-d'œuvre
servis par - - - - Olave Bilac

Entrée
servis par le - - - - Dr. Fausto Cardozo

Pièce de Résistance
servis par le - - - - - Dr. Martinho Garcez

Salade
(bien relevée)
servis par - - - Guimaraes Passos

Dessert
(assorti)

Causerie générale

Olavo Bilac
22 janvier 1900

Avis
Important

1º La maîtresse de la maison garanti à toutes ses pratiques la perfection du service

2º Toute réclamation doit être adressée au gérant (il n'y en a pas)

PARÓDIA DE UM CARDÁPIO DA *BELLE EPOQUE*, ONDE AS IGUARIAS, JOCOSAMENTE, SÃO OFERECIDAS POR OLAVO BILAC, GUIMARÃES PASSOS, E PELOS JORNALISTAS E JURISTAS FAUSTO CARDOZO E MARTINHO GARCEZ.
ANÔNIMO S/L. 22.1.1900.
9 x 17,5 CM.
NO VERSO, A ASSINATURA DE OLAVO BILAC

À DIREITA
BANQUETE OFERECIDO POR GUIMARÃES PASSOS A OLAVO BILAC. 21.4.1887. S/L.
10 x 15 CM.

Apresentado em francês, os itens deste cardápio são arrolados de forma pitoresca, tal como a ata de uma reunião; os pratos principais compõem o "Expediente" e as sobremesas a "Ordem do dia".

Seu conteúdo faz referência aos "Gremistas", grupo que criou no Rio de Janeiro, em 1887, um Grêmio de Letras e Artes, de vida efêmera e em cujo quadro figuraram alguns membros da Academia Brasileira de Letras, fundada em 1897.

Jornalista e poeta, o anfitrião Guimarães Passos (1867-1909) era amigo dos mais próximos de Olavo Bilac e, em 21 de abril de 1887, ofereceu este *menu* especial ao escritor carioca — na ocasião com 22 anos —, no qual os pratos e sobremesas receberam nomes alusivos a alguns jornalistas e poetas que integravam o Grêmio, a exemplo de Valentim Magalhães (1859-1903), Viriato Correia (1884-1967), Dário Veloso (1869-1937), Artur Azevedo (1855-1908) e Rodrigo Otávio (1866-1944).

Anterior à fundação da Academia Brasileira de Letras, este cardápio comprova que, em 1887, o Grêmio de Letras e Artes era um núcleo de convergência afetiva das gerações literárias que fundaram a Academia, "oriunda de um pacto entre espíritos amigos", como afirmou o acadêmico fundador Graça Aranha (1868-1931).

Guimarães Passos

O adeos ao Bilac

em 21 de Abril de 1887.

ACTA

Assorties aos Gremistas.

Expediente:

Sardines truffés a Valentim.

Poisson a Viriato.

Côtelettes a Conrado.

Poulet a Dario.

Ordem do dia:

Gelatine a Arthur Azevedo.

Puding a Rodrigo Octavio.

Fromages.

Vins.

Duas versões de cardápio foram elaboradas para celebrar o aniversário de Olavo Bilac, no ano de 1898.

Um modelo traz a palavra *menu* formando uma constelação, numa alusão a "Via Láctea", poema que o consagrou, cujos versos seguem impressos na margem inferior:

Ora — direis — ouvir estrelas... Certo
Perdeste o senso...

O verso deste modelo *standard* contém a lista dos muitos pratos que seriam servidos no almoço, no melhor gosto francês.

O segundo modelo de cardápio, *de luxe*, com margens ornamentadas em dourado, é apresentado em maior formato e traz na capa os autógrafos de Plácido Junior, Coelho Neto, Leôncio Correia, Henrique Holanda, Manuel Veloso Paranhos Pederneiras, Álvaro de Azevedo Sobrinho, Artur Azevedo e Pedro Rabelo, presentes na celebração.

Interessante destacar que esse impresso trazia o miolo em branco, espaço que seria reservado para as felicitações dos convidados ao aniversariante. No interior deste exemplar o poeta paranaense Leôncio Correia (1865-1950) deixou um poema inédito em homenagem ao aniversariante, transcrito à página 56.

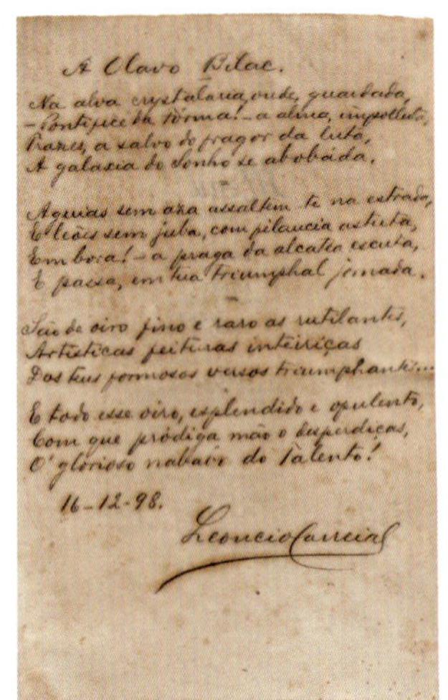

A Olavo Bilac.

Na alva crystallaria onde guardada,
– Pontifice da forma! – a alma, impolluta,
Fazes, a salvo do fragor da luta,
A galaxia do sonho se abobada.

Aguias sem asa assaltam-te na estrada,
E leões sem juba, com petulancia astuta,
Em boca! – a praga da alcatea escuta,
E passa, em tua triumphal jornada.

São de oiro fino e raro as rutilantes,
Artisticas feituras inteiriças
Dos teus formosos versos triumphantes...

E todo esse oiro, esplendido e opulento,
Com que prodiga mão o desperdiças,
O' glorioso nababo do talento!

16-12-98.

Leoncio Correia

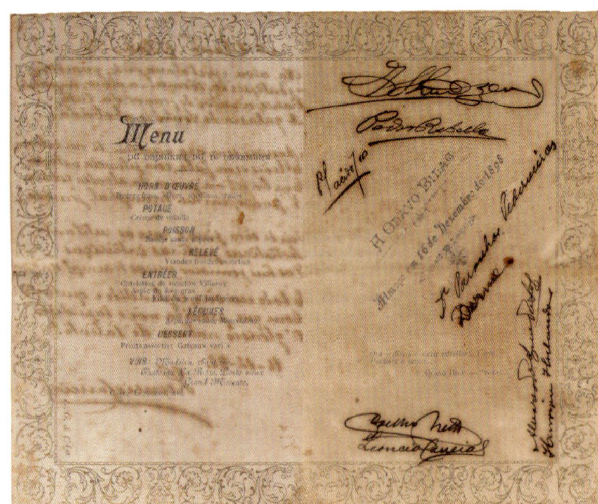

À DIREITA
ALMOÇO OFERECIDO A OLAVO BILAC POR OCASIÃO DO SEU ANIVERSÁRIO. 16.12.1898. S/L. 28x22,5 CM. (ESTE ÚLTIMO, PADRÃO *DE LUXE* COM POEMA MANUSCRITO). 9,5x15 CM.

A Olavo Bilac
Almoço em 16 de Dezembro de 1898
Ora — direis — ouvir estrellas... Certo
Perdeste o senso...
Olavo Bilac — "Poesias".

Menu

DU DEJEUNER DU 16 DECEMBRE

HORS D'ŒUVRE

Beurre frais, olives, sardines, radis

POTAGE

Crême de volaille

POISSON

Badèje sauce câpres

RELEVÉ

Viandes froides assorties

ENTRÉES

Côtelettes de mouton Villeroy
Aspic de foie gras
Filet du bœuf jardinière

LÉGUMES

Asperges sauce Mousseline

DESSERT

Fruits assortis; Gateaux variés

VINS: *Madeira, Sauterne,*
Chateaux La Rose, Porto vieux
Grand Moscato,

CAFÉ, LIQUEURS, etc.

Este *menu* manuscrito integrou o almoço em homenagem ao poeta na comemoração do seu natalício. A lista de pratos servidos acompanha o gosto francês da época, assim como os vinhos finos, de semelhante origem. O cardápio apresenta traços, em segundo plano, que fazem lembrar os limites geográficos de países europeus, remetendo às viagens do poeta ao estrangeiro. Na margem superior, estampado como um selo postal, a impressão fotográfica de um retrato de Bilac, acompanha os versos:

...As paisagens...
Cheias de vida, avultam, repentinas,
Claramente aos meus olhos desdobradas...
O. BILAC

ALMOÇO OFERECIDO A OLAVO BILAC
POR OCASIÃO DO SEU ANIVERSÁRIO.
MENU DU DÉJEUNER. 16.12.1900.
S/L. 20x13,5 CM.

A OLAVO BILAC
MENU DU DEJEUNER
16. 12 900
Hors d'œuvre
Froids variés
Œufs brouillés aux truffes
Garoupa sauce huitres
Côtelettes d'agneau au nature
Timbales de Inhambú
Aspic de foi-gras
Dinde truffé à la Parisienne
Asperges sauce hollandaise
Savarin au riz Jus d'abricot
Bavaroise a la Vanille
Fromage glacê
Petits-fours-fruits e marrons
.... As paysagens...
Cheias de vida, avultam, repentinas,
Claramente aos meus olhos desdobradas...
O. Bilac
Dessert
Café et liqueurs
Vins
Rheims
Bordeaux
Bourgogne
Champagne, Oporto.

Olavo Bilac foi homenageado com um banquete, em agosto de 1907, em passagem por São Paulo. O cardápio, especialmente impresso para a ocasião, é ornamentado com vinheta e apresenta variação no uso dos caracteres tipográficos, revelando o cuidado na diagramação e o estado da evolução técnica de impressão na época. O exemplar traz ainda uma caricatura de Bilac, portando seu habitual *pince-nez*, e, no verso do exemplar, é possível conferir, entre outras, as assinaturas do jurista Pedro Lessa (1859-1921), do advogado Alfredo Pujol (1865-1930), do historiador Eugenio Egas (1863-1956) e, ainda, do advogado e último presidente da República Velha, Washington Luiz (1869-1957). O autógrafo de Olavo Bilac também figura no verso do cardápio, acompanhado dos versos em homenagem ao poeta carioca, improvisados na ocasião do jantar:

Viva o Brasil
Viva a poesia brasileira
Viva o notável poeta
Olavo Bilac!!

MENU DO JANTAR OFERECIDO A OLAVO BILAC. SÃO PAULO, 1.8.1907. 9,5x22,5 CM.

MENU

do jantar offerecido

a

Olavo Bilac

Madère	**HORS D'ŒUVRE**
	Canapé à la russe
Barsac	**POTAGE**
	Bisque d'écrevisses
BORDEAUX	**POISSONS**
	Filets de sole Cancalaise
Ch.au Pichon Longueville	**ENTRÉES**
	Cœur de durhan à la Duse
BOURGOGNE	**LÉGUMES**
	Asperges Sauce mousseline
Beaune-Greves	**RÔTIS**
	Dinde Farcie
CHAMPAGNE	*Jambon d'York*
	Salade de Saison
Mumm Cordon Vert	**ENTREMETS**
——	*Parfait Sportsman*
	DESSERT
	Fromages, Gâteaux
Liqueurs	*Fraises au Champagne*
Cigares	*Café*

S. PAULO, 1 DE AGOSTO DE 1907.

Wash. Luiz

[illegible]

[illegible]

Ernesto Pujol

Eug. Egas

[illegible]

Pujol Junior

[illegible]

[illegible]

Olavo Bilac

Viva o Brasil

Viva a poesia brasileira

Viva o notavel poeta

Olavo Bilac !!

[illegible]

O banquete em homenagem a Olavo Bilac, conforme o *menu* aqui reproduzido, teve o serviço oferecido pela elegante Confeitaria Colombo, no Rio de Janeiro, e foi realizado em comemoração ao vigésimo aniversário de publicação das *Poesias* e décimo sétimo aniversário da colaboração semanal de Bilac, como cronista da *Gazeta de Notícias*.

O cardápio, que registra a influência francesa na culinária da *belle époque*, traz uma iguaria tipicamente brasileira, o "Macuco au Jambon du Paraná", preparado com a carne do Macuco, ave da região florestada do leste brasileiro.

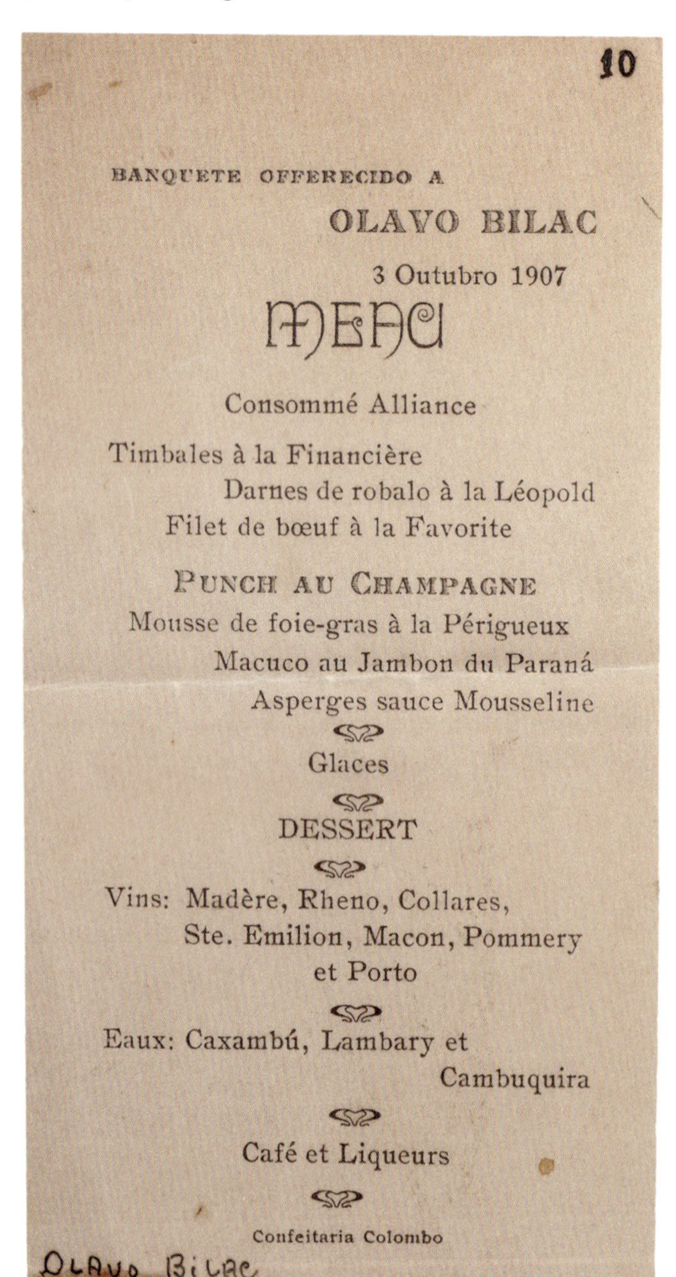

10

BANQUETE OFFERECIDO A

OLAVO BILAC

3 Outubro 1907

MENU

Consommé Alliance

Timbales à la Financière

Darnes de robalo à la Léopold

Filet de bœuf à la Favorite

PUNCH AU CHAMPAGNE

Mousse de foie-gras à la Périgueux

Macuco au Jambon du Paraná

Asperges sauce Mousseline

Glaces

DESSERT

Vins: Madère, Rheno, Collares, Ste. Emilion, Macon, Pommery et Porto

Eaux: Caxambú, Lambary et Cambuquira

Café et Liqueurs

Confeitaria Colombo

OLAVO BILAC

BANQUETE OFERECIDO A OLAVO BILAC. SÃO PAULO, 3.10.1907. 8x15,5 CM.

PP. 99 E 101
MENU DO ALMOÇO OFERECIDO A OLAVO BILAC. BELO HORIZONTE. 27.8.1916. 9,5x16,5 CM.

P. 100
FOTO DO BANQUETE OFERECIDO A BILAC, NO GRANDE HOTEL, EM BELO HORIZONTE, EM 27.8.1916. ORIGINAL. P/B. 16,3x22,3 CM.

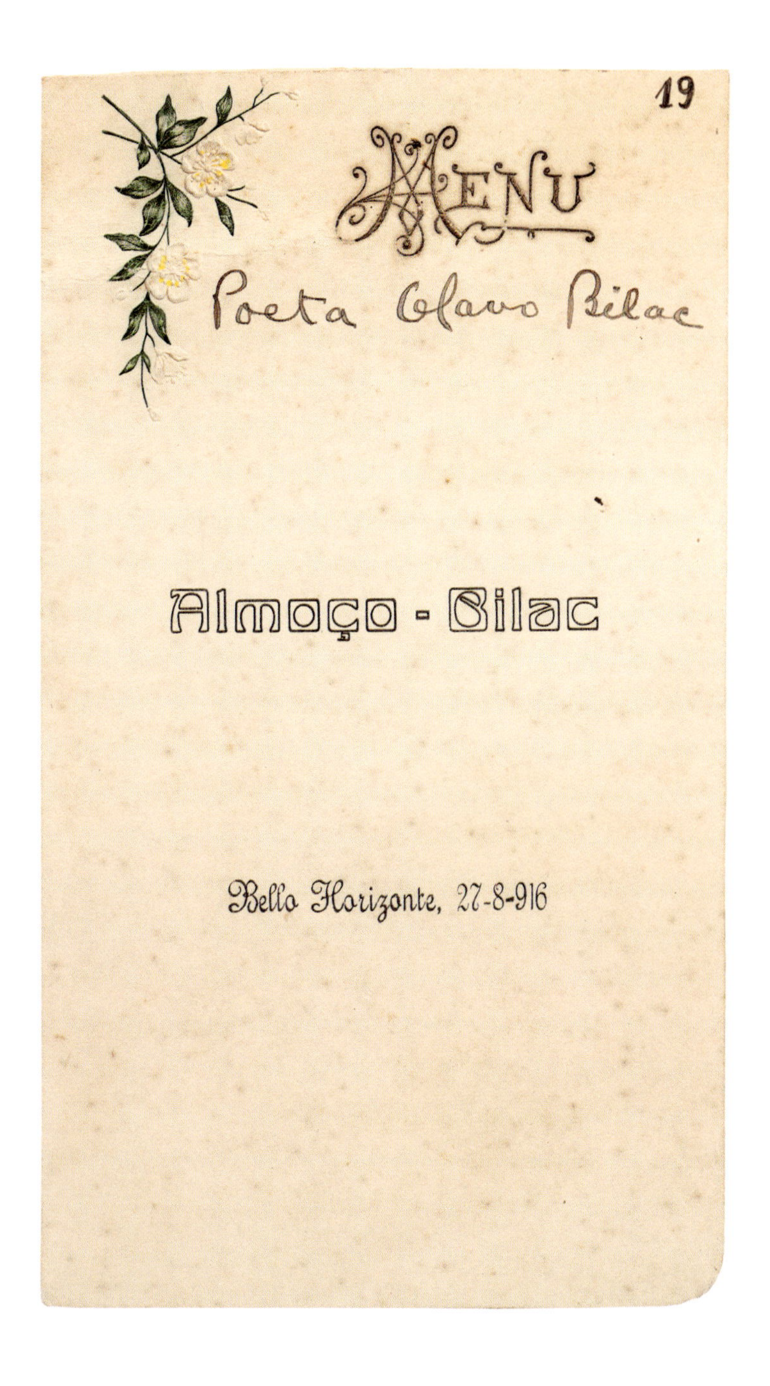

No ano de 1916, após fundar a Liga da Defesa Nacional, Olavo Bilac visita Belo Horizonte. Na capital mineira, além de proferir discurso sobre escotismo no Teatro Municipal, Bilac foi homenageado com um almoço, conforme se pode observar pelo cardápio e pela excepcional fotografia aqui apresentada pela primeira vez. O banquete foi oferecido no Grande Hotel de Belo Horizonte e, numa rara exceção à época, a ementa de pratos, sobremesas e vinhos foi impressa em português, sendo também suprimida a usual expressão *menu*.

Almoço - Bilac

Bello Horizonte, 27—8—916

Maioneza, Canja
Garoupa com molho de camarão
Frango a milaneza com petit-pois
Lombo de porco a mineira
Filet com batatas fritas
Perú a brazileira com presunto

SOBREMEZA

Sopa Ingleza, Compotas, Fructas

VINHOS

Santernes, Graves, Margaux, Sant Emilion, Sant-Julien, Pontet Canet, Pomard, Chambertin, Chablis, Chateaux Lafite, Champagne

olavo bilac anfitrião

Jornalista, político e historiador português de grande projeção em seu tempo, Carlos Malheiros Dias (1875-1941) foi homenageado por Olavo Bilac em junho de 1907, talvez por ocasião da posse do intelectual como Sócio Correspondente da Academia Brasileira de Letras, ocupando a cadeira número dois, em substituição a Eça de Queirós. Vale observar, no impresso, o texto inteiramente em português, com destaque para os vinhos portugueses, além da expressão "cardápio", pouco utilizada em tempos de *belle époque* quando se preferia a palavra francesa *menu*.

BANQUETE OFERECIDO
POR OLAVO BILAC
AO SR. CARLOS MALHEIROS DIAS.
RIO DE JANEIRO, 6.6.1907.
11,5x17,5 CM.

Ao Senr. Carlos Malheiro Dias

Rio, 6 de junho de 1907

CARDAPIO

SOPA

Creme de couve-flôr

Pastelinhos de camarão
Badejo com molho de alcaparras
Lombo de vitella á Jardineira

Gelado de Kümmel

Perú recheado á brasileira
Fiambre
Espargos com molho branco

Fios e doces de ovos
Açafate de sorvetes
Fructas, queijos, etc.

VINHOS

Madeira, Bucellas, Collares, Espumante português e Porto, lagrima

---

Café e licores

Senr. Olavo Bilac

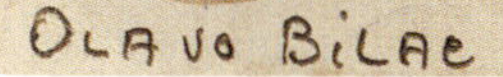

Olavo Bilac ofereceu um almoço ao jornalista e escritor uruguaio Julio Piquet (1861-1944), no Rio de Janeiro, em data não identificada. O jornalista foi correspondente na Europa, redator e diretor de um dos principais jornais argentinos, *La Nación*, cujo primeiro número circulou em 4 de janeiro de 1870.

Os dois modelos de cardápio, elaborado em português, oferecem entre outras iguarias um tradicional prato da cozinha brasileira, a "Galinha à cabidela" ou ao "molho pardo", neste *menu,* substituído por marreco, e servido como "Cabidela de Marreco".

Um dos cardápios traz à margem a indicação "Dr. Belisario Roldán", uma referência ao advogado e escritor argentino Belisário Roldán (1873-1922) que teria sido convidado para o almoço.

ALMOÇO OFERECIDO POR OLAVO BILAC AO SR. JULIO PIQUET, REPRESENTANTE DE *LA NACIÓN*. SUMARÉ, RIO DE JANEIRO. S/D. 8,5x15,5 CM.

Dr. Belisario Roldan

Almoço

Offerecido ao Snr. JULIO PIQUET,
representante de *La Nacion*,
por OLAVO BILAC.

SUMARÉ --- RIO DE JANEIRO

Ostras. Carnes frias. Saladas
Bolos de bacalhâu
Garoupa com molho branco
Cabidela de marreco. Arroz de forno
Costelletas de carneiro
Espargos
Creme de abacate. Fructas. Queijos

Collares Branco. St. Julien.
Champagne Pommery.

Café. Licores

Papelaria AD. SILVA

Almoço

Offerecido ao Snr. JULIO PIQUET,
representante de *La Nacion*,
por OLAVO BILAC.

SUMARÉ --- RIO DE JANEIRO

Ostras. Carnes frias. Saladas
Bolos de bacalhâu
Garoupa com molho branco
Cabidela de marreco. Arroz de forno
Costelletas de carneiro
Espargos
Creme de abacate. Fructas. Queijos

Collares Branco. St. Julien.
Champagne Pommery.

Café. Licores

Papelaria AD. SILVA

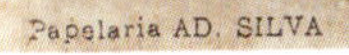

a presença de grandes artistas na coleção de menus

Olavo Bilac iniciou sua colaboração em *A Notícia*, em 1895, mesmo ano em que, ao lado de Julião Machado, lançou a revista ilustrada *A Cigarra*.

A Notícia foi um jornal vespertino fundado, em 1894, no Rio de Janeiro, por Manuel Jorge de Oliveira Rocha, Medeiros e Albuquerque, Valentim Magalhães e Figueiredo Coimbra.

O cardápio do banquete que o jornal ofereceu aos seus colaboradores, realizado em 17 de setembro de 1895, é assinado pelo caricaturista português Julião Machado (1863-1930), na época em que colaborava frequentemente nas edições dessa revista.

Julião Machado ofereceu importante contribuição às artes gráficas, sobretudo no campo do desenho decorativo, das gravuras e ilustrações. Do mesmo modo como já havia desenhado os anúncios de propaganda de *A Bruxa* — revista criada por sua iniciativa e de Bilac em 1896 — criando com eles um grafismo inovador para o período, Julião ilustrou capas de livros, peças de teatro, textos literários e cardápios, como este que aqui se reproduz pela primeira vez.

BANQUETE OFERECIDO PELO JORNAL *A NOTÍCIA* AOS SEUS COLABORADORES. RIO DE JANEIRO, 17.9.1895. DESENHO DE JULIÃO MACHADO. 17,5x29,5 CM.

A NOTICIA
aos
seus
Collaboradores
M.A.
A.T.
LULU SENIOR
F.C.
A.A.
V.M.
J.B.
O.B.
Menu
Potages
LA REINE AUX POINTES D'ASPERGES
Consommé.
Hors Dœuvre:
Foie gras, sardines, beurre frais, radis,
olives etc.
Bouchées de dame, aux crevettes.
Poissons.
Chartreuse de gibier.
Filet à la Jardinière.
Punch de Champagne.
Dinde Farcie.
Choux-fleur au gratin.
Desserts:
Fruits glacés, fruits secs
Fromage glacé.
Vins, liqueurs.
Café.
B.A.!
RIO DE JANEIRO
17 Setembro, 1895

Baile no Palacio Itamaraty
CHILE BRAZIL
Menu du Souper
OU LA FUERZA
ORDEM
MAIO
MDCDXCVII
BAILE OFFERECIDO PELA ARMADA NACIONAL AO CONTRA ALMIRANTE GONI
E À OFFICIALIDADE DA ESQUADRA CHILENA DE SEU COMMANDO. 11 de MAIO 1897.
Consommé au fumet de gibier
Poisson fin sauce ravigotte et Chambord. Canellons à la purée de faisan. Petites croustades à la brésilienne. Attereaux aux huitres. Cuissots de poulet à la frangipane. Rissoles à la americaine. Canetons aux écrevisses. Gateau de crevettes à la Joinville. Chartreuse de gibier à la marinière. Galantine de perdrix. Dinde farcie à la broche. Dindonneaux truffés à la Perigord. Jambon de Westephalia. Crème à la vanille. Gelée et bavaroise en petits verres. Dessert.
Vins — Madere, Xeres, Barsac, Chablis, Chateau du Troc, Domaine de la tour, Valleyrac, Chambertin, Pommard, Champagne Ve Clicquot, Heydsieck et Fusil, Porto, Moscatel etc.
Serviço da antiga casa Paschoal.
Julião Machado 97 Maio

Gravado em metal e assinado por Julião Machado, o cardápio impresso em duas cores refere-se ao banquete servido durante o baile oferecido pela Armada Nacional, no Palácio do Itamaraty, à oficialidade chilena. Realizado no Rio de Janeiro, com serviço da antiga Casa Paschoal, o baile era mais uma celebração da amistosa relação diplomática que o Brasil mantinha com o Chile. Depois da proclamação da República, seria a primeira vez que a esquadra chilena visitaria as terras brasileiras, o que motivou o banquete servido a 11 de maio de 1897.

MENU DO BAILE OFERECIDO PELA ARMADA NACIONAL AO CONTRA-ALMIRANTE GONI E À OFICIALIDADE DA ESQUADRA CHILENA DE SEU COMANDO. RIO DE JANEIRO, 11.5.1897. PALÁCIO DO ITAMARATY. DESENHO DE JULIÃO MACHADO. 15,5x20 CM.

O Centro Artístico foi uma sociedade de intelectuais que tinha como missão "agir [...] em beneficio da elevação e da dignidade das artes no Brazil, sem nenhuma outra preocupação que não a da pureza e a da grandeza do ideal artístico"*. Tendo à frente Leopoldo Miguez, presidente do Centro e diretor do Instituto Nacional de Música, Coelho Neto e Rodrigues Barbosa, o grêmio, composto unicamente por artistas e membros da imprensa, esperava promover apresentações das mais diversas áreas, todas de caráter "puramente artístico", no intuito de desenvolver a arte nacional.

Tal objetivo começou a ser cumprido no ano de 1898, quando o Centro realizou exposições, concertos e um festival teatral que colocou em cena sete peças teatrais originais produzidas por escritores brasileiros, as quais tinham em comum o fato de ser encenadas por *amadores*.

O excepcional cardápio aqui reproduzido, um dos mais significativos da coleção de Olavo Bilac, refere-se a um banquete oferecido pelos membros do Centro Artístico em 31 de agosto de 1898 no Hotel do Globo, Rio de Janeiro.

O Hotel, localizado à rua Direita, foi fundado em 1875 e tornou-se famoso, principalmente, pelo seu salão de banquetes no segundo andar. Era no Hotel do Globo que os homens notáveis nas ciências, letras, artes, política, diplomacia preferiam fazer as suas refeições, tanto no final do século XIX, quanto nos primeiros tempos da República.

A ilustração do cardápio é assinada pelo artista brasileiro Rodolfo Amoedo (1857-1941), discípulo de Vítor Meireles, e também de Agostinho da Mota, Zeferino da Costa e Chaves Pinheiro e autor, entre outras pinturas, das obras *A Partida de Jacó, Jesus em Cafarnaum* e *Último Tamoio.*

* Parágrafo 1º do Estatuto do Centro Artístico, aprovado em 12.10.1897, elaborado pela comissão composta por Rodrigues Barbosa, relator, e Coelho Neto.

P. 111-112
BANQUETE OFERECIDO PELOS MEMBROS DO CENTRO ARTÍSTICO NO HOTEL DO GLOBO. RIO DE JANEIRO, 31.8.1898. DESENHO DE RODOLFO AMOEDO. 17,5x29,5 CM.

CENTRO ARTISTICO

Diner du 31 Août 1898

VINS	
Madère sec.	**Potage** Crême de volaille aux chouxfleurs
	Hors d'oeuvre Rissoles de crevettes à la Pompadour
Sauternes frappé.	**Relevés** Garoupa bouillie sauce Hollandaise
Saint-Emilion.	**Entrées** Salmis de gibier à la Godard Côtelette d'agneau à la jardinière
	Rôti Dinde farcie à la Brésilienne Jambon de Bayonne
Champagne frappé. (HEIDSIECK)	**Légume** Asperges gratinées au parmesan
Porto vieux.	**Entremêts** Cabinet pudding à la vanille Macédoine de fruits Parfait à la crême
Liqueurs.	**Dessert assorti**

Servi à l'HOTEL GLOBO.

Litho-Typ. da Comp. de Loterias Nacionaes do Brazil, em Sapopemb

Prière de signer.

F. C. Passos
João Lopes Chaves
Mario Ignacio Guimarães
Heitor B. Cordeiro
Rodolpho Schumacher
J. A. Mendes da Silva
Nestor Sampaio
Tulio Ramos
Henrique Bernardelli
C. A. Araripe Jr.
Léo de Affonsêca
Chapot Prévost Filho
Gilberto de Almeida
Valentim Magalhães
José Americo dos Santos
Aguiar Moreira
Edmundo Gastão da Cunha
Ildefonso Dutra
Carlos Buarque
Leopoldo de Freitas

Henrique Holland
Alberto Nepomuceno
Barão Homem de Mello
M. Salmon Vianna
Vieira Machado
Barrozo Netto
Carlos Americo dos Santos
Marc Ferrez
Manoel Faulhaber
Sylvio Bevilacqua
Roxo de Rodrigues
José Carlos de Carvalho
Adolfo Morales de los Rios
Rodrigues Barboza
F. Cel. Benevenuto Magalhães
Leopoldo Miguez
Alfredo Bevilacqua
Godofredo Leão Velloso
Coelho Netto
Angelo Agostini
A. Fortes de Vasconcellos
Julio de Barros

O verso do cardápio é igualmente notável pelos autógrafos que possui, atestando a presença de convidados ilustres neste concorrido banquete. Entre as assinaturas destacamos as de Olavo Bilac (O. B.), Francisco Pereira Passos (F. P. Passos), Rodolfo Amoedo, Marc Ferrez, Angelo Agostini, Adolpho Morales de los Rios, Henrique Bernardelli, Artur Azevedo, Filinto de Almeida, Valentim Magalhães, Coelho Neto, Henrique Holanda, Alberto Nepomuceno, Araripe Junior e Barão Homem de Melo.

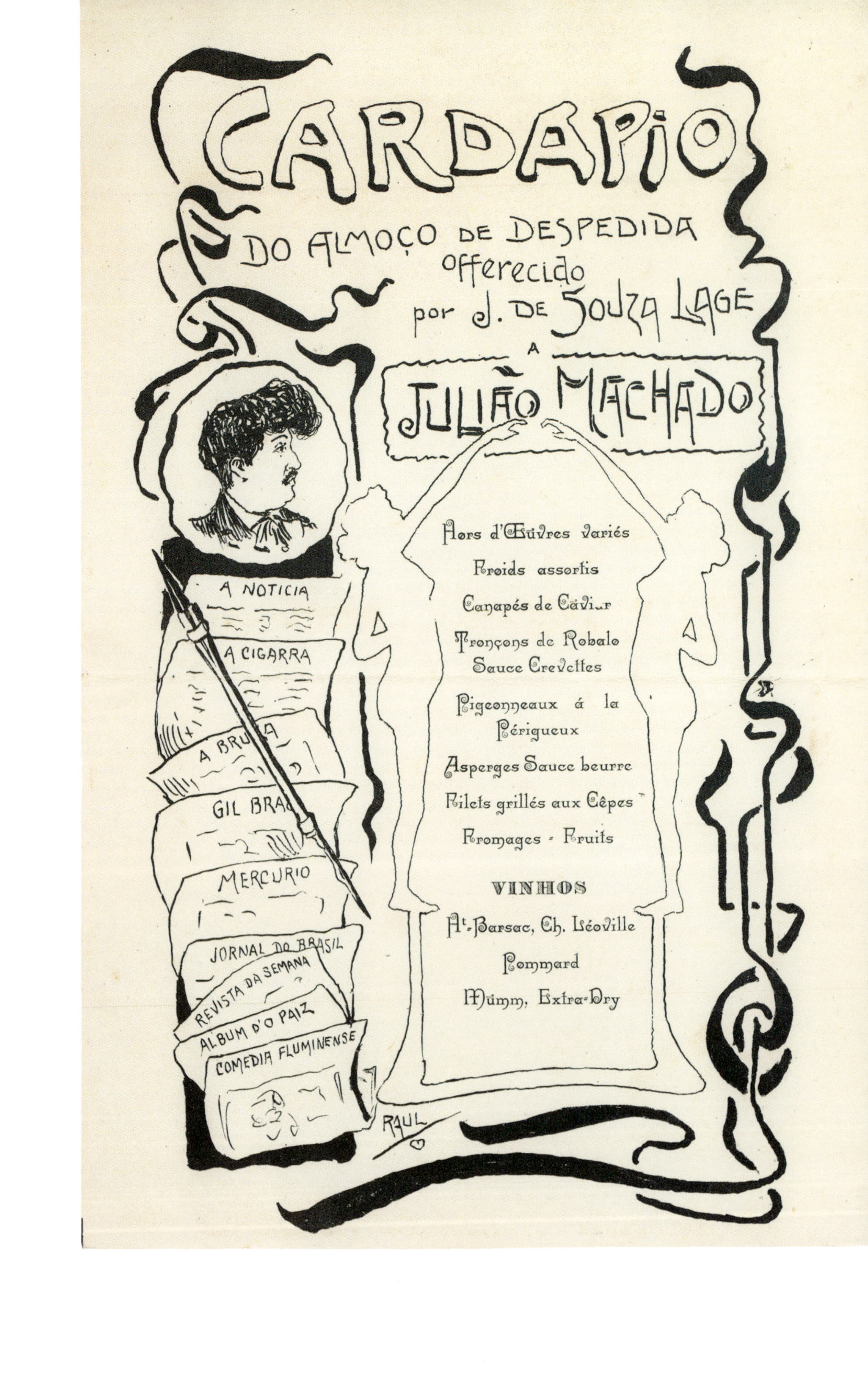
CARDAPIO
DO ALMOÇO DE DESPEDIDA
offerecido
por J. DE SOUZA LAGE
A
JULIÃO MACHADO
Hors d'Œuvres variés
Froids assortis
Canapés de Caviar
Tronçons de Robalo
Sauce Crevettes
Pigeonneaux á la
Périgueux
Asperges Sauce beurre
Filets grillés aux Cêpes
Fromages - Fruits
VINHOS
Ht. Barsac, Ch. Léoville
Pommard
Mümm, Extra-Dry
A NOTICIA
A CIGARRA
GIL BRAS
MERCURIO
JORNAL DO BRASIL
REVISTA DA SEMANA
ALBUM D'O PAIZ
COMEDIA FLUMINENSE
RAUL

Souza Lage foi dono da revista *A Bruxa (*1896-1897*)*, publicada com a direção de redação de Bilac e direção artística de Julião Machado. O banquete oferecido a Julião Machado ocorreu na ocasião em que o caricaturista decidiu viajar para Europa, em 1903, após um período de especulações sobre o suposto risco de sua deportação, após a publicação de algumas charges que desagradaram ao governo.

Em crônica publicada na *Gazeta de Notícias*, em 6 de dezembro de 1903, Olavo Bilac escreveu sobre esse almoço realizado no *Club dos Diários*, ocasião em que Julião Machado se despediu dos seus amigos, antes de embarcar para a Europa:

A semana, iniciada, para o cronista, por uma festa, terminou em luto. A festa foi a de Julião Machado. O criador d'*A Cigarra*, d'*A Bruxa* e do *Gil-Blas*, está fechando as malas para uma viagem à Europa. Souza Laje, que fundou com ele e comigo aquela Bruxa, tão bonita e tão infeliz, reuniu, em ágape fraterno, os amigos do encantador caricaturista. Por ser de despedida, o banquete deveria ser triste: mas todos sabiam e sabem que Julião há de voltar, e não houve tristeza naquela reunião de artistas e jornalistas, que saudavam o grande artista, o jornalista brilhante, e, principalmente, o bom e leal companheiro, que não deixa um só inimigo, — cousa espantosa! — na roda dos oficiais do mesmo ofício.

Julião voltará. Dizem que há no ar e na luz de Paris um doce amavio, a que se dá o nome de parisina: quem uma vez provou essa perigosa droga, não pode mais dispensá-la e há de morrer envenenado, mas deliciosamente envenenado por ela. O Rio de Janeiro não é Paris, — Ah! Não é! Mas também possui o seu amavio, o seu veneno sutil e cativante. Julião provou-o, e leva-o no sangue e na alma; a saudade há de torturar-lhe o coração; e ele voltará para trabalhar, para rir e para sofrer conosco, como irmão e amigo, nesta nossa vida de imprensa a que o seu talento e a sua bondade deram tanto brilho e encanto. (*Gazeta de Notícias*, 6.12.1903).

O cardápio é assinado pelo caricaturista Raul Pederneiras (1874-1953).

Raul Paranhos Pederneiras, ou simplesmente Raul, iniciou sua carreira em 1898, no diário *O Mercúrio*, jornal impresso em cores que circulou no Rio de Janeiro de fins do Oitocentos e, durante toda a vida, manteve uma assídua participação em diversos periódicos cariocas, como a *Revista da Semana*, *O Tagarela*, *Don Quixote*, *Fon-Fon* e *O Malho*.

CARDÁPIO DE ALMOÇO DE DESPEDIDA
OFERECIDO POR J. DE SOUZA LAGE
A JULIÃO MACHADO, C. 1903. DESENHOS
DE RAUL PEDERNEIRAS. 15x23,5 CM.

Depois de passar por Santos e Florianópolis, a canhoneira *Pátria* chegou ao porto do Rio de Janeiro em 1906, sendo recebida por populares e autoridades que foram lhe dar as boas vindas à bordo de vapores e rebocadores. Sua tripulação, composta por mais de cem homens, sob o comando do capitão-tenente Antônio Alfredo da Silva Ribeiro, foi recebida com uma programação que incluiu um grande banquete realizado em 2 de outubro de 1906, cujo cardápio, assinado por Julião Machado, aqui se reproduz.

A canhoneira *Pátria* foi construída, em grande parte, com as doações feitas pelas colônias portuguesas residentes no Brasil.

Com a proximidade da data do quarto centenário do descobrimento do caminho marítimo para a Índia, a Diretoria do Gabinete Português de Leitura, numa reunião ocorrida no Rio de Janeiro, a 7 de maio de 1897, decidiu levantar donativos para construção de um navio de guerra, a canhoneira *Pátria*, para ser oferecido ao governo de Portugal pelos portugueses residentes no Brasil em comemoração a esse feito histórico. Em 1905, a canhoneira *Pátria* passou a integrar Divisão Naval do Atlântico Sul, com base em Luanda e, posteriormente, durante cerca de nove meses, escalou os principais portos do Brasil, como prova de gratidão e reconhecimento à comunidade portuguesa no país.

CARDÁPIO DE ALMOÇO OFERECIDO PELA DIRETORIA DO PAIZ À OFICIALIDADE DA CANHONEIRA PÁTRIA. RIO DE JANEIRO, 2.10.1906. DESENHO DE JULIÃO MACHADO. 15x23 CM.

68

Cardapio

Ovos mexidos com trufas
Bijupirá em molho de tomate
Costeletas de cordeiro com ervilhas
Chaud-froid de Inhambú trufado
Punch de Rhum
Macuco assado á brasileira
Espargos em Mousseline
Cabinet pudding
Morangos em creme

Sobremesa.

Vinhos: Rheno, St. Julien, Mâcon, Rhum Pommery, Porto.

Café e licores.

ALMOÇO OFFERECIDO
PELA DIRECTORIA DO PAIZ
Á OFFICIALIDADE DA
CANHONEIRA "PATRIA"

RIO DE JANEIRO, 2 OUTUBRO 1906

OLAVO BILAC

Este cardápio, uma raridade encontrada na coleção de Olavo Bilac, é assinado pelo caricaturista italiano, naturalizado brasileiro, Angelo Agostini (1843-1910). Agostini dedicou-se à ilustração desde jovem, primeiramente colaborando na revista *Diabo Coxo*, depois na revista *O Cabrião*, possuindo uma veia satírica bastante acentuada. No Rio de Janeiro, colaborou *na Semana Ilustrada, Revista Ilustrada* editou a *Vida Fluminense,* dirigiu o *Mosquito* e fundou o *D. Quixote,* em 1895.

Considerado o primeiro quadrinista brasileiro, sua história com personagem fixo começou a ser publicada, em quadrinhos, na *Vida Fluminense,* em janeiro de 1869. Intitulada *As Aventuras de Nhô Quim, ou Impressões de uma Viagem à Corte*, narrava as experiências de um caipira perdido na cidade grande.

Em data não identificada, Agostini ilustrou esse cardápio de banquete oferecido pelo editor belga Léon de Rennes, proprietário da casa impressora Léon de Rennes & C. que, entre 1900 e 1910, foi bastante atuante no Rio de Janeiro.

O banquete, cujo serviço foi oferecido pela Confeitaria Colombo, homenageou o jornalista Henrique Chaves (1849-1910), fundador da *Gazeta de Notícias,* ao lado de Ferreira de Araújo, Manoel Carneiro e Elísio Mendes, da qual Olavo Bilac foi também colaborador a partir de 1890.

Publicada pela primeira vez na Corte, no dia 2 de agosto de 1875, a *Gazeta de Notícias* inaugurou uma forma popular de fazer jornais e, com ela, a imprensa ganharia feição de grande empreendimento comercial, tornando-se acessível a um número cada vez maior de leitores. Vendida a 40 réis, a *Gazeta* inaugurava o sistema de vendas avulsas pela cidade e se diferenciava da maioria das publicações do período ao espalhar pelas ruas da cidade meninos que alertavam a "notícia, o anúncio, a pilhéria, a crítica, a vida, em suma, tudo por dois vinténs escassos".*

Em 1904, quando Henrique Chaves dirigia a *Gazeta de Notícias*, em substituição a Ferreira de Araújo, o periódico sofreu uma expressiva reforma gráfica. No alto da primeira página, passou a figurar uma manchete geral com o assunto das principais matérias da edição. Foi instituída também a charge diária, que passou a ocupar grande espaço na primeira página.

* Machado de Assis. *A Semana.* Introdução e notas de John Gledson. São Paulo: Hucitec, 1996, p. 278.

CARDÁPIO DE BANQUETE OFERECIDO PELA CASA LÉON DE RENNES & C. AO JORNALISTA HENRIQUE CHAVES. S/D. DESENHO DE ANGELO AGOSTINI. 17x27,5 CM.

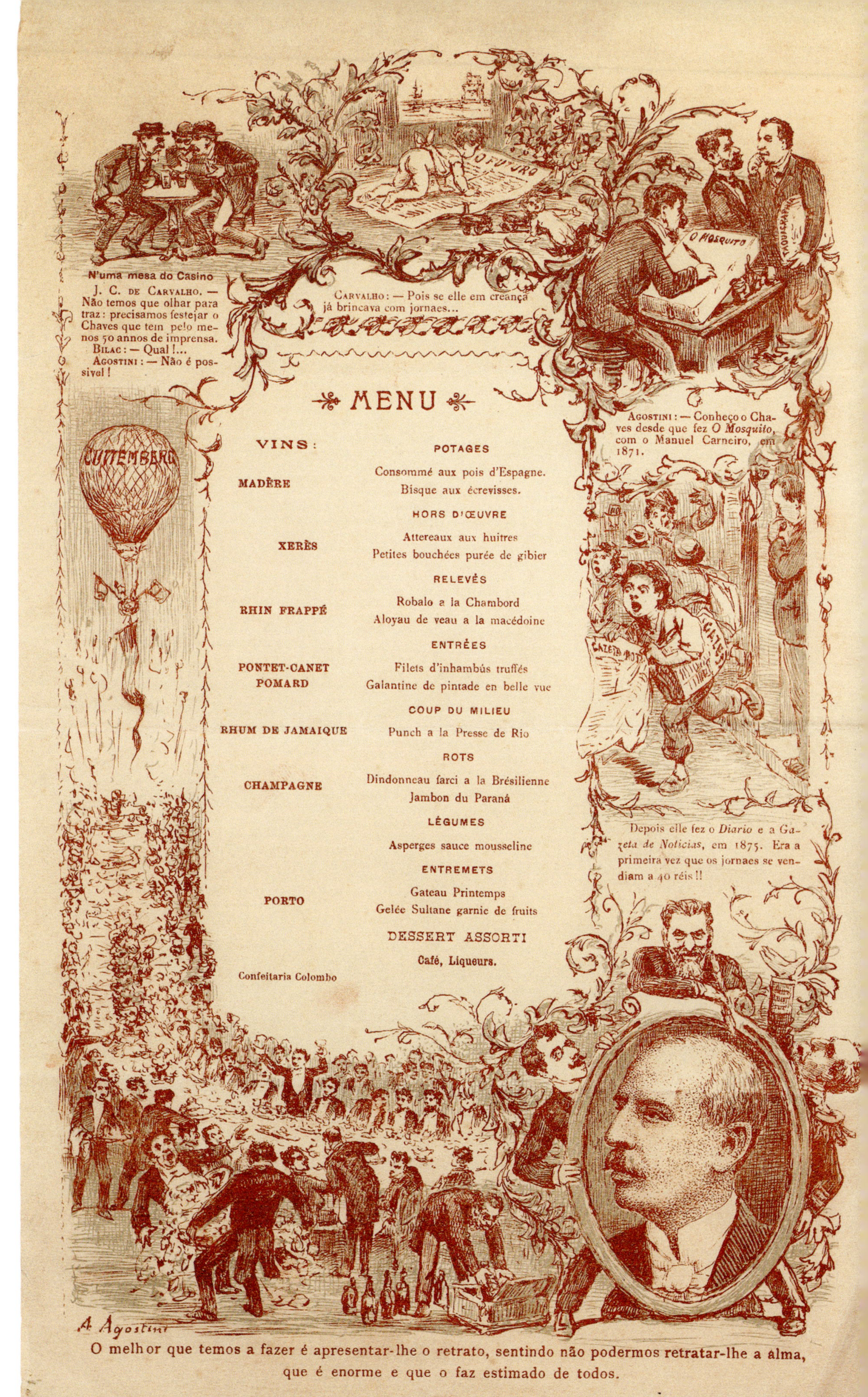

N'uma mesa do Casino

J. C. de Carvalho. — Não temos que olhar para traz: precisamos festejar o Chaves que tem pelo menos 50 annos de imprensa.

Bilac: — Qual!...

Agostini: — Não é possivel!

Carvalho: — Pois se elle em creança já brincava com jornaes...

Agostini: — Conheço o Chaves desde que fez *O Mosquito*, com o Manuel Carneiro, em 1871.

Depois elle fez o *Diario* e a *Gazeta de Noticias*, em 1875. Era a primeira vez que os jornaes se vendiam a 40 réis!!

MENU

VINS:	
	POTAGES
MADÈRE	Consommé aux pois d'Espagne. Bisque aux écrevisses.
	HORS D'ŒUVRE
XERÈS	Attereaux aux huitres Petites bouchées purée de gibier
	RELEVÉS
RHIN FRAPPÉ	Robalo a la Chambord Aloyau de veau a la macédoine
	ENTRÉES
PONTET-CANET POMARD	Filets d'inhambús truffés Galantine de pintade en belle vue
	COUP DU MILIEU
RHUM DE JAMAIQUE	Punch a la Presse de Rio
	ROTS
CHAMPAGNE	Dindonneau farci a la Brésilienne Jambon du Paraná
	LÉGUMES
	Asperges sauce mousseline
	ENTREMETS
PORTO	Gateau Printemps Gelée Sultane garnie de fruits
	DESSERT ASSORTI
	Café, Liqueurs.

Confeitaria Colombo

O melhor que temos a fazer é apresentar-lhe o retrato, sentindo não podermos retratar-lhe a alma, que é enorme e que o faz estimado de todos.

Offerecido pela Casa Léon de Rennes & C

NET

Filets d'inhambús truffés
Galantine de pintade en belle vue

COUP DU MILIEU

AIQUE

Punch a la Presse de Rio

ROTS

NE

Dindonneau farci a la Brésilienne
Jambon du Paraná

LÉGUMES

Asperges sauce mousseline

ENTREMETS

Gateau Printemps
Gelée Sultane garnie de fruits

DESSERT ASSORTI

Café, Liqueurs.

ombo

Depois elle fez o *Diario* e a *Gazeta de Noticias*, em 1875. Era a primeira vez que os jornaes se vendiam a 40 réis!!

apresentar-lhe o retrato, sentindo não podermos retratar-lhe a alma,
é enorme e que o faz estimado de todos.

No cardápio do banquete é possível ler o diálogo travado entre J. C. de Carvalho, Olavo Bilac e Angelo Agostini, sobre o jornalista Henrique Chaves:

J. C. DE CARVALHO — Não temos que olhar para trás: precisamos festejar o Chaves que tem pelo menos 50 anos de imprensa.

BILAC — Qual!...

AGOSTINI — Não é possível!

CARVALHO — Pois se ele em criança já brincava com jornais...

AGOSTINI — Conheço o Chaves desde que fez O Mosquito com o Manuel Carneiro em 1871.
Depois ele fez o Diário e a Gazeta de Notícias, em 1875. Era a primeira vez que os jornais se vendiam a 40 Réis!!

No detalhe à direita do cardápio, ilustrado numa narrativa sequencial, à semelhança dos quadrinhos de Agostini, o retrato em perfil do homenageado Henrique Chaves. À direita da moldura oval está representado J. C. de Carvalho, à esquerda, Olavo Bilac e, ao centro, autorretratado, Angelo Agostini.

Na margem inferior do cardápio é possível ler, a respeito de Chaves: "O melhor que temos a fazer é apresentar-lhe o retrato, sentindo que não podemos retratar-lhe a alma, que é enorme e que o faz estimado a todos".

DETALHE DO CARDÁPIO ONDE É POSSÍVEL VER, NO CENTRO DA IMAGEM, O AUTORRETRATO DE ANGELO AGOSTINI, CONSIDERADO O MAIS IMPORTANTE ARTISTA GRÁFICO DO SÉCULO XIX.

a rede de sociabilidade de olavo bilac no brasil e no estrangeiro

NO BRASIL

O banquete realizado no Rio de Janeiro, a 5 de dezembro de 1889, oferecido à Sociedade Fluminense pelo Comandante do couraçado chileno *Almirante Cochrane*, foi impresso pela Casa Leuzinger, uma das empresas litográficas mais notáveis do Rio de Janeiro na década de 1880.

Este banquete foi oferecido como retribuição àquele memorável, realizado na noite de 9 de novembro de 1889, na Ilha Fiscal, por iniciativa do Presidente do Conselho de Ministros, Visconde de Ouro Preto, em homenagem ao comando do couraçado chileno, naquele que foi o último baile da monarquia e que reuniu 5 mil pessoas.

O banquete de 5 de dezembro, como é possível verificar no cardápio aqui reproduzido, foi oferecido por meio do serviço volante, no sistema de *buffet*.

PP. 123-124
BANQUETE OFERECIDO PELO COMANDANTE E OFICIAIS DO ALMIRANTE COCHRANE À SOCIEDADE FLUMINENSE. RIO DE JANEIRO, 5.12.1889. 25,5x19,5 CM.

5

CHILE ★ BRAZIL

EL COMANDANTE Y OFICIALES

DEL

"Almirante Cochrane"

Á LA

SOCIEDAD FLUMINENSE

Rio de Janeiro, 5 de Diciembre de 1889

OLAVO BILAC

MENU

Buvette

Orangeade - Lait d'amandes à la vanille
Sirops glacés de groseille, orgeat et grenadine
Punch à l'ananás
Liqueurs fines variées - Cognac
Eaux : de Seltz, Sauerbrunn, Birresborn et Apollinaris
Bières : Einbeck, Lowenbrau, Spatenbier et Pollingerbrau
Biscuits fins assortis
Gâteaux de manioc et anglais - Petits fours assortis
Biscuits à la cuillière, etc.

Services dans la Buvette

Glaces moulées variées - Gaufres de Vienne
Sorbets assortis.

Thé vert - Thé noir - Lait
Pain grillé riche - Pain national - Pain de Pétropolis
Gâteaux de Savoie, etc.

Matonelles aux fruits
Glaces moulées - Croquenbouches aux amandes.

Punch à la Romaine - Punch à la Vénitienne

Méringues à la vanille et à la napolitaine.

UZINGER & FILHOS - OUVIDOR 31

Sandwichs de jambon, de fromage et de foie-gras
Petites caisses de gibier
Cuissots de poulet - Petits pâtés de volaille
Duchesses de veau
Boudins de poulet à la "Riachuelo" - Petits patés à la brésilienn
Filets de merlan farcis
Petits verres à la gelée aux fruits, etc.

Buffet

Consommé à la Guanabara - Chaux-froid de homard
Filets de sole à la tartare
Galantine de dindon à la Cochrane
Pelle de cerf à la cascade
Dinde à la brésilienne - Dinde farcie à la française
Jambon du Paraná - Blanc-manger aux noisettes
Crême d'oranges et de vanille - Bavaroise aux fruits, etc.

DESSERT ASSORTI

Fruits de la saison - Bonbonnières garnies
Fromages divers
Bonbons, Marrons, Cosaques, etc.

Chocolat à la crême - Gâteau d'ararula, etc.

VINS VARIÉS

MENU

DINER DU 29 MAI 1891

A Mr le Baron do Alto Méarim

HORS-D'ŒUVRE

POTAGES

à la Reine et Princesse

Truite Saumonée à la Washington

Selle de Pré-Salé

Pommes de Terre Voisin

Suprêmes de Volaille

Truffes au Champagne

Punch à la Romaine

ROTS

Canetons de Duclair à la Rouennaise

Chaud-Froid de Cailles

Salade

Petits Pois à la Française

Biscuit Glacé

Gaufrettes — Petits-Fours

Dessert

VINS

Xérès — Pontet-Canet 1875

Haut-Sauterne — Chambertin 1870

St-Julien — Moët Frappé

Porto 1848

CAFÉ ET LIQUEURS

Neste cardápio em francês, dos primeiros tempos da República, o jantar oferecido ao literato e político português, José João Martins de Pinho (1848-1900), primeiro barão do Alto Mearim, que presidiu alguns institutos lusitanos com ramos no Brasil, a exemplo do Liceu Literário Português. Cabe notar que, no *menu*, figura a informação das safras dos vinhos oferecidos, tanto os de origem francesa, quanto do tradicional vinho do Porto.

CARDÁPIO DE JANTAR
OFERECIDO AO BARÃO DO ALTO
MEARIM. 29.5.1891. S/L.
9x13,5 CM.

Este é, seguramente, um dos cardápios mais raros e significativos da coleção de Olavo Bilac.

A ideia da fundação do *Club Rabelais* partiu do escritor Tristão de Alencar Araripe Júnior (1848-1911) e consistiria apenas na organização de um jantar mensal que reunisse homens de letras e artistas, para uma hora de convívio agradável, em torno da boa mesa.

Aos 12 dias do mês de agosto de 1892, Raul Pompeia inaugurou o *Club Rabelais* no restaurante Stadt München, no Largo do Rocio, hoje Praça Tiradentes, no Rio de Janeiro.

O *Club* não possuía sede, estatutos, nem diretores e os jantares eram sempre realizados na segunda sexta-feira do mês, sem brindes ou discursos.

Ao longo do ano de 1892, foram promovidos cinco jantares, seja no Hotel do Globo, no Hotel da Companhia de Panificação ou, na casa de Artur Azevedo que, ao lado de Pedro Rabelo, Rodrigo Octavio, Valentim Magalhães, Olavo Bilac, Coelho Neto, José do Patrocínio, José Veríssimo e, mais alguns, compunha o grupo de sócios.

Não à toa o *Club* ao qual pertencia Olavo Bilac, e que seria um dos embriões da futura Academia Brasileira de Letras, se chamava Rabelais. O monge e escritor francês, François Rabelais, tornou-se famoso por seus livros que contaram a epopeia de Pantagruel e seu pai Gargântua, gigantes de apetites imensos.

O *Club*, contudo, teve curta duração. Em janeiro de 1893 foi realizado o último banquete entre os sócios e o cardápio aqui reproduzido é um raro testemunho de um dos últimos encontros desses homens de letras. O encontro se deu no Hotel da Companhia de Panificação, à rua Gonçalves Dias, às 6 ½ horas da tarde do dia 11 desse mês.

O *menu* é inusitado na sua apresentação. A composição do seu texto inicial remete à convocação para uma reunião, no caso, uma "*seção* (sic) *manducativa*", ou seja, relativa à *manducação*, ao ato de comer.

PP. 127-128
CARDÁPIO DE JANTAR
PROMOVIDO PELO *CLUB RABELAIS*.
RIO DE JANEIRO, 11.1.1893.
18x23,5 CM.

Realisar-se-ha a sessão

manducativa deste mez no dia 13,

no hotel da C. Panificação, 1. Gonsalves Dias

ás 6½ horas da tarde.

O socio Secretario,

E. A. Araripe Junior

Rio de Janeiro, 11 de janeiro de 1893

OLAVO BILAC

CLUB ✳ RABELAIS

... beuvant et se rigollant avec les aultres

Gargantua. C. VII.

Indice das materias

(a deglutir)

Prefacio

§ Crême de poule sinapisée d'asperges

§ Bouchées de dames à la Gargamelle

§ Poisson, saulce à la Rominagrobis.

Primeira parte

§ Cuisses de poulet à la Baisecul

§ Filet à la Pantagruel

§ Epaules des Moutons de Panurge

§ Punch à la Grand Gousier

Segunda parte

§ Dindons rotis avecques leur degout

§ Jambon glacé à la Gargantua

EPILOGO

§ Asperges, saulce circoncentrale.

noTas

§ Charlote à la Dipsodie; Sorbets; fruits, bonbons &

Bibliographia

VINHOS: Brûvage éternel, Madère, Sauterne, Chianti, Rhum, Ch. La Rose Champagne, Licores.

Previne-se aos gastrolatras que haverá errata em que serão mencionadas as omissões havidas neste Cardapio.

O cardápio traz texto impresso em língua portuguesa, mas a relação dos pratos que seriam degustados aparece manuscrita, em francês, como ditava a moda da época.

A disposição dos pratos no *menu* também obedece a um critério inusitado e bastante afeito ao gosto literário. No lugar das expressões francesas usuais *potage, hors d'oeuvres, entrées, rôtis, entremets, dessert,* as iguarias são distribuídas como em um sumário de um livro. No contexto do banquete promovido pelo *Club Rabelais*, o que se tem é um "Índice de matérias (a deglutir)", distribuídas em *Prefácio, Primeira Parte, Segunda Parte, Epílogo, Notas e Bibliografia*, cabendo notar uma observação manuscrita à margem: *Previne-se aos gastrólatras que haverá errata em que serão mencionadas as omissões havidas neste Cardápio.*

Apesar do forte espírito gregário verificado nos literatos daquele tempo, em meados do século XIX, o grupo de Machado de Assis, que fazia das livrarias Laemmert e Garnier seu ponto de encontro, não aderiu ao *Rabelais* por considerá-lo "muito barulhento", como afirmou Rodrigo Otávio em seu livro de reminiscências *Minhas memórias dos outros.*

Não em 1892, mas, cinco anos depois, em 1897, a união se fez, e foi criada a Academia Brasileira de Letras.

Em maio de 1897, a esquadra chilena visitou pela primeira vez o Brasil, após sua última passagem pelo Rio de Janeiro, em 1889, na ocasião em que foi homenageada no baile da Ilha Fiscal. A amistosa relação diplomática que o Brasil mantinha com o Chile foi celebrada com entusiasmo no decorrer do mês de maio de 1897, tanto no Rio de Janeiro, a exemplo do cardápio assinado por Julião Machado, relativo ao baile realizado no Palácio do Itamaraty, já apresentado neste livro, quanto em São Paulo, nos dias 20 e 21 de maio, com serviço oferecido pela paulista Rotisserie Sportsman, conforme comprovam alguns dos *menus* aqui reproduzidos.

No cardápio do banquete de 29 de maio de 1897 (p. 132), oferecido pela Comissão Central da Imprensa no Restaurante, a relação das iguarias servidas apresenta *Poisson bouilli sauce Guanabara, Filet de veau à la presse, Supreme de gibier à la républicaine* e, *Punch à l'Union Américaine*, numa alusão às motivações e à ambiência do banquete.

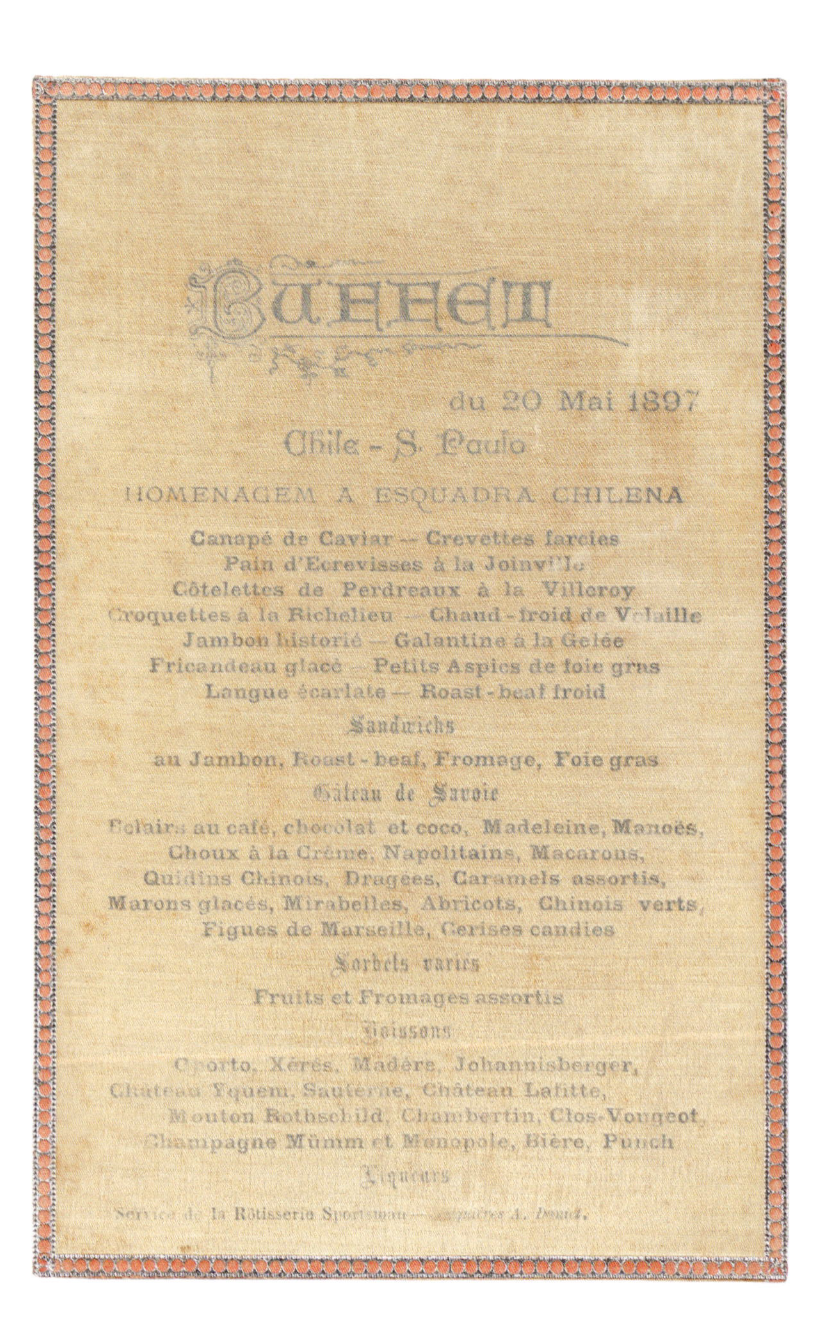

Buffet

du 20 Mai 1897

Chile - S. Paulo

HOMENAGEM A ESQUADRA CHILENA

Canapé de Caviar — Crevettes farcies
Pain d'Ecrevisses à la Joinville
Côtelettes de Perdreaux à la Villeroy
Croquettes à la Richelieu — Chaud-froid de Volaille
Jambon historié — Galantine à la Gelée
Fricandeau glacé — Petits Aspics de foie gras
Langue écarlate — Roast-beaf froid

Sandwichs

au Jambon, Roast-beaf, Fromage, Foie gras

Gâteau de Savoie

Eclairs au café, chocolat et coco, Madeleine, Manoës,
Choux à la Crème, Napolitains, Macarons,
Quidins Chinois, Dragées, Caramels assortis,
Marons glacés, Mirabelles, Abricots, Chinois verts,
Figues de Marseille, Cerises candies

Sorbets variés

Fruits et Fromages assortis

Boissons

Oporto, Xérès, Madère, Johannisberger,
Château Yquem, Sauterne, Château Lafitte,
Mouton Rothschild, Chambertin, Clos-Vougeot,
Champagne Mümm et Monopole, Bière, Punch

Liqueurs

Service de la Rôtisserie Sportsman — [illegible] A. [illegible]

BUFFET

du 20 Mai 1897

Chile - S. Paulo

HOMENAGEM A ESQUADRA CHILENA

Canapé de Caviar — Crevettes farcies
Pain d'Ecrevisses à la Joinville
Côtelettes de Perdreaux à la Villeroy
Croquettes à la Richelieu — Chaud - froid de Volaille
Jambon historié — Galantine à la Gelée
Fricandeau glacé — Petits Aspics de foie gras
Langue écarlate — Roast - beaf froid

Sandwichs

au Jambon, Roast - beaf, Fromage, Foie gras

Gâteau de Savoie

Eclairs au café, chocolat et coco, Madeleine, Manoës
Choux à la Crême, Napolitains, Macarons,
Quidins Chinois, Dragées, Caramels assortis,
Marons glacés, Mirabelles, Abricots, Chinois verts
Figues de Marseille, Cerises candies

Sorbets variés

Fruits et Fromages assortis

Boissons

Oporto, Xérés, Madére, Johannisberger,
Château Yquem, Sauterne, Château Lafitte,
Mouton Rothschild, Chambertin, Clos-Vougeot
Champagne Mümm et Monopole, Bière, Punch

Liqueurs

Service de la Rôtisserie Sportsman — *Souquières A. Daniel.*

À ESQUERDA
CARDÁPIO DE BANQUETE EM
HOMENAGEM AO COMANDO
E À OFICIALIDADE CHILENA
DO COURAÇADO ALMIRANTE
COCHRANE. MODELO *DE LUXE*,
IMPRESSÃO SOBRE TECIDO,
COLADO EM PAPEL. SÃO PAULO,
20.5.1897. 10 x 16 CM.

ACIMA
CARDÁPIO DE BANQUETE
EM HOMENAGEM AO COMANDO
E À OFICIALIDADE CHILENA
DO COURAÇADO ALMIRANTE
COCHRANE. MODELO *STANDARD*,
IMPRESSÃO SOBRE PAPEL.
SÃO PAULO, 20.5.1897.
13 x 16,5 CM.

Menu du Dîner
du 29 Mai 1897

Crême aux Artichauts
*
Petites croustades à la Richelieu
*
Poisson bouilli sauce Guanabara
Filet de veau a la Presse
*
Escalopes de vollaille aux truffes
Suprême de gibier à la républicaine
Chartreuse de foie gras
Punch à l'Union Américaine
Dindonneau à la broche
Jambon d'York
*
Asperges sauce Mousseline
*
Crême d'oranges au Marasquin
Blanc manger à la Macédoine
Fromage glacé
DESSERT ASSORTI

VINS:
Madère – Chateau Yquem Chateau d'Or – Bourgogne –
Champagne frappé – Porto vieux et Liqueurs

RESTAURANT - BRITO & C.

CARDÁPIO DE BANQUETE OFERECIDO PELA COMISSÃO CENTRAL DA IMPRENSA AOS SEUS AUXILIARES, POR OCASIÃO DAS HOMENAGENS PRESTADAS AO COMANDO E À OFICIALIDADE CHILENA DO COURAÇADO ALMIRANTE COCHRANE. IMPRESSÃO SOBRE PAPEL. RIO DE JANEIRO, 29.5.1897. 10,5 x 15,5 CM.

À DIREITA
CARDÁPIO DE BANQUETE EM HOMENAGEM AO COMANDO E À OFICIALIDADE CHILENA DO COURAÇADO ALMIRANTE COCHRANE. IMPRESSÃO SOBRE PAPEL COM APLICAÇÃO EM TECIDO. SÃO PAULO, 21.5.1897. 11 x 17,5 CM.

MENU

du 21 Mai 1897

CHILE-BRASIL

Homenagem á Esquadra Chilena.

VINS

Madère

Xérés

Chablis

Niersteiner

Bordeaux

Château-Margaux

Pontet Canet Grand Hôtel

Mouton-Rothschild

Bourgogne

Chambertin

Clos-Vougeot

Champagne

Monopole

Mümm

Hors-d'œuvre

Thon-Royat-Caviar à l'Anglaise

Poisson

Brochet en Mayonaise

Froids

Pâté de foie gras

Poulets

Mortadella

Jambon

Saucisson de Lyon

Roastbeaf

Entrées chaudes

Oeufs à la Périgord

Civet de Lapereaux à la Parisienne

Entrée froide

Galantine de Faisans en Belle-Vue

Légume

Asperges en branches S.ce Flamande

Rôti

Dinde à la Brésilienne

Entremets

Parfait à la Vanille

Gâteaux Chiliens

Dessert

Reblochon-Gruyère

Fruits Variés

Café-Liqueurs

Service de la Rôtisserie Sportsman — *Souquières A. Daniel.*

Olavo Bilac

MENU

du DINER

15 SEPTEMBRE 1897

	VINS
Potages Créme de Voillaile.	
Hors d'Œuvers Altereaux de foie d'oie á la moderne. Petits crostalles à la Richelieu.	*Xérès*
Relevés Poisson fin au beurre d'anchois. Petit filet à la chartreuse.	*Rheno.* *Ch ateau Margot.*
Entrées Salmis de gibier à la Périgueux. Salade russe à l'aspic.	*Bourgogne.*
PUNCH A LA ROMAINE	*Rhum Jamaica.*
Rôtis Dindonneaux á la Broche. Jambon de York.	*Champagne Frappé.*
Entremêts Asperges souce mouséline. Plum pudding au Rhum Formage.	*Porto vieux.*
Dessert assorti CAFÉ E LIQUERS	

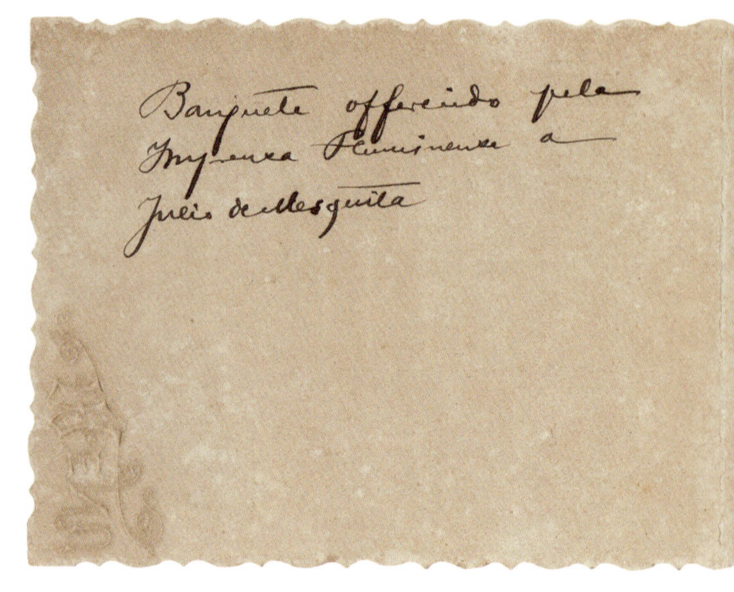

Banquete offerecido pela Imprensa Fluminense a Julio de Mesquita

Os exemplares aqui reproduzidos, distintos apenas na cor do detalhe decorativo, trazem as assinaturas de Olavo Bilac e Guimarães Passos, convidados para o jantar em homenagem ao jornalista paulista Júlio de Mesquita.

CARDÁPIO DE BANQUETE OFERECIDO PELA IMPRENSA FLUMINENSE A JÚLIO DE MESQUITA, DIRETOR DO JORNAL *O ESTADO DE S. PAULO.* S/L. 15.9.1897. 15,5x23,5 CM.

15 SEPTEMBRE 1897

Potages

Créme de Voillaile.

Hors d'Œuvers

Altereaux de foie d'oie á la moderne.

Petits crostailles **à** la Richelieu.

Relevés

Poisson fin au beurre d'anchois.

Petit filet à la chartreuse.

Entrées

Salmis de gibier à la Périgueux.

Salade russe à l'aspic.

PUNCH A LA ROMAINE

Rôtis

Dindonneaux á la Broche.

Jambon de York.

Entremêts

Asperges souce mouséline.

Plum pudding au Rhum

Formage.

Dessert assorti

CAFÉ E LIQUERS

VINS

Xérès

Rheno.

Ch ateau Margot.

Bourgogne.

Rhum Jamaica.

Champagne Frappé.

Porto vieux.

No Rio de Janeiro, no dia 8 de julho de um ano não identificado, Belisário Augusto* ofereceu um almoço a Júlio de Mesquita, nas imediações da Estação Silvestre da Estrada de Ferro do Corcovado. No almoço, entre outros convidados, estiveram presentes Olavo Bilac e Guimarães Passos, que deixaram, no verso do cardápio manuscrito, duas quadrinhas para o homenageado:

Ao Julio
Nós almoçamos em julho,
Com alegria e com fome.
Por isso, tu, nosso orgulho,
A julho d'este o teu nome.
— OLAVO

Seja esta data bendita
E ninguém diga o contrário.
No almoço dado ao Mesquita
Pelo nosso Belisário.
— GUIMARÃES PASSOS

* Trata-se provavelmente do poeta Belisário Augusto Soares de Souza.

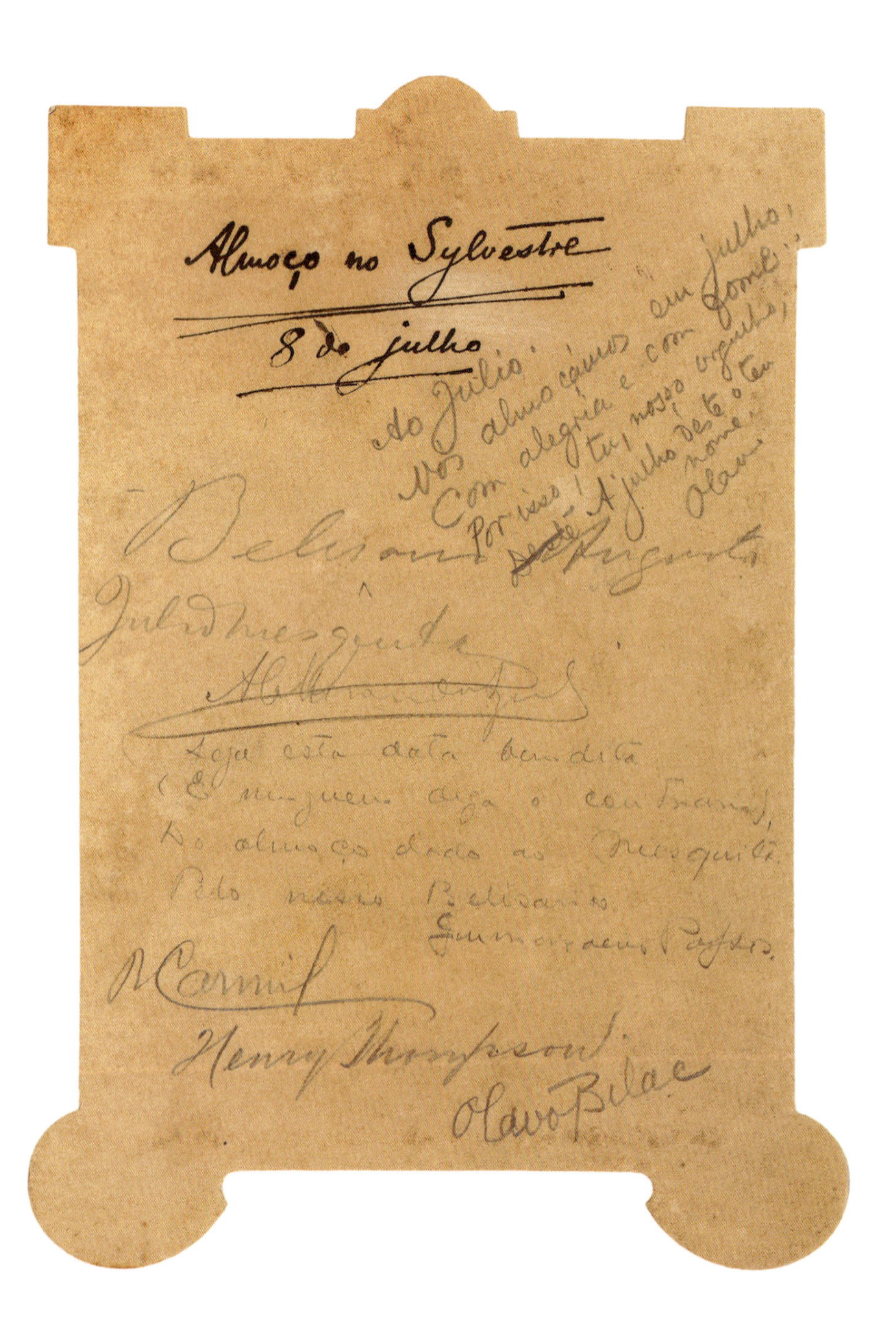

Almoço no Sylvestre
8 de julho

Ao Julio:
Nós almoçámos em julho,
Com alegria e com fome;
Por isso, tu, nosso orgulho,
A julho deste o teu nome.
Olavo

Belisario Augusto
Julio Mesquita

Seja esta data bendita
(E ninguem diga o contrario),
No almoço dado ao Mesquita
Pelo nosso Belisario.
Guimarães Passos

Henry Thompson
Olavo Bilac

CARDÁPIO DE ALMOÇO OFERECIDO POR BELISÁRIO AUGUSTO A JÚLIO DE MESQUITA. RIO DE JANEIRO, 08.7. ANO NÃO IDENTIFICADO. 10,5x15 CM.

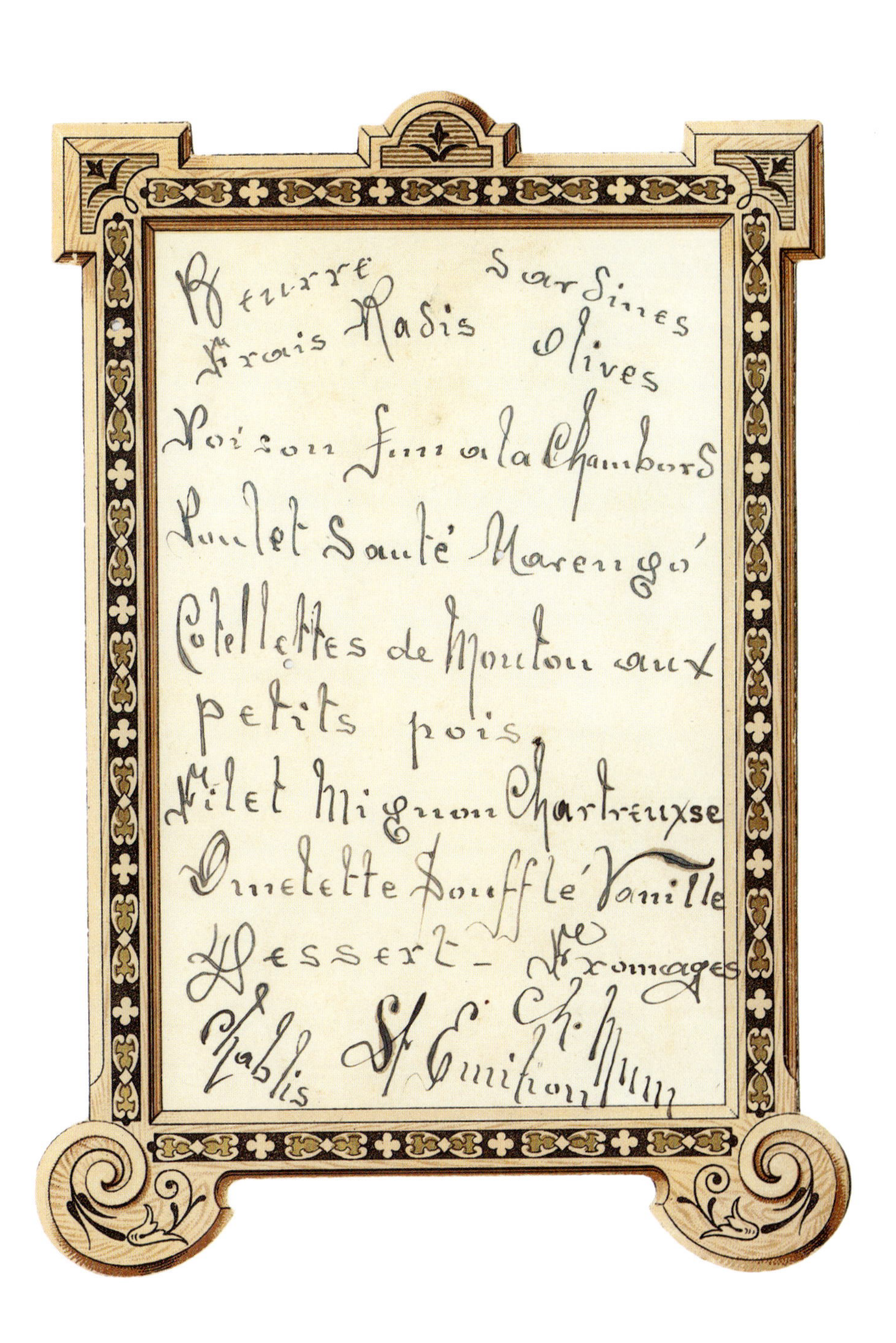

Beurre Frais
Radis
Sardines
Olives

Poison fin a la Chambord

Poulet Sauté Marengó

Cotellettes de Mouton aux petits pois.

Filet Mignon Chartreuxse

Omelette Soufflé Vanille

Dessert – Fromages

Chablis St Emilion Ch. Mumm

LUNCH *offerecido pelos proprietarios da fabrica de cerveja* **Teutonia,**
por occasião de sua inauguração
Estação de Mendes, 28 de Novembro de 1897

MENU

Beurre frais — Olives — Conserves —
Saucisson — Radis, etc.

Escalopes de badejo, à la sauce verte
Petits pâtés de gibier à l'espagnole
Mayonnaise de crevêttes à la brésilienne
Filet de bœuf, sauce madère
Dindonneau farci
Jambon d'York
Cuissot de veau au cresson
Poudings variés
Gélatine aux fraises
Glaces de fruits et crême

DESSERT ASSORTI

Café, etc.

VINS: Sauterne — Listrac — Chateau du Troc —
Collares et Porto

CHOPS TEUTONIA

Liqueurs et Cognac

Serviço da Casa Paschoal

Olavo Bilac

O serviço do banquete, a cargo da Casa Paschoal, foi oferecido pelos proprietários da fábrica de cerveja Teutônia, a primeira indústria de cerveja de grande porte instalada no Rio de Janeiro, no município de Mendes. O cardápio traz assinatura de Olavo Bilac e apresenta impressão em alto relevo.

LUNCH OFERECIDO PELOS PROPRIETÁRIOS DA FÁBRICA DE CERVEJA TEUTONIA, POR OCASIÃO DE SUA INAUGURAÇÃO. RIO DE JANEIRO, 28.11.1897. 10,5 x 16 CM.

À DIREITA
CARDÁPIO DE JANTAR OFERECIDO A D. CLARA GARCEZ E SUA NETINHA POR J. F. DA SILVEIRA. RIO DE JANEIRO, 1.10.1898. 11 x 17 CM.

Apresentando diferentes espécies tipográficas, este cardápio foi impresso no Rio de Janeiro pela Casa Guimarães & Ferdinando, casa impressora importante da cidade em fins do século XIX, dirigida pelos sócios Joaquim da Costa Leite Guimarães e Alberto Ferdinando Cogorno de Oliveira. Destaca-se no *menu* a opção pelo *Jambon d'York*, presunto cozido inglês, de sabor suave, muito apreciado e comumente incluído nos cardápios da época.

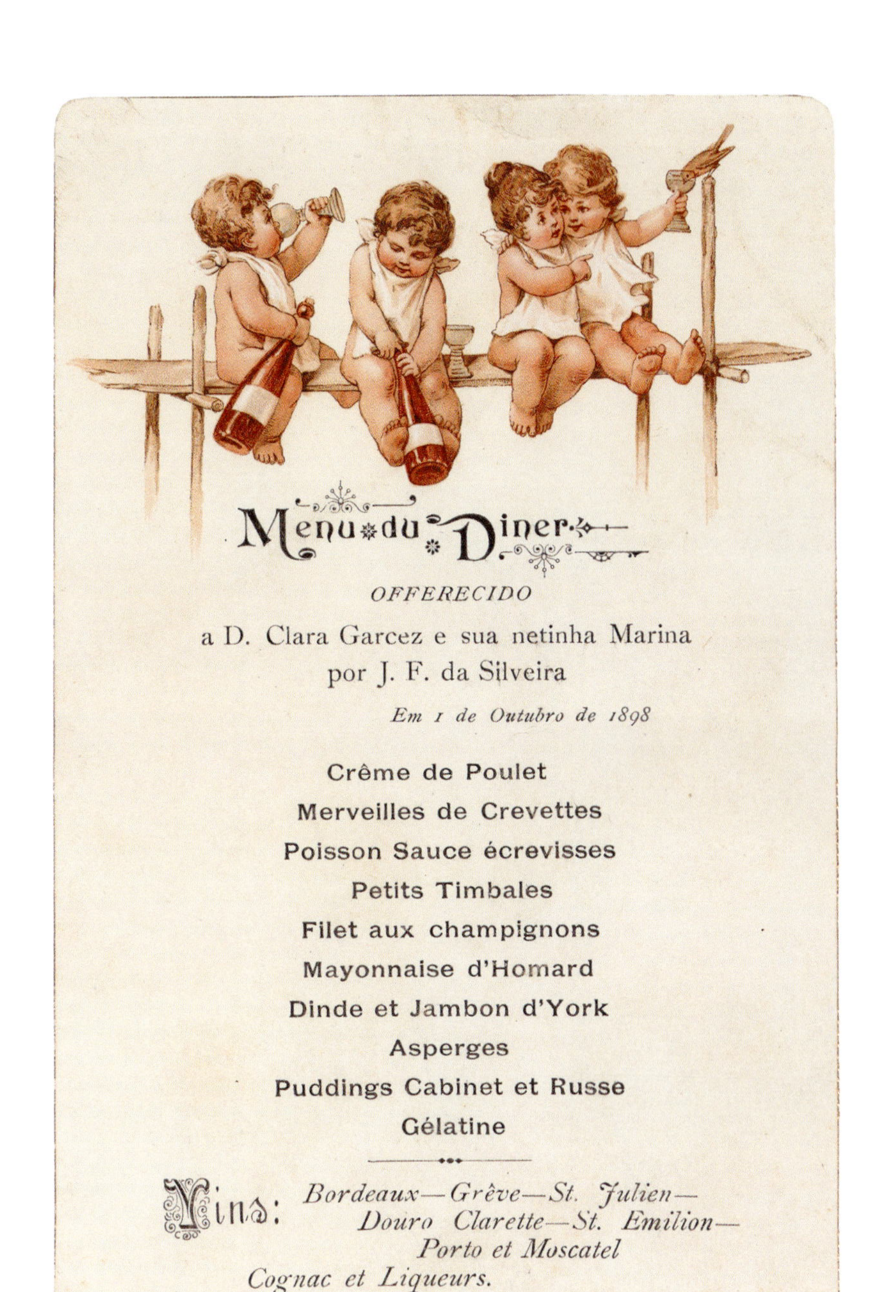
Menu du Diner

OFFERECIDO

a D. Clara Garcez e sua netinha Marina
por J. F. da Silveira

Em 1 de Outubro de 1898

Crême de Poulet
Merveilles de Crevettes
Poisson Sauce écrevisses
Petits Timbales
Filet aux champignons
Mayonnaise d'Homard
Dinde et Jambon d'York
Asperges
Puddings Cabinet et Russe
Gélatine

Vins: *Bordeaux—Grêve—St. Julien—*
Douro Clarette—St. Emilion—
Porto et Moscatel
Cognac et Liqueurs.

Casa Guimarães & Ferdinando

Quando o cruzador português *Adamastor* passou pelo porto do Rio de Janeiro, foram realizadas grandes festas em sua homenagem, unindo portugueses e brasileiros em honra do Comandante e da oficialidade daquele navio de guerra. O mesmo ocorreu em dezembro de 1898 em São Paulo, no porto de Santos, ocasião em que a colônia portuguesa ofereceu um almoço em homenagem à oficialidade do navio de guerra e, no cardápio, três pratos receberam denominação original, quais sejam, *Suprême de poulet à la Adamastor, Chateaubriand à Conselheiro Ferreira do Amaral* e *Salade de fruits à la Dr. Cunha Costa*, numa referência ao corpo de oficiais do cruzador português.

CARDÁPIO DE ALMOÇO OFERECIDO PELA COLÔNIA PORTUGUESA DE SANTOS AO REPRESENTANTE DE SUA MAJESTADE FIDELÍSSIMA E À OFICIALIDADE DO *ADAMASTOR*. SÃO PAULO, 3.12.1898. 9,5x20,5 CM.

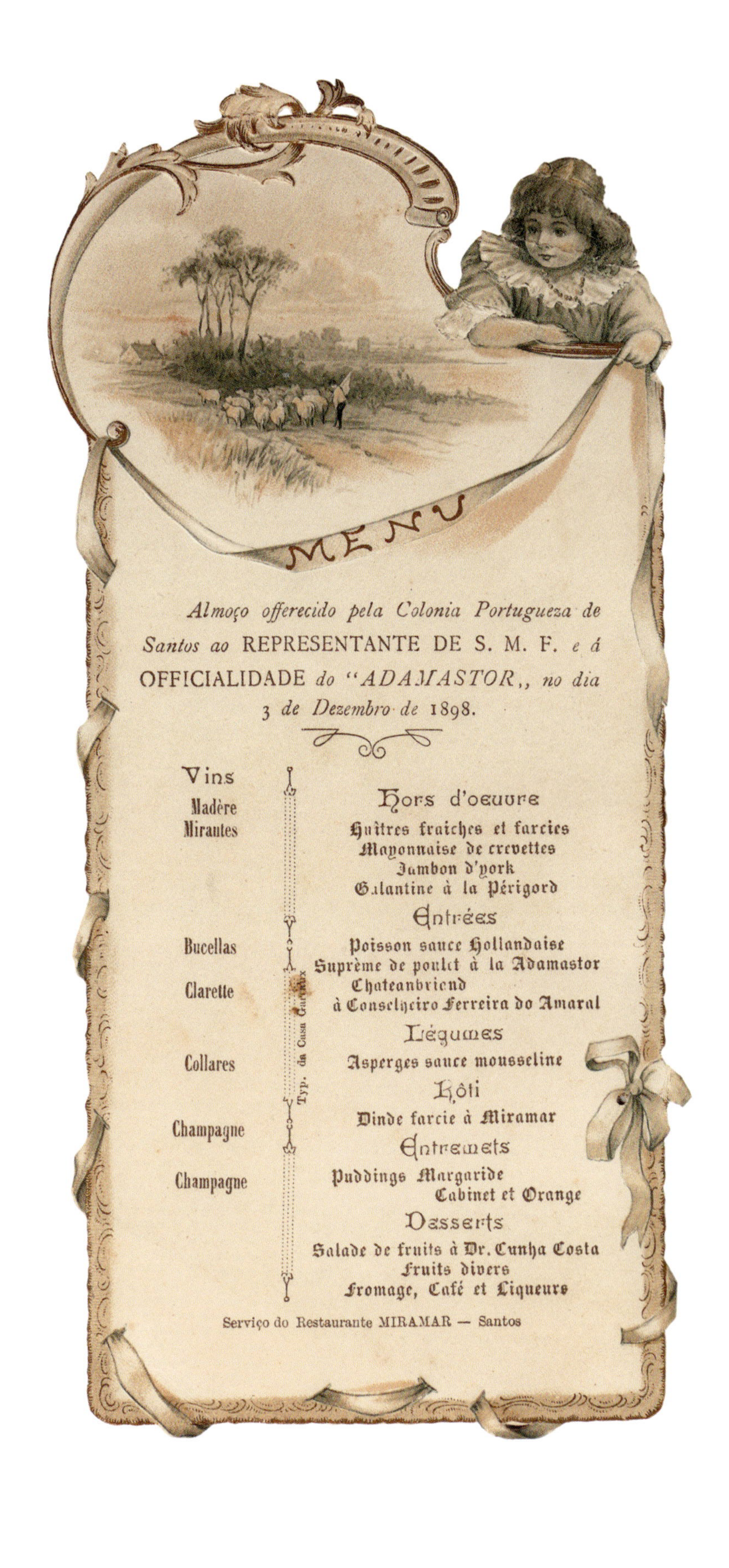

MENU

Almoço offerecido pela Colonia Portugueza de Santos ao REPRESENTANTE DE S. M. F. *e á* OFFICIALIDADE *do "ADAMASTOR,, no dia* 3 *de Dezembro de* 1898.

Vins	
	Hors d'oeuvre
Madère Mirantes	Huîtres fraiches et farcies Mayonnaise de crevettes Jambon d'york Galantine à la Périgord
	Entrées
Bucellas	Poisson sauce Hollandaise Suprême de poulet à la Adamastor
Clarette	Chateaubriend à Conselheiro Ferreira do Amaral
	Légumes
Collares	Asperges sauce mousseline
	Rôti
Champagne	Dinde farcie à Miramar
	Entremets
Champagne	Puddings Margaride Cabinet et Orange
	Desserts
	Salade de fruits à Dr. Cunha Costa Fruits divers Fromage, Café et Liqueurs

Typ. da Casa Garraux

Serviço do Restaurante MIRAMAR — Santos

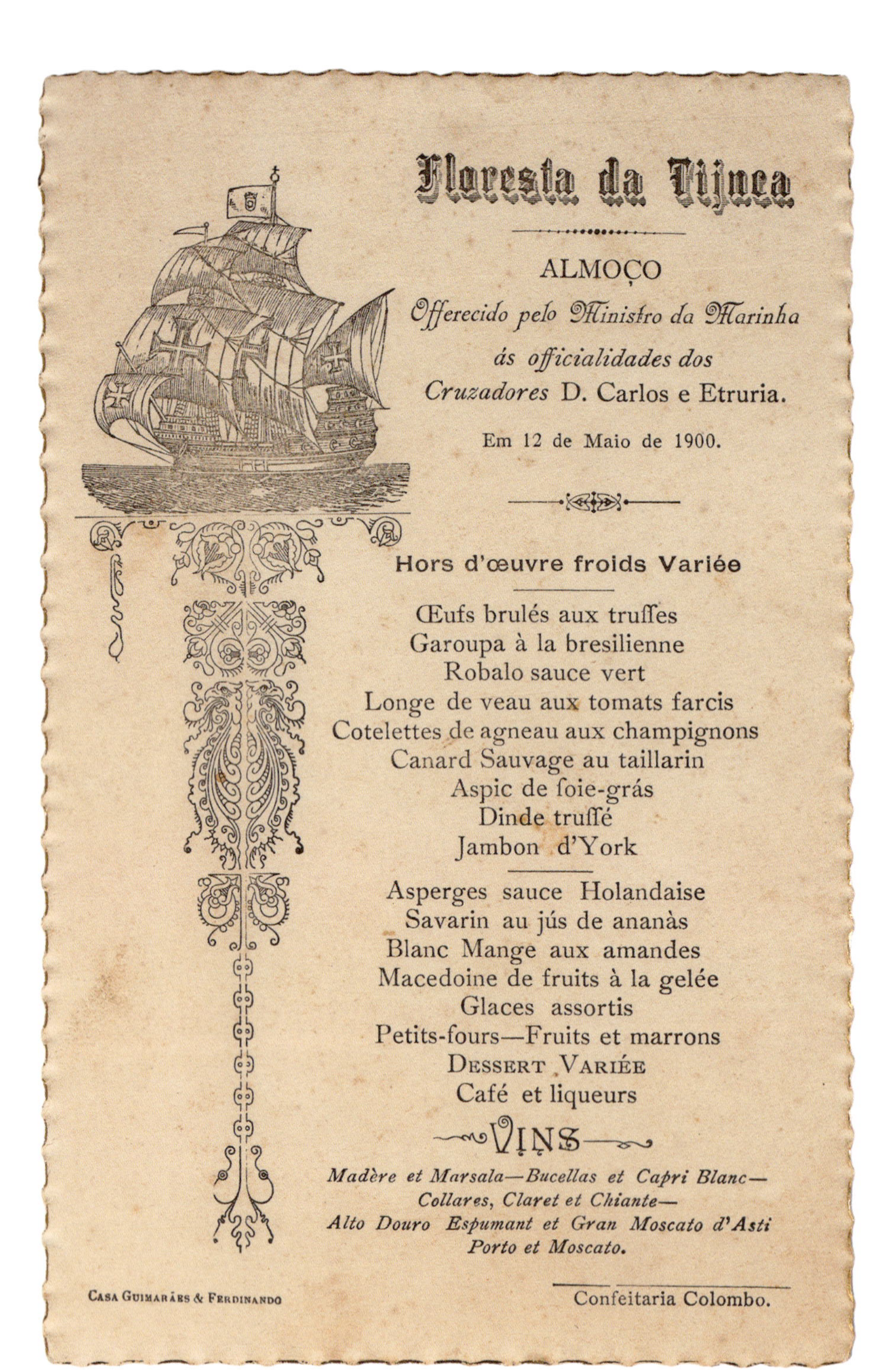
Floresta da Tijuca

ALMOÇO

Offerecido pelo Ministro da Marinha

ás officialidades dos

Cruzadores D. Carlos e Etruria.

Em 12 de Maio de 1900.

Hors d'œuvre froids Variée

Œufs brulés aux truffes
Garoupa à la bresilienne
Robalo sauce vert
Longe de veau aux tomats farcis
Cotelettes de agneau aux champignons
Canard Sauvage au taillarin
Aspic de foie-grás
Dinde truffé
Jambon d'York

Asperges sauce Holandaise
Savarin au jús de ananàs
Blanc Mange aux amandes
Macedoine de fruits à la gelée
Glaces assortis
Petits-fours—Fruits et marrons
DESSERT VARIÉE
Café et liqueurs

VINS

Madère et Marsala—Bucellas et Capri Blanc—
Collares, Claret et Chiante—
Alto Douro Espumant et Gran Moscato d'Asti
Porto et Moscato.

CASA GUIMARÃES & FERDINANDO

Confeitaria Colombo.

CARDÁPIO DE ALMOÇO OFERECIDO
PELO MINISTRO DA MARINHA
ÀS OFICIALIDADES DOS CRUZADORES
D. CARLOS E ETRURIA. RIO DE JANEIRO,
12.5.1900. 12 x 18,5 CM.

O banquete realizado em 12 de maio de 1900, oferecido pelo Ministro da Marinha às oficialidades dos Cruzadores *D. Carlos* e *Etruria*, preparado pela Confeitaria Colombo, foi servido na Floresta da Tijuca.

O cruzador *D. Carlos* veio ao Rio de Janeiro trazendo a bordo, em missão especial junto ao Governo do Brasil, o general Francisco Maria da Cunha, embaixador do rei de Portugal, para representá-lo nas comemorações do IV Centenário do Descobrimento do Brasil, ocorridas naquele mês de maio de 1900.

Dois exemplares do cardápio deste almoço, que trazem no verso, a lápis, as assinaturas de Olavo Bilac e Guimarães Passos foram localizados na coleção de *menus* e, um deles, possui versos manuscritos de Guimarães Passos a Bilac, ilegíveis pelo desgaste do grafite, que seguem acompanhados da dedicatória "*Seu mulatinho do coração Guimarães Passos*".

CRUZADOR D. CARLOS I

JANTAR DE 21 DE NOVEMBRO DE 1902

MENU'

Potage — *Consommé ause perles*

Poisson — *Fillets de poisson sauce tortares*

Entrées — *Veau farci aux fines herbes* — *Galantine de poule à lá gelée*

Roti — *Dindon piqué aux cressons*

Legumes — *Asperges em branche sauce bechanol*

Entremets — *Charlotte russe* — *Puding glacé*

Dessert assorti — *Vins, Café, Liqueurs, Cognacs.*

Em 1902 o cruzador *D. Carlos* voltaria ao Rio de Janeiro e, nessa ocasião, conforme é possível ler no cartão manuscrito, o Capitão de Mar e Guerra Luiz de Moraes e Souza convida um representante da *Notícia* para jantar a bordo do navio, em torno das "7 *horas da noite. No cais Pharoux, às* 6 *horas e* 30 *minutos*", um escaler conduziria os convidados ao local do banquete. O cardápio traz impressa a fotografia do cruzador e é acompanhado do programa musical do banquete, em cuja abertura seria executada a obra *O Guarani*, de Carlos Gomes.

CARDÁPIO DE JANTAR A BORDO DO CRUZADOR D. CARLOS, OFERECIDO PELO CAPITÃO DE MAR E GUERRA LUIZ DE MORAES E SOUZA. À DIREITA, CARTÃO MANUSCRITO E PROGRAMA MUSICAL. RIO DE JANEIRO, 21.11.1902. 12x18,5 CM.

O Capitão de Mar e Guerra Luiz de Moraes e Souza tem a honra de convidar um representante da "Noticia" para jantar a bordo do cruzador "D. Carlos I." - sexta feira 21 de Novembro pelas 7h da noite.

Escaler ás 6h 30m no caes do Pharoux.

21 - novembro - 1902

Programma

Guarany - abertura - Carlos Gomes

Hespanha - Waltz - Waldteufel

Bohême - fantasia - Puccini

Mephistopheles - fantasia - Boito

Rapsodia de Cantos populares - Moraes

Mignon - entre-acto - A. Thomas.

Telegraphia sem fios - marcha - Drewens.

Impresso em cores, o cardápio traz em primeiro plano uma ilustração alusiva ao monumento de Pedro Álvares Cabral feito em bronze sobre pedestal de granito, com 10 m de altura, localizado no largo da Glória, no Rio de Janeiro.
A obra, da autoria de Rodolfo Bernardelli, foi inaugurada em 3 de maio de 1900 por ocasião dos festejos comemorativos do IV Centenário do Descobrimento do Brasil, em cerimônia que reuniu autoridades brasileiras e portuguesas e um público estimado em 30 mil pessoas.

CARDÁPIO DE JANTAR OFERECIDO NO HOTEL DOS ESTRANGEIROS, NO BAIRRO DO CATETE, POR OCASIÃO DAS COMEMORAÇÕES DO IV CENTENÁRIO DO DESCOBRIMENTO DO BRASIL.
RIO DE JANEIRO, 22.5.1900.
15,5x21,5 CM.

A. del. — Lith. Luiz Francisco de Pinho.

O cardápio, que traz impresso o brasão republicano, é acompanhado de um *carnet du bal*, caderneta utilizada pelas senhoras da época para anotar o nome dos cavalheiros que lhes pediam a honra de uma dança.

Directores do Baile

Senador Antonio Azeredo

Deputado Angelo Neto

Deputado Paula Ramos

PAPELARIA FERDINANDO AD. SILVA & C.

CONGRESSO NACIONAL

BAILE

offerecido ao Ex.mo Snr.

Dr. Francisco de Paula Rodrigues Alves

EM

4 de Novembro de 1902

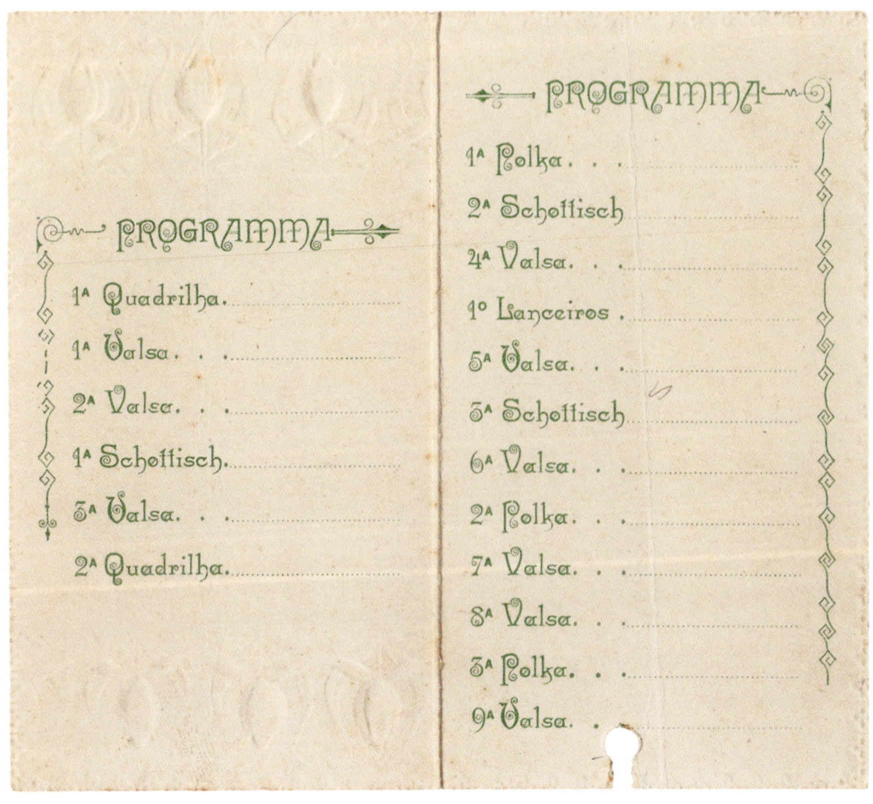

PROGRAMMA

1ª Quadrilha

1ª Valsa

2ª Valsa

1ª Schottisch

3ª Valsa

2ª Quadrilha

PROGRAMMA

1ª Polka

2ª Schottisch

4ª Valsa

1º Lanceiros

5ª Valsa

3ª Schottisch

6ª Valsa

2ª Polka

7ª Valsa

8ª Valsa

3ª Polka

9ª Valsa

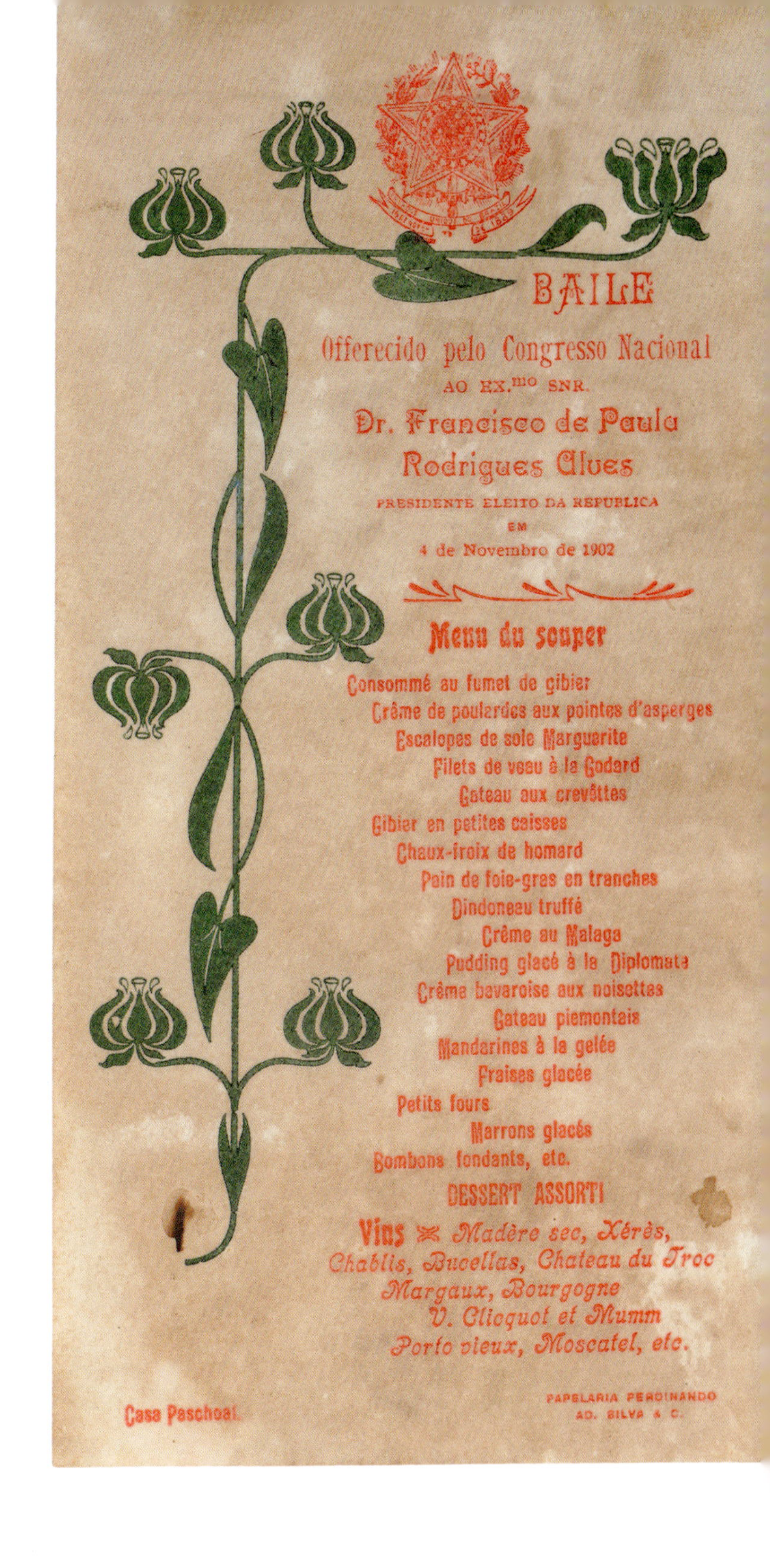

BAILE

Offerecido pelo Congresso Nacional

AO EX.^mo SNR.

Dr. Francisco de Paula
Rodrigues Alves

PRESIDENTE ELEITO DA REPUBLICA

EM

4 de Novembro de 1902

Menu du souper

Consommé au fumet de gibier
Crême de poulardes aux pointes d'asperges
Escalopes de sole Marguerite
Filets de veau à la Godard
Gateau aux crevêttes
Gibier en petites caisses
Chaux-froix de homard
Pain de foie-gras en tranches
Dindoneau truffé
Crême au Malaga
Pudding glacé à la Diplomate
Crême bavaroise aux noisettes
Gateau piemontais
Mandarines à la gelée
Fraises glacée
Petits fours
Marrons glacés
Bombons fondants, etc.

DESSERT ASSORTI

Vins — *Madère sec, Xérès,*
Chablis, Bucellas, Chateau du Troc
Margaux, Bourgogne
V. Clicquot et Mumm
Porto vieux, Moscatel, etc.

Casa Paschoal.

PAPELARIA FERDINANDO
AD. SILVA & C.

CARDÁPIO DE BANQUETE REALIZADO POR OCASIÃO DO BAILE OFERECIDO PELO CONGRESSO NACIONAL AO EXMO. SR. DR. FRANCISCO DE PAULA RODRIGUES ALVES, PRESIDENTE ELEITO DA REPÚBLICA. S/L. 4.11.1902. 10x20 CM.

3

DANSAS

PALACIO ITAMARATY

2 DE AGOSTO DE 1906

Olavo Bilac

PROGRAMMA

1ª Valsa ....

1ª Polka ....

2ª Valsa ....

1ª Quadrilha ....

3ª Valsa ....

2ª Polka ....

4ª Valsa ....

2ª Quadrilha ....

5ª Valsa ....

1º Pas de Quatre ....

6ª Valsa ....

PROGRAMMA

1ª Valsa ....

1ª Polka ....

2ª Valsa ....

1ª Quadrilha ....

3ª Valsa ....

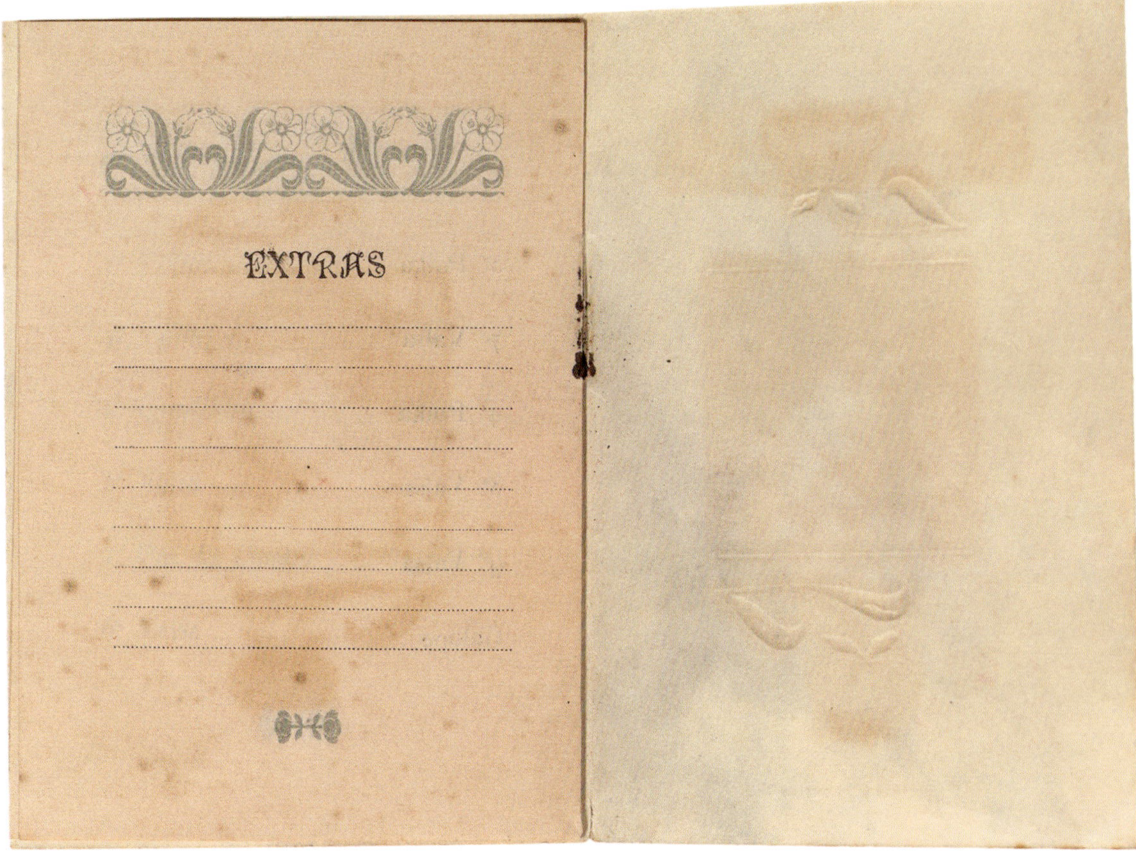

CARNET DE DANSAS (SIC) DO BAILE OFERECIDO NO RIO DE JANEIRO, PALÁCIO ITAMARATY, 2.8.1906. IMPRESSO PELA IMPRENSA NACIONAL EM 1906. 8x11 CM.

du 4 Février 1905

JANTAR INTIMO

Para Inauguração da Electricidade no HOTEL DO GLOBO

POTAGE

Purée la Reine

POISSON

Badejo bouilli à la Béchamelle

ENTRÉES

Filet mignon à la Jardinière

Poulet sauté à la chasseur

COUP DU MILIEU

Punch au Globo

RÔTI

Dinde à la Broche - Jambon d'York

LÉGUMES

Epinards à la crême

ENTREMÊTS

Gélatine au fruits - Pudding au Cacáu

Glaces assorties

VINS

Rheno Portugal - Colares - Champagne

Porto - Café et Liqueurs

Leuzinger—1114-5

Impressos pela Casa Leuzinger, esses cardápios testemunham o aprimoramento dos serviços oferecidos por um dos mais importantes hotéis do Rio de Janeiro da *belle époque*: o Hotel do Globo. O *menu* de janeiro de 1902 oferece a lista de iguarias servidas no almoço comemorativo da reabertura do Restaurante do Globo, localizado no pavimento térreo do elegante hotel de mesmo nome. O restaurante teria sido amplamente reformado, oferecendo maior comodidade e conforto em suas novas instalações. O bar do restaurante era movimentado, sendo grande a concorrência diária de estrangeiros que lá apreciavam drinques sofisticados, vinho do Porto e vermutes puros, legítimos, sem artifícios e sem batismos, conforme afirmou Ernesto Sena em seu estudo sobre os estabelecimentos comerciais do Rio de Janeiro da época. O cardápio de fevereiro de 1905 refere-se ao jantar íntimo oferecido pelo Hotel para celebrar a inauguração da eletricidade em suas instalações, sinônimo da modernidade e progresso que chegava à capital da República.

CARDÁPIO DO JANTAR ÍNTIMO POR OCASIÃO DA INAUGURAÇÃO DA ELETRICIDADE NO HOTEL DO GLOBO. RIO DE JANEIRO, 4.2.1905. 11,5 x 17,5 CM.

CARDÁPIO DE ALMOÇO EM COMEMORAÇÃO À REABERTURA DO RESTAURANTE DO GLOBO. RIO DE JANEIRO, 2.1.1902. 12 x 18 CM.

DÉJEUNER

DU 2 JANVIER 1902

Menu

Réouverture du Restaurant GLOBE

HORS-D'ŒUVRE

Beurre frais - Sardines - Pickels
Olives, etc.
Mayonnaise de crevettes

RELEVÉS

Poisson fin, sauce Hollandaise

ENTRÉES

Poulet sauté à la chasseur
Filet piqué à la Jardinière

Coup du Milieu
Punch au Globe

ROTIS

Dinde farcie à la Brésilienne
Jambon d'York

LÉGUME

Asperges sauce au Beurre

ENTREMETS

Cabinet Pudding au Rhum
Gélatine Panachée au kirsch
Fromage glacé

Dessert Assorti

VINS

Rheno
de Portugal
Frappé

Clarette
Capricho

Kümmel

Collares

Champagne
Frappé

Porto

Liqueurs

Leuzinger—9078-1

Menu

DO

Jantar offerecido á Imprensa pela Directoria do

CLUB DOS DIARIOS

3 DE JULHO DE 1902

	POTAGES
XEREZ	*Jackson — Consommé riche*
	POISSON
	Filets de soles Joinville
SAUTERNE	*RELEVÉ*
	Petites bouchées Présidence
	ENTRÉE CHAUDE
	Cotelettes d'agneau à la Maintenon
CHATEAU LE BOSC	*ENTRÉE FROIDE*
	Aspic de foie gras sur rocher
	LÉGUMES
	Fonds d'artichauds à la crême
	ROTI
	Dinde à la Brésilienne
POMMERY	*Salade Quirinale*
	ENTREMETS
	Glace Césilienne
	Mille-Feuilles
	Petites pièces de nougat
PORTO VIEUX	*DESSERT*
	Fruits, Fromages

CAFÉ, LIQUEURS

Club dos Diarios

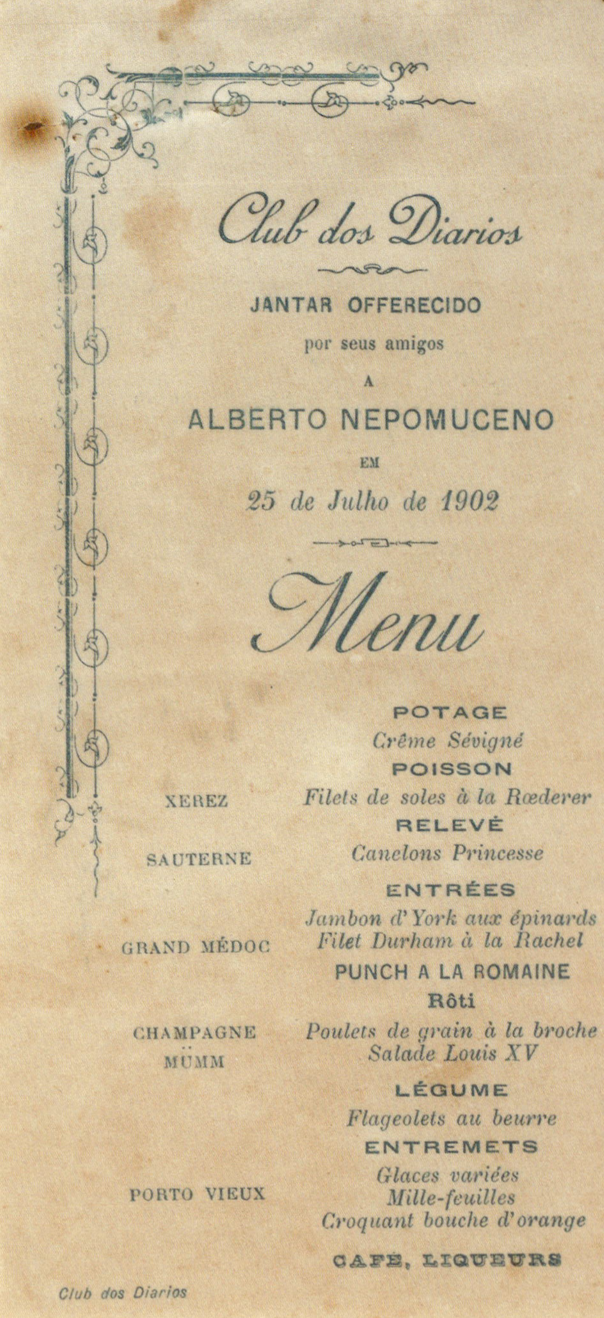

Club dos Diarios

JANTAR OFFERECIDO

por seus amigos

A

ALBERTO NEPOMUCENO

EM

25 de Julho de 1902

Menu

	POTAGE
	Crême Sévigné
	POISSON
XEREZ	*Filets de soles à la Rœderer*
	RELEVÉ
SAUTERNE	*Canelons Princesse*
	ENTRÉES
	Jambon d'York aux épinards
GRAND MÉDOC	*Filet Durham à la Rachel*
	PUNCH A LA ROMAINE
	Rôti
CHAMPAGNE	*Poulets de grain à la broche*
MÜMM	*Salade Louis XV*
	LÉGUME
	Flageolets au beurre
	ENTREMETS
	Glaces variées
PORTO VIEUX	*Mille-feuilles*
	Croquant bouche d'orange

CAFÉ, LIQUEURS

Club dos Diarios

CARDÁPIO DO JANTAR OFERECIDO À IMPRENSA PELA DIRETORIA DO *CLUB DOS DIÁRIOS*. S/L. 3.7.1902. 11 x 19,5 CM.

CARDÁPIO DO JANTAR OFERECIDO A ALBERTO NEPOMUCENO POR INICIATIVA DOS AMIGOS DO *CLUB DOS DIÁRIOS*. S/L. 25.7.1902. 9 x 18 CM.

Os cardápios aqui apresentados, datados de julho de 1902, testemunham a presença do *Club dos Diários* no ambiente sociocultural brasileiro nos momentos iniciais da República, seja ao homenagear os membros da imprensa, ou o notável maestro Alberto Nepomuceno (1864-1920) que, na ocasião do banquete de 25 de julho, era Diretor do Instituto Nacional de Música.

No ano de 1895, o *Club dos Diários* foi criado na cidade de Petrópolis, na ocasião, distante uma hora e quarenta e cinco minutos do Rio de Janeiro, com a qual se comunicava por estrada de ferro. Durante o verão, Petrópolis ficava repleta de moradores do Rio de Janeiro, que nela tinham residência própria ou alugada. Foram estes veranistas, que costumavam vir diariamente, de manhã, ao Rio de Janeiro, voltando à tarde para Petrópolis — por isso a denominação *Diários* — que fundaram o clube. A partir de 1900, o *Club dos Diários* passou a ter sede também no Rio de Janeiro, tornando-se, em pouco tempo, uma importante sociedade recreativa. Na década de 1910 o clube contava cerca de quinhentos sócios permanentes, entre os quais, Hermes da Fonseca, Campos Salles e Rodrigues Alves.

O cardápio manuscrito, ilustrado com figura feminina de perfil arrojado para os padrões da época, não indica o local onde ocorreu o encontro dos convivas desacompanhados ou, sequer, sugere o nome do anfitrião. A denominação das iguarias, no entanto, é caprichada e espirituosa.

Menu *d'un déjeuner sans femmes*
ENTRÉES
Papas à la Portugaise
Mocotó à la Diplomata
Petits pierres à la Veuve Lisbonne
Roubalheiras à la mode
Feijoada à la Reine
DESSERT
Gateaux à la sorte grande
Vins Berde e Birgem

Brindes ao anfitrião e ao Presidente da República

6 - Setembro 902

Ménu

d'un déjeuner sans femmes
Entrées
Papas à la Portuguaise
Mocotó à la Diplomata
Petites Pierres a la Veuve Lisbonne
Roubalheiras à la mode
Feijoada à la Reine
Dessert
Gateaux à la sorte grande
— Assortis —
Vins
Berde
e
Birgem

Brindes:
ao amphytrião e ao Presidente da Republica

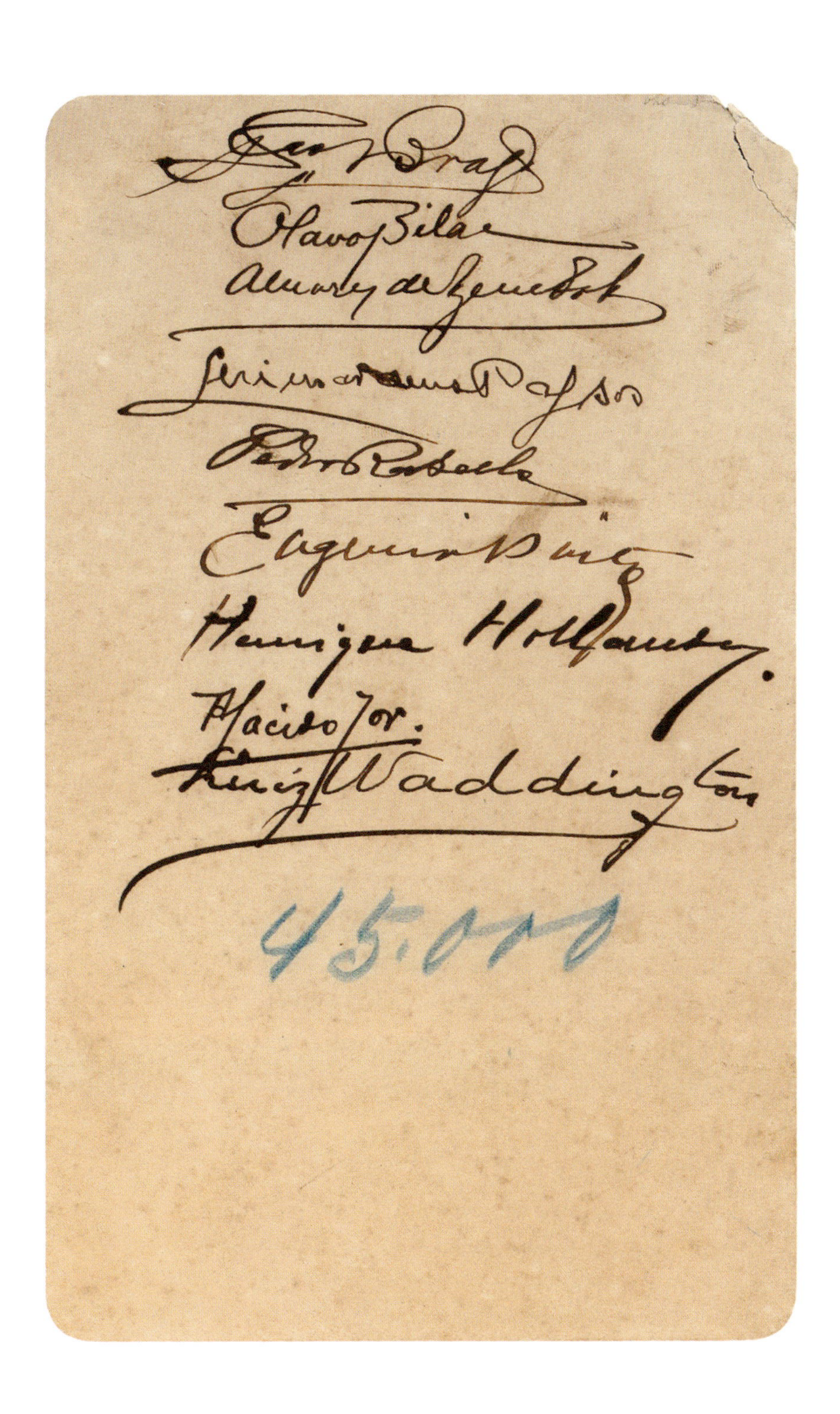

Figuram no verso do *menu*, entre outras,
as assinaturas de Olavo Bilac, Álvares de Azevedo Sobrinho,
Guimarães Passos, Pedro Rabello, Henrique Holanda
e Luiz Waddington.

MENU D'UN DÉJEUNER
SANS FEMMES. S/L. 6.9.1902.
11 x 18 CM.

A inauguração das obras do porto do Rio de Janeiro, a 29 de março de 1904, foi marcada por uma festa registrada como memorável. Estiveram presentes o Presidente da República Rodrigues Alves, o Ministro da Indústria Lauro Severiano Muller, além de outras autoridades. As solenidades foram acompanhadas de diversos banquetes, como testemunham os cardápios reunidos por Bilac em sua coleção.

75

INAUGURAÇÃO DAS OBRAS DO PORTO
DO RIO DE JANEIRO
EM 29 DE MARÇO DE 1904

SERVIÇO A BORDO DA BARCA 1ª

Buvette :

Sirops glacés assortis — Eaux minérales
Vermouth — Porto — Madère — Xérès
Cognac et Liqueurs
Bières — Sandwichs variés
Petits fours aux amandes
et petits gâteaux variés.

Service du Salon :

Glaces moulées — Crème — Fruits variés
Gaufres à la vanille
Punch au Père Kermann et Porto Doré

Menu du Lunch :

Petits filets de merlan
Jambonneaux de poulet
Oisillons de crevettes
Merveilles de saumon
Attereaux d'huitres
Galantine de volaille truffée
Dindonneau à la Brésilienne
Jambon de Bayonne

Macédoine de fruits à la gelée
Bavaroise à la vanille

Bombonnière garnie de bombons, marrons, etc.
Corbeilles de fruits de la saison et fleurs
Assiettes de petits gâteaux fins variés, etc.

Vins :

Sauterne et Bucellas — Madère et Xérès
Saint-Emilion et Médoc
Chambertin et Nuits
Champagne frappé et Porto

OLAVO BILAC

LÉON DE RENNES & C. RIO

Fornecido pela Confeitaria Colombo

CARDÁPIO DE BANQUETE COMEMORATIVO À INAUGURAÇÃO DAS OBRAS DO PORTO DO RIO DE JANEIRO. SERVIÇO A BORDO DA BARCA 1ª FORNECIDO PELA CONFEITARIA COLOMBO. IMPRESSO POR LÉON DE RENNES & CIA. RIO DE JANEIRO, 29.3.1904. 10,5x20 CM.

À DIREITA
CARDÁPIO DE ALMOÇO COMEMORATIVO À INAUGURAÇÃO DAS OBRAS DO PORTO DO RIO DE JANEIRO. SERVIÇO A BORDO DA BARCA 2ª FORNECIDO PELA CASA PASCHOAL. RIO DE JANEIRO, 29.3.1904. 9x22.5 CM.

PP. 160-161
CARDÁPIO DE ALMOÇO SERVIDO AOS OPERÁRIOS EM COMEMORAÇÃO À INAUGURAÇÃO DAS OBRAS DO PORTO DO RIO DE JANEIRO. FORNECIDO PELA CONFEITARIA COLOMBO. IMPRESSO POR LÉON DE RENNES & CIA. RIO DE JANEIRO, 29.3.1904. 13x19,5 CM.

Inauguração das Obras do Porto
do Rio de Janeiro

—: 29-3-904 :—

Barca
SEGUNDA

Menu
du Lunch

Sandwichs de jambon,
langue et fromage
Pains mignons à la parisienne
Filets de merlan à la milanaise
Jambonneaux de poulet à la Villeroy
Crevêttes farcies
Petits pâtés de veau
Croquettes aux écrevisses
Duchesses de gibier
Petites croustades à la financière
Cuissot de veau à la gelée
Langue écarlate à l'anglaise
Galantine de pintade aux truffes
Aspic de foie gras
Dindonneau farci
Jambon de Whestphalie
Petits gâteaux aux œufs
Bonbons — Marrons — Cosaques
Petits fours glacés
Glaces de crème et fruits
Punch glacé

DESSERT

VINS:

Madère — Xérès — Listrac — Saint Julien — Bourgogne — Champagne et Porto

Liqueurs — Cognac — Whisky, etc.

Serviço da Casa Paschoal

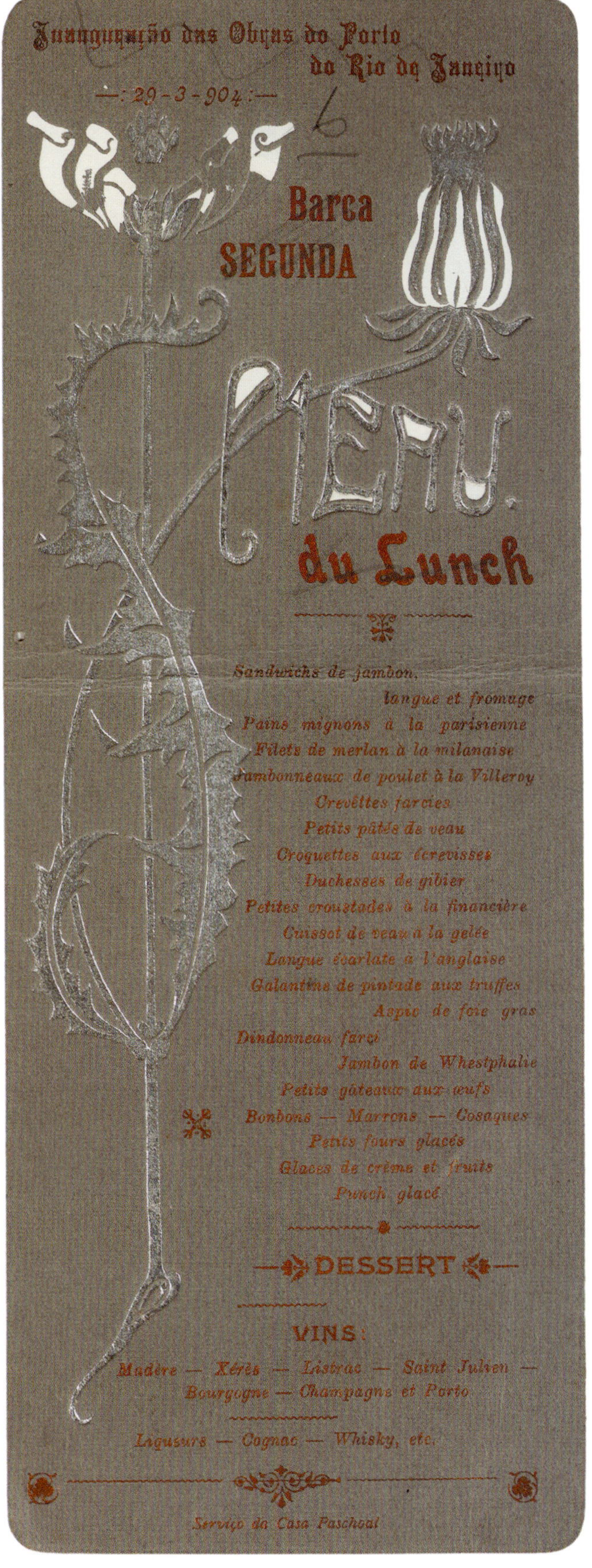

Inauguração das Obras do Porto
do Rio de Janeiro

—: 29-3-904 :—

Barca
SEGUNDA

Menu
du Lunch

Sandwichs de jambon,
langue et fromage
Pains mignons à la parisienne
Filets de merlan à la milanaise
Jambonneaux de poulet à la Villeroy
Crevêttes farcies
Petits pâtés de veau
Croquettes aux écrevisses
Duchesses de gibier
Petites croustades à la financière
Cuissot de veau à la gelée
Langue écarlate à l'anglaise
Galantine de pintade aux truffes
Aspic de foie gras
Dindonneau farci
Jambon de Whestphalie
Petits gâteaux aux œufs
Bonbons — Marrons — Cosaques
Petits fours glacés
Glaces de crème et fruits
Punch glacé

DESSERT

VINS:

Madère — Xérès — Listrac — Saint Julien — Bourgogne — Champagne et Porto

Liqueurs — Cognac — Whisky, etc.

Serviço da Casa Paschoal

O cáes dos Mineiros e a Alfandega — Rio de Janeiro

Inauguração das Obras do Porto do Rio de Janeiro

Em 29 de Março de 1904

ALMOÇO SERVIDO AOS OPERARIOS

MENU

VINS:

BORDEAUX

VIRGEM

PORTO

ET

BIÈRES

Salade de saison

Cochon de lait farci

Roast-beef aux pommes de terre

Abattis de volaille au riz

Dinde à la Brésilienne

Jambon d'York

Fromages assortis

Poudings variés

Bombonnières garnies

Corbeilles de fruits et fleurs

Assiettes de petits gâteaux variés, etc.

Fornecido pela Confeitaria Colombo

LÉON DE RENNES & C. RIO

No jardim do Palacio da

Inauguração das Obras d

Em 29 de M

ALMOÇO SERVID

MI

Sal

VINS:

BORDEAUX

VIRGEM

PORTO

ET

BIÈRES

Abattis d

Froma

Bombonni

Assiet

Fornecido pela Confeitaria Colombo

...encia — Rio de Janeiro

...Porto do Rio de Janeiro

...ço de 1904

...AOS OPERARIOS

...NU

...de saison

Cochon de lait farci

Roast-beef aux pommes de terre

...aille au riz

Dinde à la Brésilienne

Jambon d'York

... assortis

Poudings variés

...garnies

Corbeilles de fruits et fleurs

...e petits gâteaux variés, etc.

LÉON DE RENNES & C. RIO

O galeão D. João VI, ao serviço da presidencia da Republica dos E. U. do Brazil

Inauguração das Obras do Porto do Rio de Janeiro

Em 29 de Março de 1904

ALMOÇO SERVIDO AOS OPERARIOS

MENU

VINS:

BORDEAUX

VIRGEM

PORTO

ET

BIÈRES

Salade de saison

Cochon de lait farci

Roast-beef aux pommes de terre

Abattis de volaille au riz

Dinde à la Brésilienne

Jambon d'York

Fromages assortis

Poudings variés

Bombonnières garnies

Corbeilles de fruits et fleurs

Assiettes de petits gâteaux variés, etc.

Fornecido pela Confeitaria Colombo

LÉON DE RENNES & C. RIO

A Conferência Sanitária Internacional de 1904 teve lugar no Rio de Janeiro e foi realizada entre o Brasil, Argentina, Paraguai e Uruguai, apontando para a preocupação médico-higienista do período, ocasião em que o Rio de Janeiro, por exemplo, foi assolado por uma epidemia de varíola, somente controlada em 1906. Na Conferência foi abolida a quarentena dos portos, mas os protocolos sanitaristas continuavam exigindo a fiscalização dos navios antes de lançarem ferros em alguns portos.

O cardápio do banquete, oferecido pelo Ministro da Justiça e Negócios Interiores aos delegados da Conferência, foi impresso na Casa Leuzinger e, além da ementa de pratos, oferece o Programa Musical que seria executado na ocasião. Vale destacar a falha de impressão do clichê tipográfico relativo à palavra *menu* (p. 165).

PP. 163-165
BANQUETE OFERECIDO PELO MINISTRO DA JUSTIÇA E NEGÓCIOS INTERIORES AOS DELEGADOS DAS REPÚBLICAS ARGENTINA, PARAGUAI E URUGUAI À CONFERÊNCIA SANITÁRIA INTERNACIONAL DO RIO DE JANEIRO. RIO DE JANEIRO, 08.6.1904. 14 x 19 CM.

Banquete offerecido pelo

Ministro da Justiça e Negocios Interiores

aos delegados das Republicas

Argentina, Paraguay e Uruguay

á Conferencia Sanitaria Internacional

do Rio de Janeiro

Rio de Janeiro, 8 de Junho de 1904.

OLAVO BILAC

Programma Musical

1.	Rossini *Guilherme Tell.*	Ouverture.
2.	Costa Junior *Mystérieuse.*	Valse.
3.	Pucini *Tosca.*	1.ª Fantasia.
4.	Alb. Jungmann.	Romance.
5.	Waldteufel *Deux à Deux.*	Valse.
6.	Pucini *Manon Lescaut.*	Pot-Pourri.
7.	F. Braga	Prière.
8.	Costa Junior	Gavotta.
9.	Bucalossi *La Bohême.*	Valse.
10.	Nesvalba.	Mélodie.

MENU DU DINER

Le 8 Juin 1904

POTAGE

Pierre-le-Grand

HORS D'ŒUVRE

Petites croustades à la Montglas

RELEVÉS

Darne de Badejo à la napolitaine

Selle de mouton à la Chartreuse

ENTRÉES

Suprême de gibier à la Périgord

Punch Marquise

RÔTIS

Dindonneau farci aux marrons

Jambon

LÉGUMES

Asperges, sauce mousseline

ENTREMÊTS

Gateau Aiglon

Glace Madeleine

DESSERT

VINS

Madère sec—Xérès—Sauterne
Pontet Canet—Volnay—Rhum de Jamaïque
Champagne—Fine old Porto 1858
Café, Liqueurs, Cognac, etc.

O banquete oferecido ao político Antonio Contantino Nery, Governador do Estado do Amazonas e Senador da República, teve lugar no Salão da Casa Paschoal, fornecedor preferido para o serviço de banquetes desde os tempos do Império e, o requintado cardápio, era destinado a um representante da *Gazeta de Notícias*, que desde 1890 contava com a colaboração de Olavo Bilac.

BANQUETE OFERECIDO AO EXMO. SR. SENADOR DR. ANTONIO CONSTANTINO NERY, GOVERNADOR ELEITO DO ESTADO DO AMAZONAS. RIO DE JANEIRO, 27.6.1904. 11,5x22,5 CM.

BANQUETE
offerecido ao Ex.mo Snr.
Senador
Dr. Antonio Constantino Nery
Governador eleito do Estado
do Amazonas

27—6—904

MENU

POTAGE
Velouté d'orge perlé

Soufflé de homard au parmesan
Poisson fin braisé à la brésilienne
Aloyau de bœuf à la Godard
Galantine de macuco truffée

PUNCH MARQUISE

Dindonneau farci
Jambon Copland
Asperges à la romaine
Gateau Suprême
Glace pralinée
DESSERT

Vins

Madère, Cérons, Saint Estéphe, Moulin-à-vent,
Rhum de Jamaïque, Champagne frappé et Porto.

Café, Liqueurs et Cognac.

Gazeta de Noticias.

OLAVO BILAC

SALÃO PASCHOAL

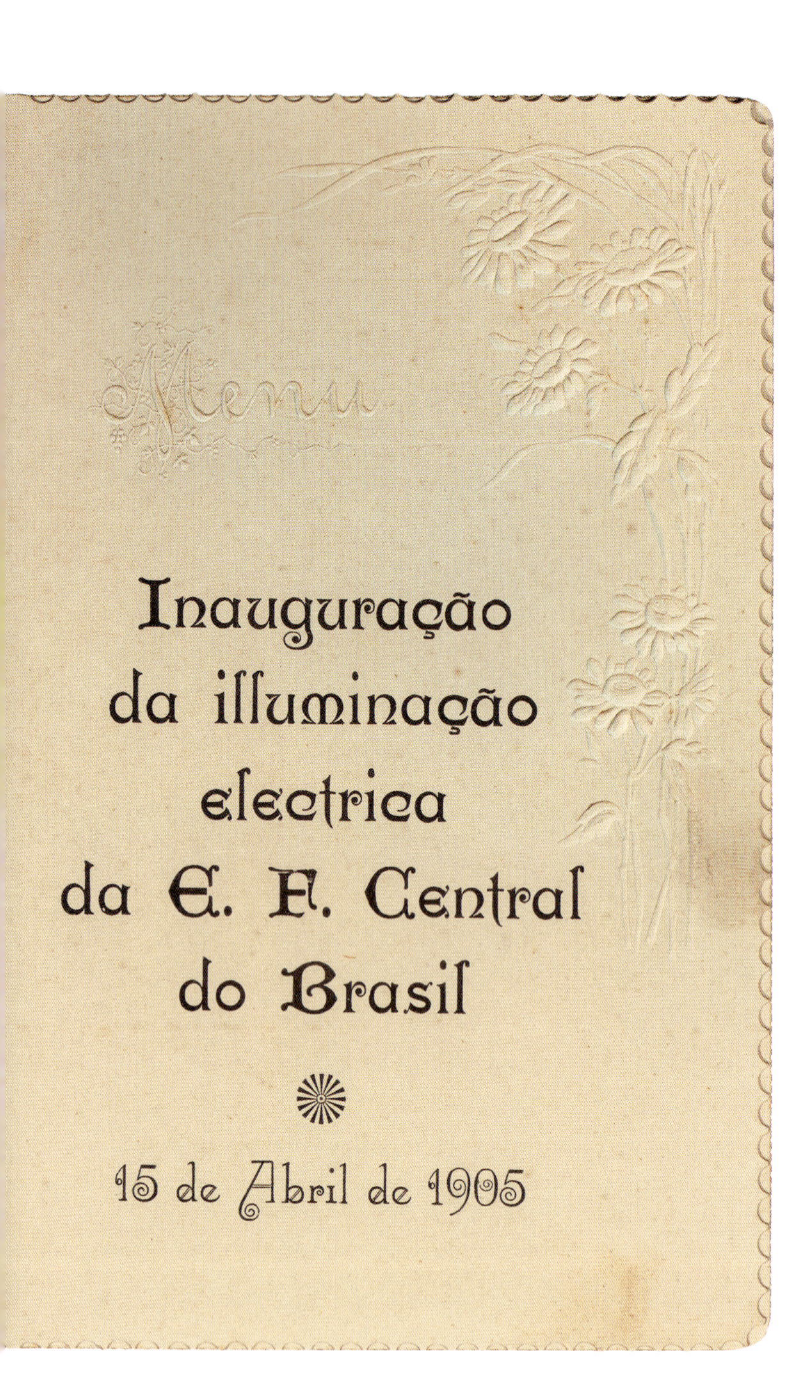

CARDÁPIO DE BANQUETE REALIZADO POR OCASIÃO DA INAUGURAÇÃO DA ILUMINAÇÃO ELÉTRICA DA ESTRADA DE FERRO CENTRAL DO BRASIL. SERVIÇO DA CASA PASCHOAL. RIO DE JANEIRO, 15.4.1905. 10,5 x 16,5 CM.

MENU

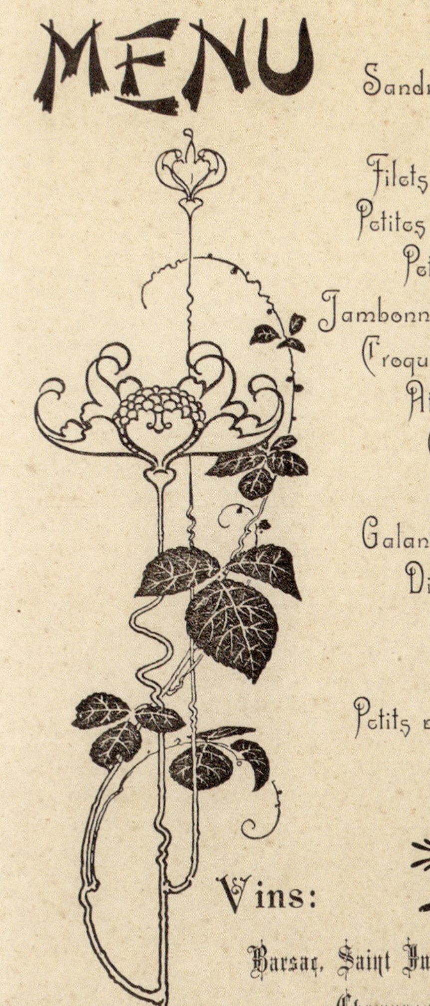

Sandwichs de jambon, fromage
et foie-gras
Filets de badejo à la milanaise
Petites croustades aux écrevisses
Petits pâtés à l'espagnole
Jambonneaux de poulet à la Villeroy
Croquettes de lapereau
Attereaux à la moderne
Crevêttes farcies
Langue écarlate à la gelée
Galantine de pintade aux truffes
Dindonneau farci
Jambon d'York
Gateau suprême
Petits verres de gelée et bavaroise
Glaces variés

DESSERT

Vins:

Barsac, Saint Julien Medoc, Clarette,
Champagne et Porto.
Eaux minérales, Chopp.
Café, Liqueurs, Cognac, etc.

Serviço da Casa Paschoal

8

MENU

Rio, Conde Baependy n. 9 a
le 13 Septembre 1905

DEJEUNER

Hors d'œuvre

Oeufs, Polignac

Gâteau d'écrevisses

Badejo, sauce d'hûitres

Cotelettes d'agneau à la Villeroy

Choux fleurs — Petits pois

Dindonneaux Rotis

Salade

Pudding chaud "Cabinet"

Glace Vanille

Desserts

Olavo Bilac

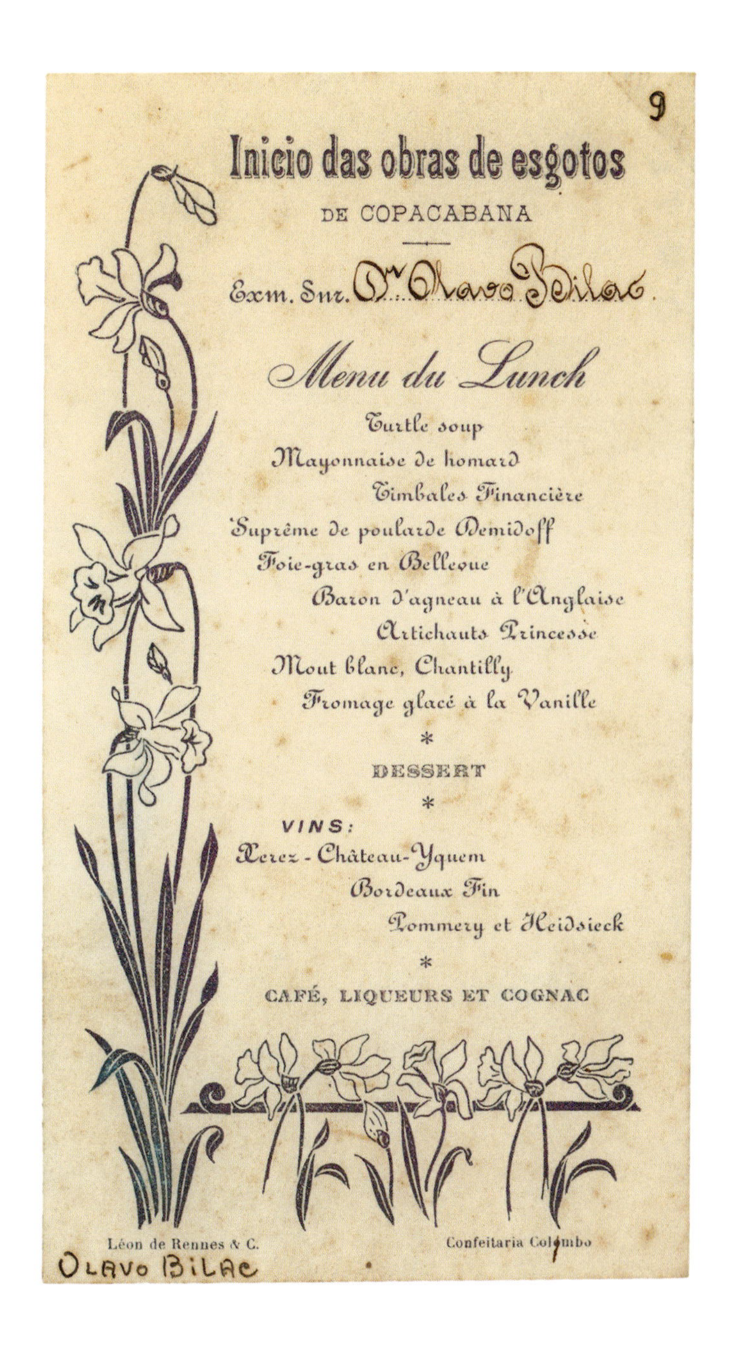
9

Inicio das obras de esgotos

DE COPACABANA

Exm. Snr. Dr. Olavo Bilac.

Menu du Lunch

Turtle soup

Mayonnaise de homard

Timbales Financière

Suprême de poularde Demidoff

Foie-gras en Bellevue

Baron d'agneau à l'Anglaise

Artichauts Princesse

Mont blanc, Chantilly

Fromage glacé à la Vanille

*

DESSERT

*

VINS:

Xerez - Château-Yquem

Bordeaux Fin

Pommery et Heidsieck

*

CAFÉ, LIQUEURS ET COGNAC

Léon de Rennes & C.

Confeitaria Colombo

OLAVO BILAC

À ESQUERDA
CARDÁPIO DE ALMOÇO OFERECIDO
À RUA CONDE DE BAEPENDY.
NO VERSO DO MENU, À LÁPIS,
O INUSITADO PERFIL DE OLAVO BILAC.
RIO DE JANEIRO, 13.9.1905.
7 x 16 CM.

CARDÁPIO DE ALMOÇO REALIZADO
POR OCASIÃO DO INÍCIO DAS OBRAS
DE ESGOTOS EM COPACABANA,
SERVIÇO DA CONFEITARIA COLOMBO.
IMPRESSO POR LÉON DE RENNES
& CIA. APRESENTA INDICAÇÃO
DE OLAVO BILAC COMO CONVIDADO.
RIO DE JANEIRO. S/D. 9 x 16 CM.

Na noite de 21 de junho de 1906, à rua das Laranjeiras, 123, a esposa do então prefeito do Rio de Janeiro, Francisco Pereira Passos (1836-1913), oferecia um requintado jantar em homenagem à atriz italiana Tina di Lorenzo (1872-1930), que vinha pela primeira vez ao Brasil em 1906, oferecendo temporada de seus espetáculos na cidade. Tina di Lorenzo regressaria ao Brasil em 1908 e 1913, sempre acompanhada do marido, o ator Armando Falconi. O cardápio do jantar traz o autógrafo da atriz italiana.

CARDÁPIO DO JANTAR OFERECIDO PELA SRA. PEREIRA PASSOS À SENHORA TINA DI LORENZO. RIO DE JANEIRO, 21.6.1906. 11,5x22,5 CM.

do

Jantar

Offerecido no dia 21 de Junho de 1906 pela
Senhora Pereira Passos
á Senhora Tina di Lorenzo.

POTAGE

Crême de choux-fleurs.

Bouchées à la reine.

Poisson bouilli, sauce Chambord.

Selle de veau à la chartreuse.

Salmis de gibier à la chasseur.

—Punch Dantzick—

Dindonneau farci à la brésilienne.

Jambon d'York.

Asperges sauce mousseline.

Gateau macaroni.

Fromage glacé.

DESSERT

VINS assortis

Café, Liqueurs et Cognac.

OLAVO BÍLAC

Rua das Larangeiras, 123

RIO DE JANEIRO

21

BANQUETE

OFFERECIDO AO EMBAIXADOR
DO BRAZIL

DR. JOAQUIM NABUCO

POR OCCASIÃO DA SUA
VINDA AO RIO DE JANEIRO,
EM JULHO DE 1906.

Olavo Bilac

CARDÁPIO DO BANQUETE OFERECIDO AO EMBAIXADOR DO BRASIL DR. JOAQUIM NABUCO POR OCASIÃO DA SUA VINDA AO RIO DE JANEIRO EM JULHO DE 1906. RIO DE JANEIRO, 19.7.1906. 9 x 17,5 CM.

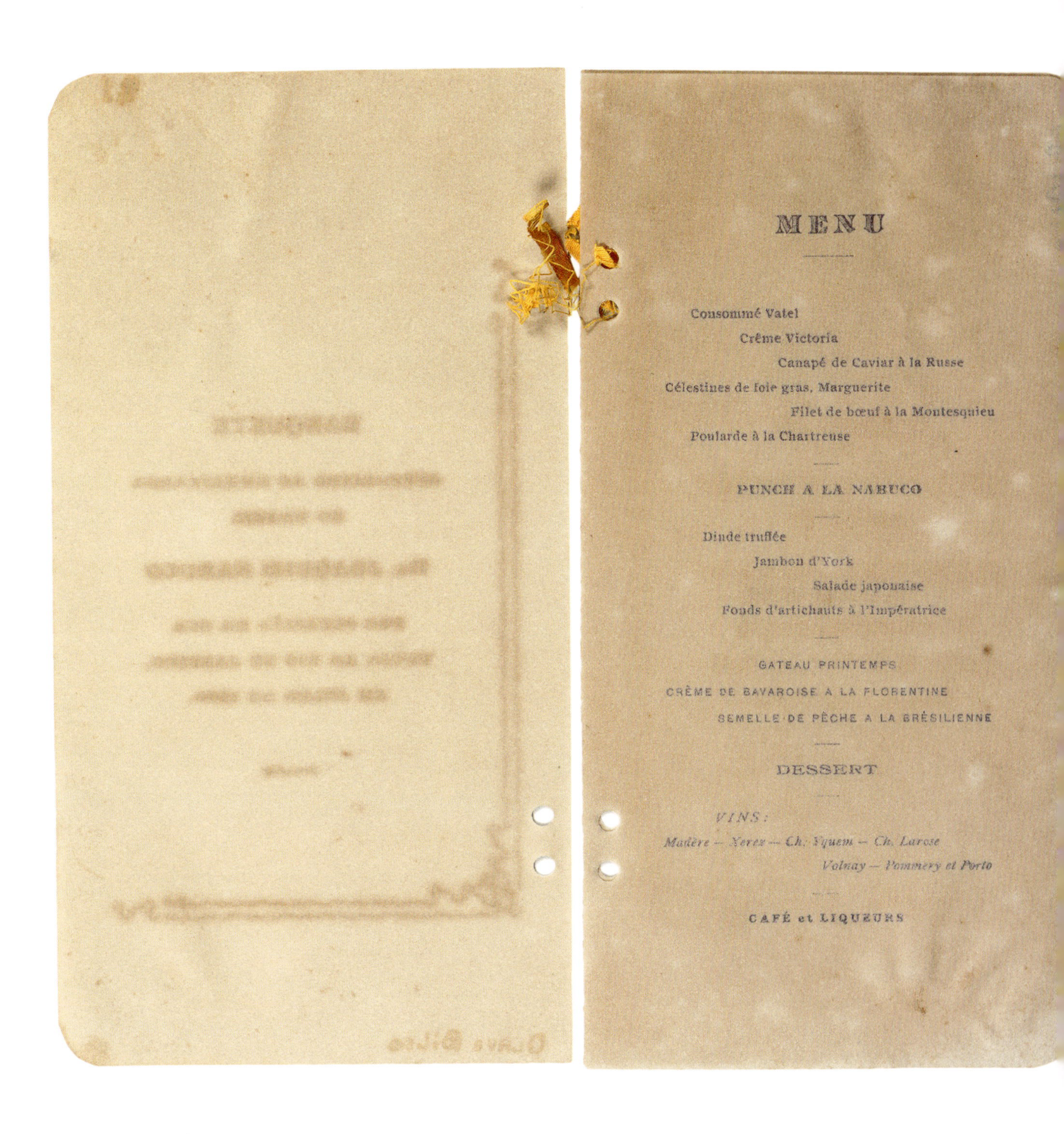

MENU

Consommé Vatel
Crême Victoria
Canapé de Caviar à la Russe
Célestines de foie gras, Marguerite
Filet de bœuf à la Montesquieu
Poularde à la Chartreuse

PUNCH A LA NABUCO

Dinde truffée
Jambon d'York
Salade japonaise
Fonds d'artichauts à l'Impératrice

GATEAU PRINTEMPS
CRÈME DE BAVAROISE A LA FLORENTINE
SEMELLE DE PÊCHE A LA BRÉSILIENNE

DESSERT

VINS:
Madère — Xerez — Ch. Yquem — Ch. Larose
Volnay — Pommery et Porto

CAFÉ et LIQUEURS

O banquete do dia 19 de julho de 1906 teve lugar no Cassino Fluminense, quando Joaquim Nabuco foi homenageado como embaixador do Brasil em Washington. A *Gazeta de Notícias*, de 20 de julho de 1906, informou sobre o banquete ocorrido na véspera e publicou o discurso preparado por Joaquim Nabuco para a ocasião, sob o título "A República é incontestável". Em seu discurso, entre outras considerações, afirmou:

"Desde o Recife eu me considerei falido, em bancarrota de expressões para saldar a imensa dívida que de novo contraí com o meu país ao voltar a ele; mas todas essas demonstrações de simpatia e apreço, o lugar que a mocidade brasileira me abriu de novo no seu seio, as acumuladas invenções de tantos mestres na arte de enlear e escravizar o coração, vêm confirmar o sentimento que mais me inspirou na vida: a convicção de que em generosidade nenhum povo vence nem iguala ao povo brasileiro."

Escritor e historiador italiano, Guglielmo Ferrero (1871-1942) foi genro e colaborador de Cesare Lombroso, com quem escreveu *A Mulher Delinquente* (1893). Crítico do fascismo, Ferrero foi exilado por Mussolini e, em 1930, tornou-se professor de História na Universidade de Genebra, Suíça, onde faleceu. Em 1907 visitou o Brasil para realizar uma série de conferências, ocasião em que foi homenageado com banquete oferecido pela Academia Brasileira de Letras. Sobre esta ocasião, na qual Olavo Bilac esteve presente, ficaram registrados dois exemplares do cardápio, ilustrados com aquarelas distintas, além do discurso proferido por Machado de Assis em 31 de outubro de 1907.

SR. GUGLIELMO FERRERO:
A Academia Brasileira convidou-vos a dar algumas conferências neste país. Contava, de certo, com a admiração que lhe haviam imposto os vossos escritos, mas a vossa palavra excedeu a sua confiança. Não é raro que as duas formas de pensamento se conjuguem na mesma pessoa; conhecíamos aqui este fenômeno e sabíamos dele em outras partes, mas foi preciso ouvir-vos para senti-lo ainda uma vez bem, e por outra língua canora e magnífica.

Agora que ides deixar-nos, levareis à Itália, e por ela ao resto do mundo europeu, a notícia do nosso grande entusiasmo. Creio que levareis mais. O que o Brasil revelou da sua crescente prosperidade ao eminente historiador de Roma ter-lhe-á mostrado que este pedaço da América não desmente a nobreza da estirpe latina e crê no papel que, de futuro, lhe cabe. E se com essa impressão política levardes também a da simpatia pessoal e profunda que inspirastes a todos nós, a Academia Brasileira folgará duas vezes pelo impulso do seu ato de convite, e aqui vo-lo declara, oferecendo-vos este banquete.

CARDÁPIO DO BANQUETE OFERECIDO
PELA ACADEMIA BRASILEIRA
DE LETRAS A GUGLIEMO FERRERO.
RIO DE JANEIRO, 31.10.1907.
11 x 18,5 CM

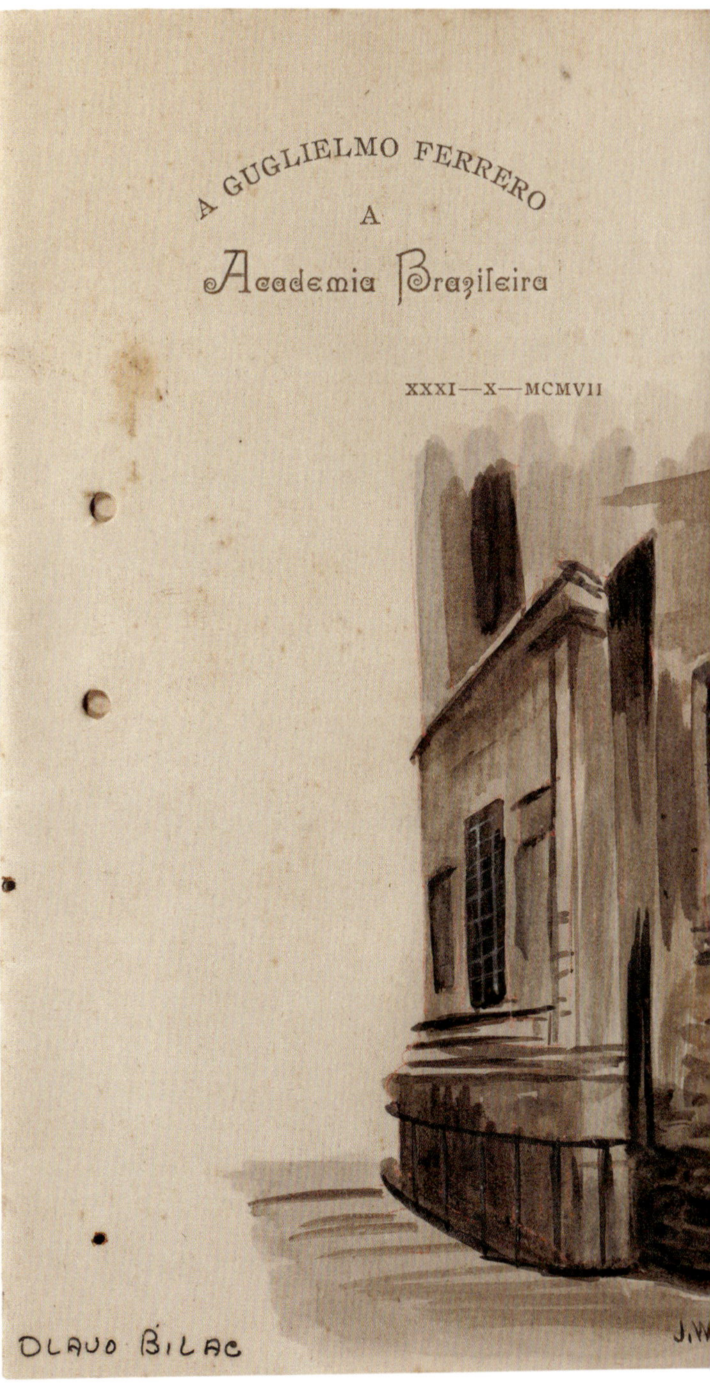
A GUGLIELMO FERRERO
A
Academia Brazileira
XXXI—X—MCMVII
J.W.
OLAVO BILAC

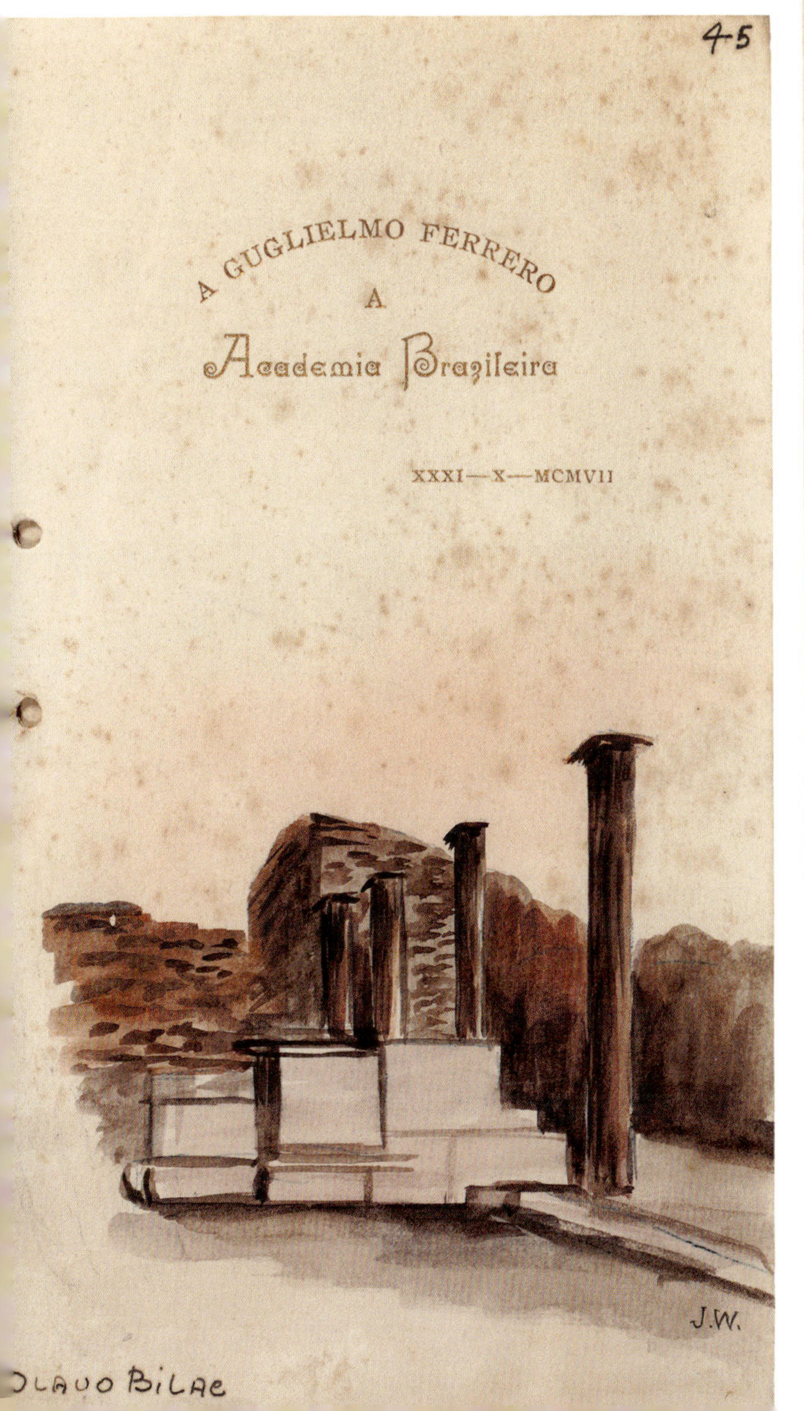
45
A GUGLIELMO FERRERO
A
Academia Brazileira
XXXI—X—MCMVII
J.W.
OLAVO BILAC

No cardápio do banquete em homenagem ao político Eduardo Gonçalves Ribeiro (1862-1900) é possível notar a referência aos nomes de Lauro Sodré e Fileto Pires, entre outros, que partilhavam dos mesmos ideais positivistas e republicanos defendidos por Eduardo Ribeiro, homenageado pela Imprensa Fluminense, na década de 1890.

CARDÁPIO DO BANQUETE OFERECIDO AO ILUSTRE EX-GOVERNADOR DO AMAZONAS, DR. EDUARDO GONÇALVES RIBEIRO. RIO DE JANEIRO. S/D. 11,5x16,5 CM.

Banquete

offerecido ao

illustre Ex-Governador do Amazonas,

Dr. Eduardo Gonçalves Ribeiro

MENU DU DINER

	VINS
Consommé de Volaille a l' Imprénsa Fluminense	Xerez sec
HORS D'ŒUVRE	
Petites bouchées aux huitres Lauro Sodré	
RELEVÉS	
Robalo bouilli sauce Chambord Bocayuva	Sauterne frappé
ENTRÉES	
Gibier truffé á l' Ecarlate Dionizio Cerqueira	Saint Emilion
Filet mignon á la Richelieu Eduardo Ribeiro	
COUP DU MILIEU	Rhum Jamaica
Punch au Champagne	
ROTIS	
Dinde farcie a la Brésillienne Fileto Pires	Champagne frappé
Jambom de Bayonne	
LÉGUMES	
Asperges sauce mousseline	
ENTREMÊTS	Porto vieux
Pudding au marrasquin	
Jardiniére de fruits.	
DESSERT ASSORTI	Café— Liqueurs

Cardápios de luxo, impressos em seda, também figuram na coleção de Olavo Bilac. De alto custo e impressão difícil, eram preferencialmente confeccionados para os banquetes oficiais, a exemplo do conjunto aqui reproduzido. A excelência dos serviços oferecidos em alguns desses banquetes foi garantida pela Confeitaria Cailteau e pela Casa Paschoal, estabelecimentos frequentados pela boemia intelectual do Rio de Janeiro da *belle époque*, que disputavam a clientela refinada das ruas do Ouvidor e Gonçalves Dias.

CARDÁPIO DE BANQUETE OFERECIDO PELO PARTIDO REPUBLICANO AO EXMO. SR. DR. MANOEL FERRAZ DE CAMPOS SALLES. RIO DE JANEIRO, 31.8.1898. 12x27 CM.

BANQUETE

OFFERECIDO PELO

PARTIDO REPUBLICANO

ao Exmo Snr. Dr.

Manoel Ferraz de Campos Salles

CAPITAL FEDERAL—31—AGOSTO—1898

POTAGES
Christophe Colombe
Consommé aux ravioles

HORS D'ŒUVRE
Atteraux de huitres à la moderne
Ortolans en caisses truffés

RELEVÉS
Garoupa à la Richelieu
Bijupirá à la tarter
Longe de veau à la Marechal

ENTRÉES
Chartreuse de lièvre à la Mirabeau
Galantine de macuco à la volière
Salade de homard en belle-vue

MILIEU
Punch à l'americaine

RÔTIS
Dindonneau à la Perigord
Langue ecarlate

ENTREMETS
Choux-fleurs au gratin
Asperges à la créme
Croûte d'ananas à la Brésilienne
Macedoine de fruits à Imprensa
Bavaroises parfumées au kirchs
Bombe à la Sicilienne

DESSERT ASSORTI

VINS» Xérès, Madère, Rhin, Chateau Iquen,
Bordeaux, Bourgogne,
Rhum, Champagne frappé,
Porto vieux, Tokayer.
Café, Liqueurs et Cognac.

Serviço executado pela Confeitaria Cailtau. — Casa Guimarães & Ferdinando

À DIREITA
CARDÁPIO DE ALMOÇO OFERECIDO PELO PARTIDO REPUBLICANO DO DISTRITO FEDERAL AO EXMO. SR. DR. MANOEL FERRAZ DE CAMPOS SALLES NO DIA DE SEU REGRESSO À PÁTRIA. RIO DE JANEIRO, 8.1898. 12,5x24 CM.

P. 184
CARDÁPIO DE ALMOÇO OFERECIDO PELO MINISTRO DE ESTADO DOS NEGÓCIOS DA MARINHA AO EXMO. SR. MINISTRO DA MARINHA ARGENTINA ALMIRANTE MARTIN RIVADAVIA. RIO DE JANEIRO, 16.8.1899. 12,5x25 CM.

P. 185
CARDÁPIO DE BANQUETE OFERECIDO PELA IMPRENSA BRASILEIRA AO SR. DR. MANOEL GOROSTIAGA ENVIADO EXTRAORDINÁRIO E MINISTRO PLENIPOTENCIÁRIO DA REPÚBLICA ARGENTINA. RIO DE JANEIRO, 1.11.1900. 14,5x24,5 CM.

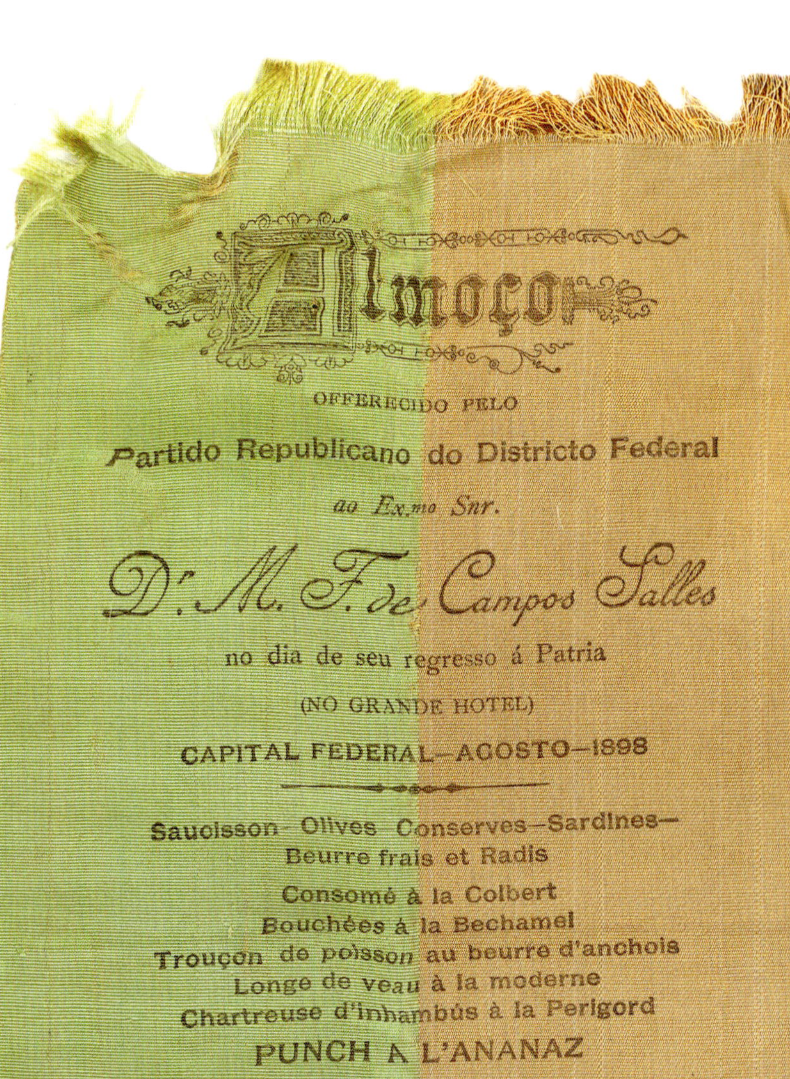

Almoço

OFFERECIDO PELO

Partido Republicano do Districto Federal

ao Ex.mo Snr.

Dr. M. F. de Campos Salles

no dia de seu regresso á Patria

(NO GRANDE HOTEL)

CAPITAL FEDERAL—AGOSTO—1898

Saucisson–Olives–Conserves–Sardines–
Beurre frais et Radis

Consomé à la Colbert
Bouchées à la Bechamel
Trouçon de poisson au beurre d'anchois
Longe de veau à la moderne
Chartreuse d'inhambús à la Perigord

PUNCH A L'ANANAZ

Dindonneau à la Brésilienne
Jambon de York

Cabinet pudding
Blanc-mangé aux fraises
Fromage glacé

Fruits–Bonbons–Marrons, etc.
Desserts assortis

Vins. *Madère, Sauterne,*
Rhin, Pont Canet,
Bourgogne, Rhum de Jamaique,
Champagne, Porto, etc.
Café, Liqueurs et Cognac.

Casa Guimarães & Ferdinando

MENU DU DEJEUNER

[illegible]

MINISTRO DE ESTADO

DOS

NEGOCIOS DA MARINHA

Ao Exmo. Sr.

MINISTRO DA MARINHA ARGENTINA

Almirante

MARTIN RIVADAVIA

DU 16 AOUT 1899

VINS:

Madère
Xérès
Rhin
Solis
Bordeaux
Bourgogne
Champagne
frappé
Porto Vieux

Hors d'œuvre
Beurre frais—Radis nouveaux—Olives farcies
Canapés au caviar—Sardines á la tomate
Cervelas de Lyon et mortadelle de Bologne
Consommé de volaille
Poisson bouilli sauce á la hollandaise
Cotelettes d'agneau á la purée de pois
Suprême de perdreaux
Mayonaise á la brésilienne
Punch á la romaine
Charlottes aux pommes
Dindonneau á la périgueux
Parfait au Moka et chocolat
DESSERT
Café — Thé et liqueurs

Serviço da Casa Pascoal

BANQUETE

Offerecido ao

Snr. Dr. Manoel Gorostiaga

ENVIADO EXTRAORDINARIO E MINISTRO PLENIPOTENCIARIO DA

REPUBLICA ARGENTINA

Em 1 de Novembro de 1900

PELA

IMPRENSA BRASILEIRA

MENU

Vins:

Madère sec,
Solis,
Cahteau Margaux,
Clos Vougeot,
Champagne,
Rhum de Jamaïque,
Porto,
Tockay.
Café,
Liqueurs et Cognac.

POTAGES

Bisque de homards à l'anglaise
Consommé Printanier

HORS D'ŒUVRE

Duchesses de lapereau aux truffes
Petites brochettes aux huitres

RELEVÉS

Tronçon de badejo au beurre d'anchois
Noix de veau à la napolitaine

ENTRÉES

Timbale de perdreaux à la parisiénne
Pain de foie gras à l'aspic

Punch à l'Argentine

RÔTIS

Dindonneau farci à la brésilienne
Jambon du Paraná

LÉGUMES

Asperges, sauce hollandaise

ENTREMÊTS

Croute à la Richelieu
Gelée sultane aux fraises
Fromage glacé

Dessert Varié

Serviço da Casa Paschoal

Casa Guimarães & Fernando

NO ESTRANGEIRO

Este *menu* alemão, além de apresentar impressão esmerada, traz na capa composição gráfica semelhante à folha de rosto de um livro e, no miolo, uma página ilustrada com a reprodução fotográfica da nova sede do Conselho, em Hamburgo.

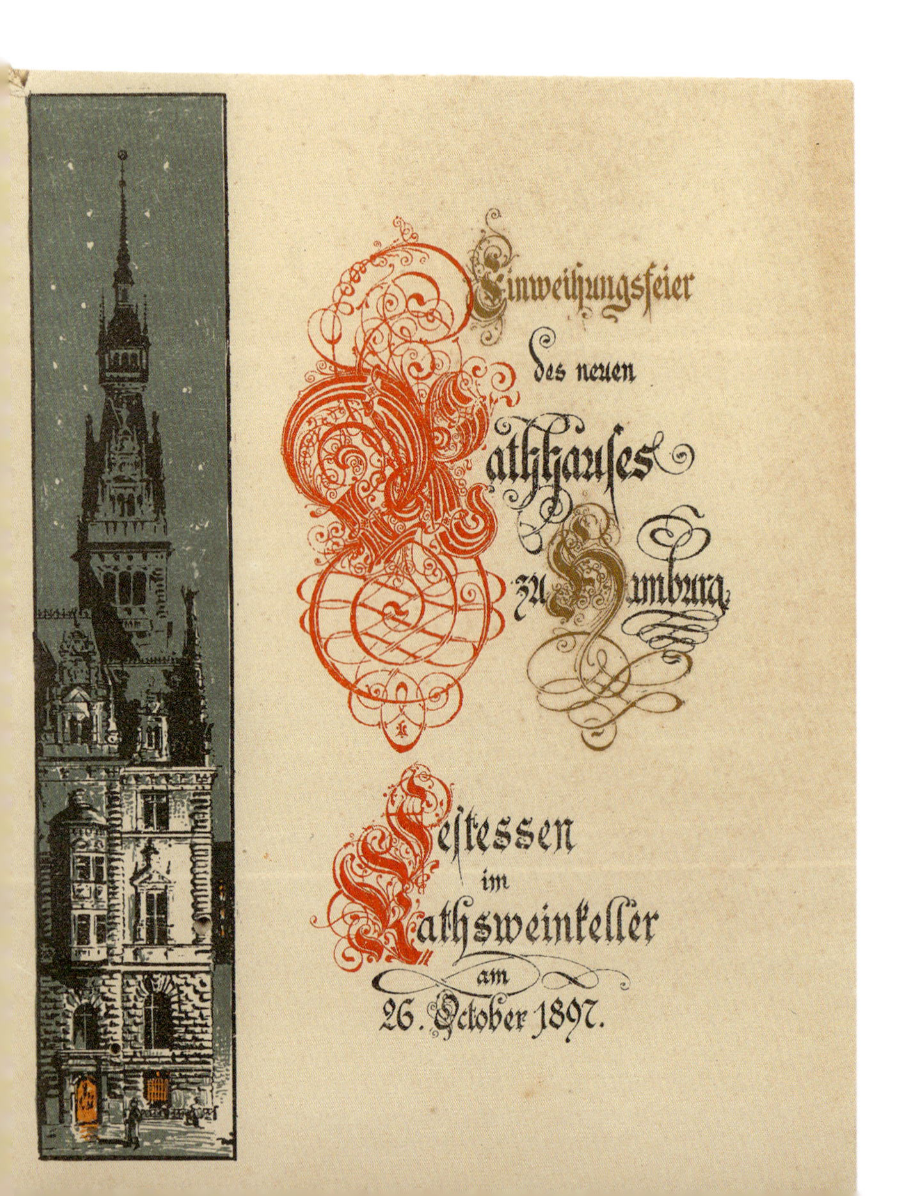
Einweihungsfeier
des neuen
Rathhauses
zu Hamburg
Festessen
im
Rathsweinkeller
am
26. October 1897.

CARDÁPIO DO BANQUETE OFERECIDO NA FESTA INTERNACIONAL DA NOVA SEDE DO CONSELHO DE HAMBURGO, ALEMANHA. HAMBURGO, 26.10.1897

Schildkrötensuppe in Tassen.

1891er Chât. Larrieux Lissac.
1891er " Dillon Filippini.

Rehrücken, junge Erbsen.
Sauerkohl.
Kartoffel.

Hummer m. Majonaise.

1893er Brauneberger.
1893er Winkler Hasensprung.

Capaunen, Salat u. Compot.

1889er Smith Haut Lafite Martillac.

Käse u. Butter

Früchte

1893er Louis Roederer
Grand vin sec.

Cafe.
Cognac.

MÜNCHENER [illegible]BIER.

Carl Griese, Hamburg.

Os cardápios apresentados em conjunto testemunham as festas oferecidas ao Presidente da República Brasileira Manoel Ferraz de Campos Salles em visita à Buenos Aires. As homenagens foram organizadas em retribuição àquelas prestadas ao Presidente Julio Roca, em sua passagem pela Capital Federal em agosto de 1899, como se pode observar no Programa Musical executado a 13 de agosto de 1899, no Rio de Janeiro, sob a direção do maestro Domingos Machado. No ano seguinte, em 1900, seria a vez da Argentina homenagear o Brasil.

P.189-191
CARDÁPIO DE BANQUETE EM HOMENAGEM AO EXMO. SR. DR. MANOEL FERRAZ DE CAMPOS SALLES PRESIDENTE DA REPÚBLICA DOS ESTADOS UNIDOS DO BRASIL OFERECIDO PELO EXMO. SR. PRESIDENTE DA REPÚBLICA E TENENTE GENERAL JULIO A. ROCA. PALÁCIO DO GOVERNO, BUENOS AIRES, 24.10.1900.
9x17,5 CM.

80

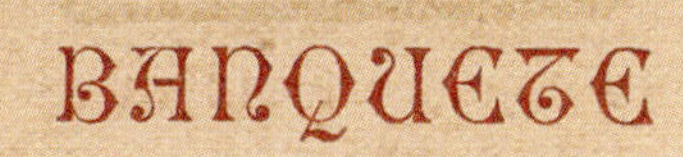

EN

HOMENAJE AL Excmo Sr.

Dr. M. FERRAZ DE CAMPOS SALLES

PRESIDENTE DE LA REPÚBLICA

DE LOS

Estados Unidos del Brasil

OFRECIDO

POR EL

Excmo. Señor Presidente de la República

TENIENTE GENERAL

JULIO A. ROCA

PALACIO DE GOBIERNO

Buenos Aires, 24 de Octubre 1900.

LAVO BILAC

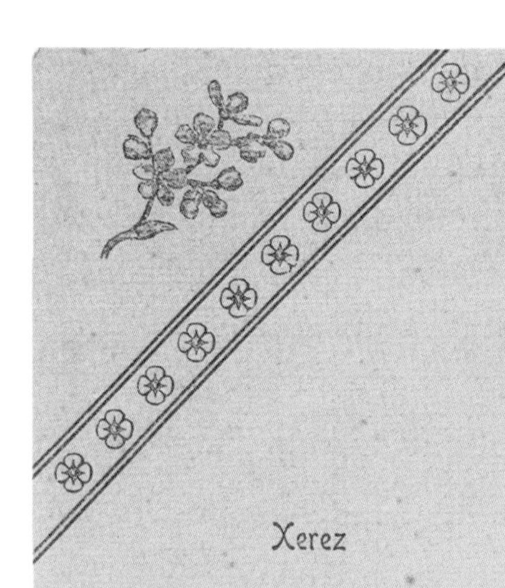

MENU

	POTAGE:
Xerez	Creme de volailles
	HORS D'OEUVRE:
	Petite timbale Masséna
	POISSON:
Chateau Jquem crême	Truite saumonée á la Cambacérés
	ENTRÉES:
Chateau Lafitte 1887	Supreme de Perdreaux á la Condé
	Filet de Durham Frascati
	FROID:
	Foies gras en belle vue
	PUNCH POMPADOUR
	ROTI:
Pommard	Dindonneau Malmaison
	SALADE MIRABEAU
	LÉGUME:
Moet et Chandon	Asperges d'Argenteuil sauce hollandaise
	ENTREMETS:
Cordon rouge	Parfait aux pistaches
Pommery	Gateau Polonais
	Fraises creme Chantilly
	Fruits

Café de Paris — Confitería del Aguila

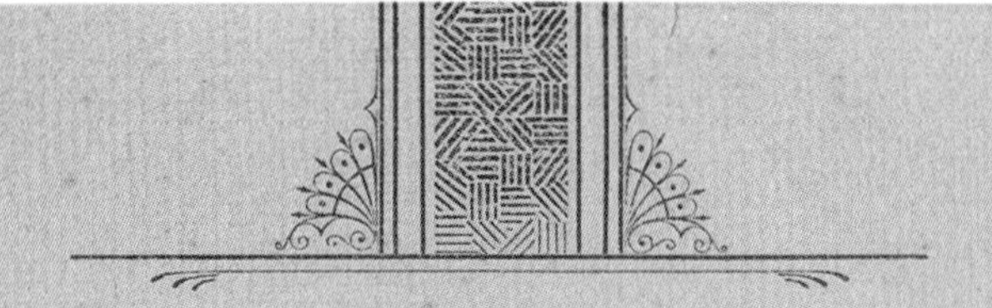

PROGRAMME

1	Tannhauser Marche du Cortége	Wagner
2	Guarany Ouverture	Gomez
3	Sourire d'Avril Valse	Depret
4	Tosca Grande Fantaisie	Puccini
5	Sérénade	Ramenti
6	Air de Ballet (de Suites Pittoresques)	Massenet
7	Royal Menuet	Clarice
8	Bleu Danube Valse	Strauss
9	Marche Turque	Mozart
10	Die Puppenfee Pot Pourri	Bayer

ORQUESTA FURLOTTI.

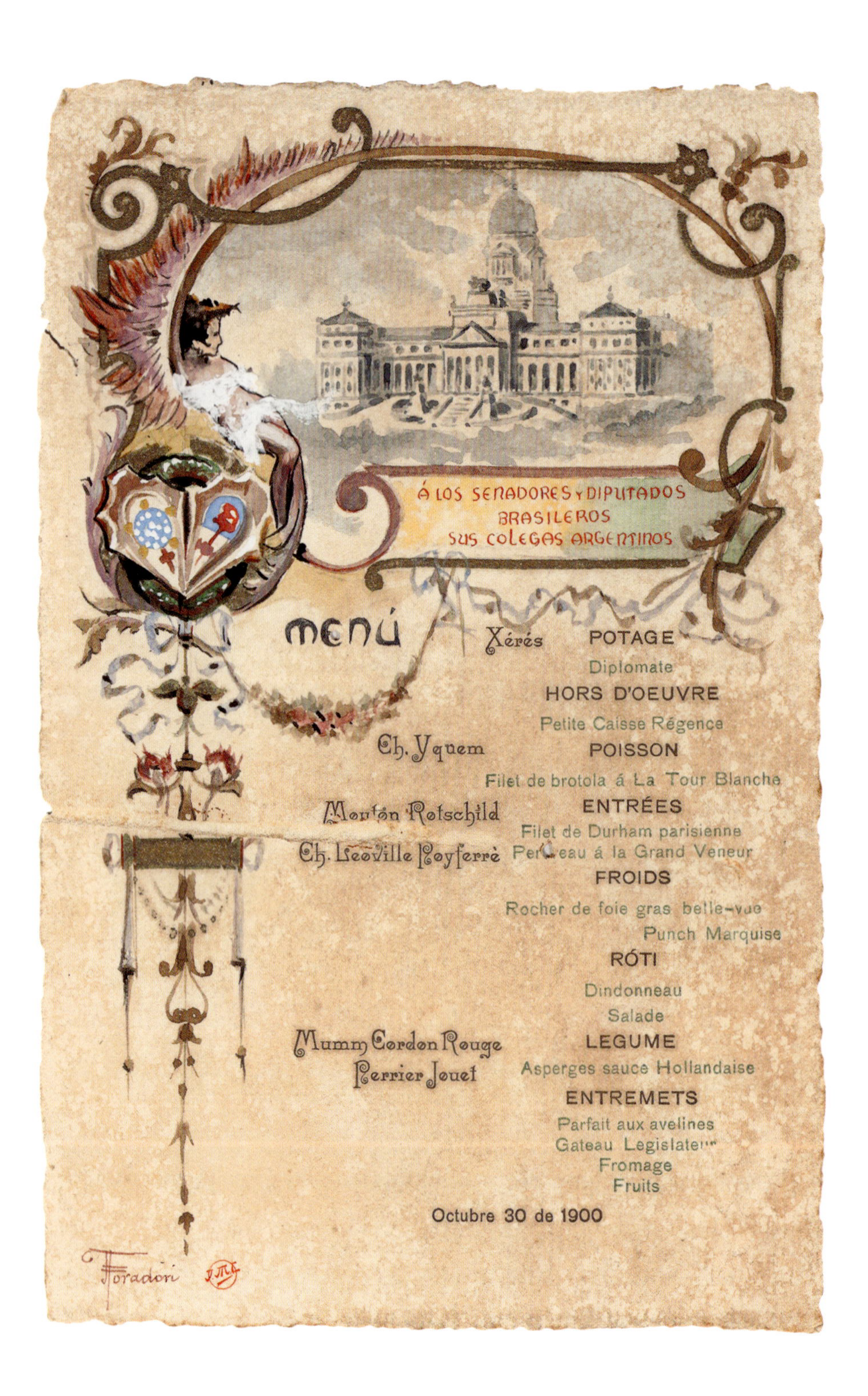

CARDÁPIO DE BANQUETE OFERECIDO EM HOMENAGEM AOS SENADORES E DEPUTADOS BRASILEIROS PELOS COLEGAS ARGENTINOS. BUENOS AIRES, 30.10.1900. 12 x 18,5 CM.

PP. 193-195
CARDÁPIO DE BANQUETE EM HOMENAGEM AO EXMO. SR. DR. MANOEL FERRAZ DE CAMPOS SALLES PRESIDENTE DA REPÚBLICA DOS ESTADOS UNIDOS DO BRASIL OFERECIDO PELO COMÉRCIO DA REPÚBLICA ARGENTINA. BUENOS AIRES, 28.10.1900. 15 x 23 CM.

Al Exmo Señor
Presidente
de los Estados Unidos
del Brasil
Doctor Manuel Ferraz
de Campos Salles
el Comercio
de la Republica
Argentina
Buenos Aires
28 de Octubre
de 1900

Programme

1.	Tannhäuser, Marche du Cortège	Wagner
2.	Guarany, Ouverture	Gomez
3.	Roses du Sud, Vals	Strauss
4.	Cristoforo Colombo, Grande Fantaisie . .	Franchetti
5.	Fête Bohémienne, Des suites pittoresques.	Massenet
6.	Guarany, Ballet	Gomez
7.	Séville, 10ème Vals Boston	Ramenti
8.	Filemon et Baucis, Bacchanele	Gounod
9.	Montécristo, Vals Tzigane	Kotlar
10.	El Condor, Danza Marche	Gomez

Gran Orquesta Furlotti

Menú

Vins	Menu
Jerez	**Potage**
	Bisque d'Ecrevisses
	Consommé Riche
	Hors d'œuvre
	Allumettes à la Russe
Grand Vin Ch. Yquem	**Poisson**
	Truite Saumonnée Sauce Gribiche
Ch. Gruaud Larose	**Entrées**
	Côtelettes à la Valois
Grand Vin Ch. Lafite	Filet de Durham London House
	Froid
	Mousse de foie gras
	Punch Marquise
Clos Vougeot 1878	**Rôti**
	Dindonneau
	Salade Italienne
	Légume
	Asperges en branche Sauce Crême
Cordon Rouge	**Entremets**
Moët & Chandon	Parfait Praliné
	Gâteau Financier
	Fruits
Liqueurs	

PROGRAMA MUSICAL EXECUTADO NO RIO DE JANEIRO, SOB A DIREÇÃO DO MAESTRO BRASILEIRO DOMINGOS MACHADO, NUMA HOMENAGEM DA CIDADE DO RIO DE JANEIRO, ENTÃO CAPITAL FEDERAL, AO EXMO. SR. GENERAL JULIO ROCA, PRESIDENTE DA REPÚBLICA ARGENTINA. IMPRESSO PELA CASA LEUZINGER. 13.8.1899. 17 x 13 CM.

PROGRAMMA
1.º HYMNO ARGENTINO
2.º Ouverture la Dame de Carreau...... O. BATIFORT
a) b) 3.º Minuetto (para cordas) Aubade Pizzicato.. ARTHUR NAPOLEÃO
4.º Gipsylife (fantasia descriptiva).. ... C. LE THIÈRE
5.º Sérénade (para instrumento de corda) G. PIERNÉ
6.º Sevillana de D. Cezar de Bazan..... J. MASSENET
7.º Pique Dame... F. SUPPÉ
8.º Ouverture Brazil... H. MESQUITA
9.º Hymno Nacional... FRAN.co MANOEL
Direcção do maestro brazileiro DOMINGOS MACHADO

88

18 de Outubro 189[illegible]

R.M.S.S. Thames

DINER.

Potages á Argentina
Consommé [illegible]

Poisson á Brazileira

Entrées Carne salgada [illegible]
Pombos á D. Maria
Tomates á Portugueza

Rôtis Cordeiro

Salade Azeitonas

Légumes Batatas cozidas
Hortaliças á Macedoine

Entremets Créme Suisse
Bolos Brazileiros

Dessert Laranjas Amendoas
Passas

Café.

OLAVO BILAC

[illegible] STEVENSON & ORR LTD [illegible] BELFAST

A bordo do navio *Thames* partiu Olavo Bilac para a capital argentina, em 16 de outubro de 1900, como representante da *Gazeta de Notícias*, para participar das festas oferecidas ao Presidente. Uma crônica publicada na *Gazeta de Notícias*, em 21 de outubro de 1900, dava conta da experiência de Bilac a bordo do navio que o levava até Buenos Aires. Disse o cronista da *Gazeta* em texto escrito a 18 de outubro:

"Todos a bordo vão bem. Tem havido algum vento e nuvens e o mar é crespo, mas o paquete importa-se pouco ou nada e vai andando. Os argentinos que vêm da Europa, já travaram amizade conosco. Os ingleses quando souberam que éramos jornalistas, deram-nos a ideia de fazer um jornal a bordo, só para bordo. Não era mau. Não faltava nada, nem papel, nem tinta, nem paciência; faltava-nos prelo. Mas um moço australiano, que vai a Corrientes, visitar uma irmã e traz consigo uma máquina de escrever, ofereceu a máquina, e aí está como pôde sair no dia seguinte o primeiro e único número da folha.

Que título pensam que lhe demos? Nas praças judiciárias, antigamente, antes de entregar o ramo ao comprador, ao pregoeiro, ou não sei quem, bradava "Dou-lhe uma, dou-lhe duas, uma maior, outra menor". Eu dou-lhes uma dúzia, dez, vinte, trinta dúzias, todas maiores, e não acertam. O título da nossa gazeta é No mar ou saudades da rua do Ouvidor.

[...] A noite desse dia não teve outra matéria de conversação senão a nossa folha. Pediram-me que fizéssemos o segundo número. Respondi com esta gravidade que Deus me deu que não podia ser, porquanto trazíamos conosco a ajuda do custo de certa soma de ideias para descrever nas festas argentinas, e se as empregássemos a bordo desembarcávamos em Buenos Aires com as algibeiras vazias.

[...] E aqui tem o meu público em que nos ocupamos a bordo. Assim matamos as saudades, que são intensas e contamos com a perspectiva das festas de Buenos Aires, que prometem ser maravilhosas. Daqui a pouco estaremos nas *calles* argentinas, comparando as moças de Palermo com as da rua do Ouvidor. Serão mais belas? Creio que terão a mesma beleza, a mesma graça, a mesma doçura, todas as qualidades que eu não peço licença para meter no coração."

CARDÁPIO DE JANTAR OFERECIDO A BORDO DO NAVIO THAMES, DA ROYAL MAIL STEAM PACKET COMPANY, NO QUAL VIAJAVA OLAVO BILAC RUMO A BUENOS AIRES. ESTE MENU É DO DIA EXATO EM QUE O POETA E COLABORADOR DA *GAZETA DE NOTÍCIAS* ESCREVEU A CRÔNICA. 18.10.1900. 15,5x23CM.

No dia 1 de novembro de 1900, o restaurante e cervejaria Aue's Keller ofereceu um banquete aos jornalistas brasileiros que estavam em Buenos Aires para acompanhar as homenagens prestadas ao Presidente Campos Salles, em passagem pela Argentina, para cumprimento de agenda oficial. O original cardápio apresenta o estabelecimento e seu entorno em impressão fotográfica e, no lugar da lista de pratos que seriam servidos no banquete, o restaurante apresentou desenhos e caricaturas sugestivos das iguarias que seriam oferecidas, com destaque para os charutos cubanos, os vinhos e a cerveja.

CARDÁPIO DE BANQUETE EM HOMENAGEM AOS JORNALISTAS BRASILEIROS, OFERECIDO PELO RESTAURANTE AUE'S KELLER. BUENOS AIRES, 1.11.1900. 10 x 16 CM.

MENÚ
XERES
TRAPICHE
RESERVA
TRAPICHE
SAUVIGNON
COGNAC
HABANOS

Na ocasião em que participavam das homenagens ao Presidente da República Manoel Ferraz de Campos Salles, na Argentina, os correspondentes da imprensa brasileira foram homenageados em um banquete oferecido pelos representantes dos principais jornais argentinos. O cardápio desse banquete foi elaborado com originalidade, tanto que Olavo Bilac — um dos jornalistas brasileiros homenageados — recolheu alguns exemplares para sua coleção. Isto porque o *menu* trazia impressas as primeiras páginas de alguns dos principais jornais argentinos, apresentando suas diferentes configurações visuais.

P. 203-207
CARDÁPIO DE BANQUETE EM HOMENAGEM AOS JORNALISTAS BRASILEIROS. ROSARIO, PROVÍNCIA DE SANTA FÉ, ARGENTINA, 5.11.1900. 17x24,5 CM.

BANQUETE
EN HONOR
DE LOS
PERIODISTAS BRASILEÑOS

ROSARIO, Noviembre 5 de 1900

LIT. B. TAMBURINI & Cª · ROSARIO

CIRCULO·DE·LA·PRENSA
7'30 P.M.
NOV 5
1900
·ROSARIO·

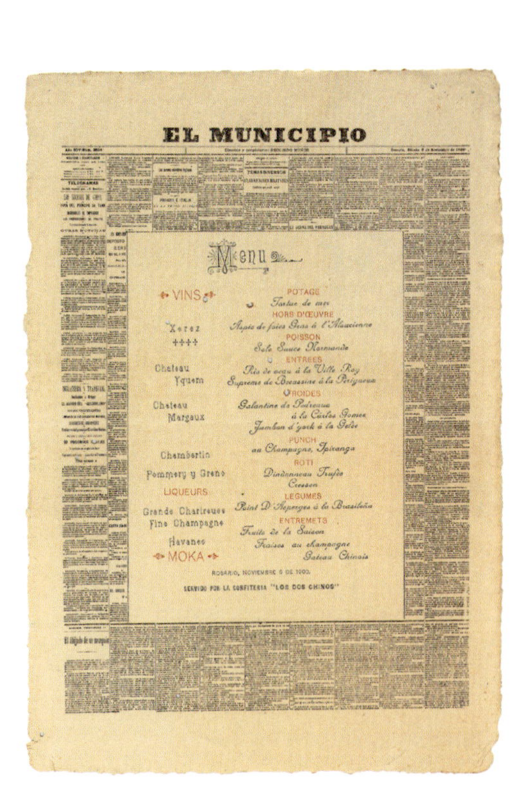

EL MUNICIPIO

Menu

VINS	POTAGE
	Tortue de mer
	HORS D'ŒUVRE
Xerez	Aspic de foies Gras à l'Alsacienne
++++	POISSON
	Sole Sauce Normande
	ENTREES
Chateau	Ris de veau à la Ville Roy
Yquem	Supreme de Becassine à la Perigueux
	FROIDES
Chateau	Galantine de Perdreaux
Margaux	à la Carlos Gomes
	Jambon d'york à la Gelée
	PUNCH
Chambertin	au Champagne, Ipiranga
	ROTI
Pommery y Greno	Dindonneau Truffé
	Cresson
LIQUEURS	LEGUMES
Grande Chartreuse	Point D'Asperges à la Brasileña
Fine Champagne	ENTREMETS
	Fruits de la Saison
Havanes	Fraises au champagne
MOKA	Gateau Chinois

ROSARIO, NOVIEMBRE 5 DE 1900.

SERVIDO POR LA CONFITERIA "LOS DOS CHINOS"

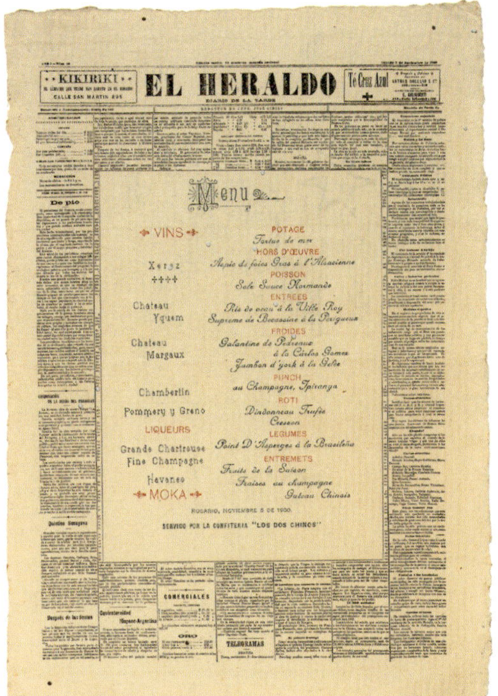

KIKIRIKI

CALLE SAN MARTIN 896

EL HERALDO

DIARIO DE LA TARDE

Te Cruz Azul

Menu

VINS	POTAGE
	Tortue de mer
	HORS D'ŒUVRE
Xerez	Aspic de foies Gras à l'Alsacienne
++++	POISSON
	Sole Sauce Normande
	ENTREES
Chateau	Ris de veau à la Ville Roy
Yquem	Supreme de Becassine à la Perigueux
	FROIDES
Chateau	Galantine de Perdreaux
Margaux	à la Carlos Gomes
	Jambon d'york à la Gelée
	PUNCH
Chambertin	au Champagne, Ipiranga
	ROTI
Pommery y Greno	Dindonneau Truffé
	Cresson
LIQUEURS	LEGUMES
Grande Chartreuse	Point D'Asperges à la Brasileña
Fine Champagne	ENTREMETS
	Fruits de la Saison
Havanes	Fraises au champagne
MOKA	Gateau Chinois

ROSARIO, NOVIEMBRE 5 DE 1900.

SERVIDO POR LA CONFITERIA "LOS DOS CHINOS"

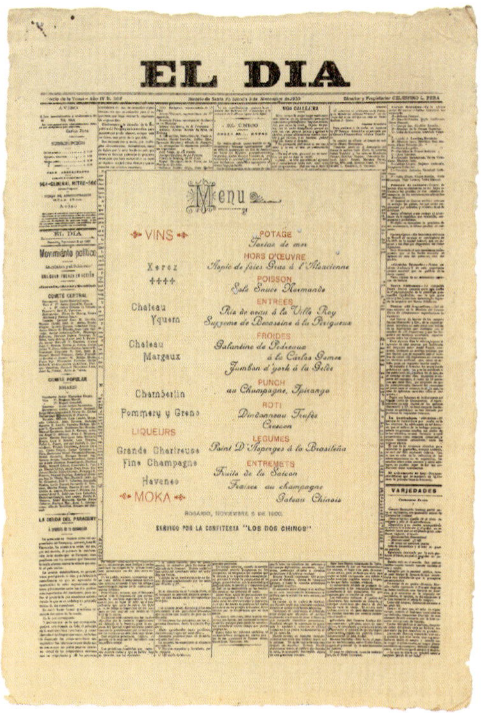

EL DIA

Menu

VINS	POTAGE
	Tortue de mer
	HORS D'ŒUVRE
Xerez	Aspic de foies Gras à l'Alsacienne
++++	POISSON
	Sole Sauce Normande
	ENTREES
Chateau	Ris de veau à la Ville Roy
Yquem	Supreme de Becassine à la Perigueux
	FROIDES
Chateau	Galantine de Perdreaux
Margaux	à la Carlos Gomes
	Jambon d'york à la Gelée
	PUNCH
Chambertin	au Champagne, Ipiranga
	ROTI
Pommery y Greno	Dindonneau Truffé
	Cresson
LIQUEURS	LEGUMES
Grande Chartreuse	Point D'Asperges à la Brasileña
Fine Champagne	ENTREMETS
	Fruits de la Saison
Havanes	Fraises au champagne
MOKA	Gateau Chinois

ROSARIO, NOVIEMBRE 5 DE 1900.

SERVIDO POR LA CONFITERIA "LOS DOS CHINOS"

LA REPUBLICA

Diario de la Mañana

(SALE TODOS LOS DIAS SIN EXCEPCION)

Administración: 829—MAIPU—843 | Año III—Rosario de Santa Fe, SABADO 3 de Noviembre de 1900—Núm. 808 | Administrador: FENELON GUEVARA

Diversiones públicas

Teatro La Comedia

SABADOS DE NOVIEMBRE DE 1900

NUEVO POLITEAMA

CENDRILLON

Fúnebres

Tomasa G. de Guillòn

Andrés J. Costa

Agradecimiento

Económicos

Servicio pedido

Servicio ofrecido

Alquileres y ventas

ABOGADOS

J. y F. LEJARZA

FEDERICO MOLINA

PERFECTO y ROGELIO ARAYA

LESLIE G. BARNETT

Remates

Domingo Barraco y Cia.

J. J. C. DANIEL

Calle San Lorenzo 1049

Preferencias

"La Paternal"

500 PESOS

Calle San Lorenzo Nº 1029

¡¡EL REY!!!

Gran Taller Artístico

GRAN Fabrica de Baules

La Nacional

José M. Blasco

587—MENDOZA—587

LOTERIA NACIONAL

MARTIN ALMEIDA

RAMON GUTIERREZ

JOSE N. MENDIETA

GABINO ANDRADE

Consultorio médico

CALLE RIOJA 1273

Menu

VINS	POTAGE
	Tortue de mer
	HORS D'ŒUVRE
Xerez	Aspic de foies Gras á l'Alsacienne
	POISSON
++++	Sole Sauce Normande
	ENTREES
Chateau Yquem	Ris de veau á la Ville Roy
	Supreme de Becassine á la Perigueux
	FROIDES
Chateau Margaux	Galantine de Pedreaux á la Cárlos Gomez
	Jambon d'york á la Gelée
	PUNCH
Chambertin	au Champagne, Ipiranga
	ROTI
Pommery y Greno	Dindonneau Trufée
LIQUEURS	Cresson
	LEGUMES
Grande Chartreuse	Point D'Asperges á la Brasileña
Fine Champagne	ENTREMETS
	Fruits de la Saison
Havanes	Fraises au champagne
MOKA	Gateau Chinois

ROSARIO, NOVIEMBRE 5 DE 1900.

SERVIDO POR LA CONFITERIA "LOS DOS CHINOS"

LA CAPITAL

ORGANO DE LA PRENSA NACIONAL

Rosario de Santa Fé, sábado 3 de Noviembre de 1900 | Fundador: OVIDIO LAGOS | Año XXXIII - Número 9742

Menu

VINS	
	POTAGE
	Tortue de mer
	HORS D'ŒUVRE
Xerez	*Aspic de foies Gras á l'Alsacienne*
++++	POISSON
	Sole Sauce Normande
	ENTREES
Chateau Yquem	*Ris de veau á la Ville Roy*
	Supreme de Becassine á la Perigueux
	FROIDES
Chateau Margaux	*Galantine de Pedreaux á la Cárlos Gomez*
	Jambon d'york á la Gelée
	PUNCH
	au Champagne, Ipiranga
Chambertin	ROTI
Pommery y Greno	*Dindonneau Trufée*
	Cresson
LIQUEURS	LEGUMES
Grande Chartreuse	*Point D'Asperges á la Brasileña*
Fine Champagne	ENTREMETS
	Fruits de la Saison
Havanes	*Fraises au champagne*
MOKA	*Gateau Chinois*

ROSARIO, NOVIEMBRE 5 DE 1900.

SERVIDO POR LA CONFITERIA "LOS DOS CHINOS"

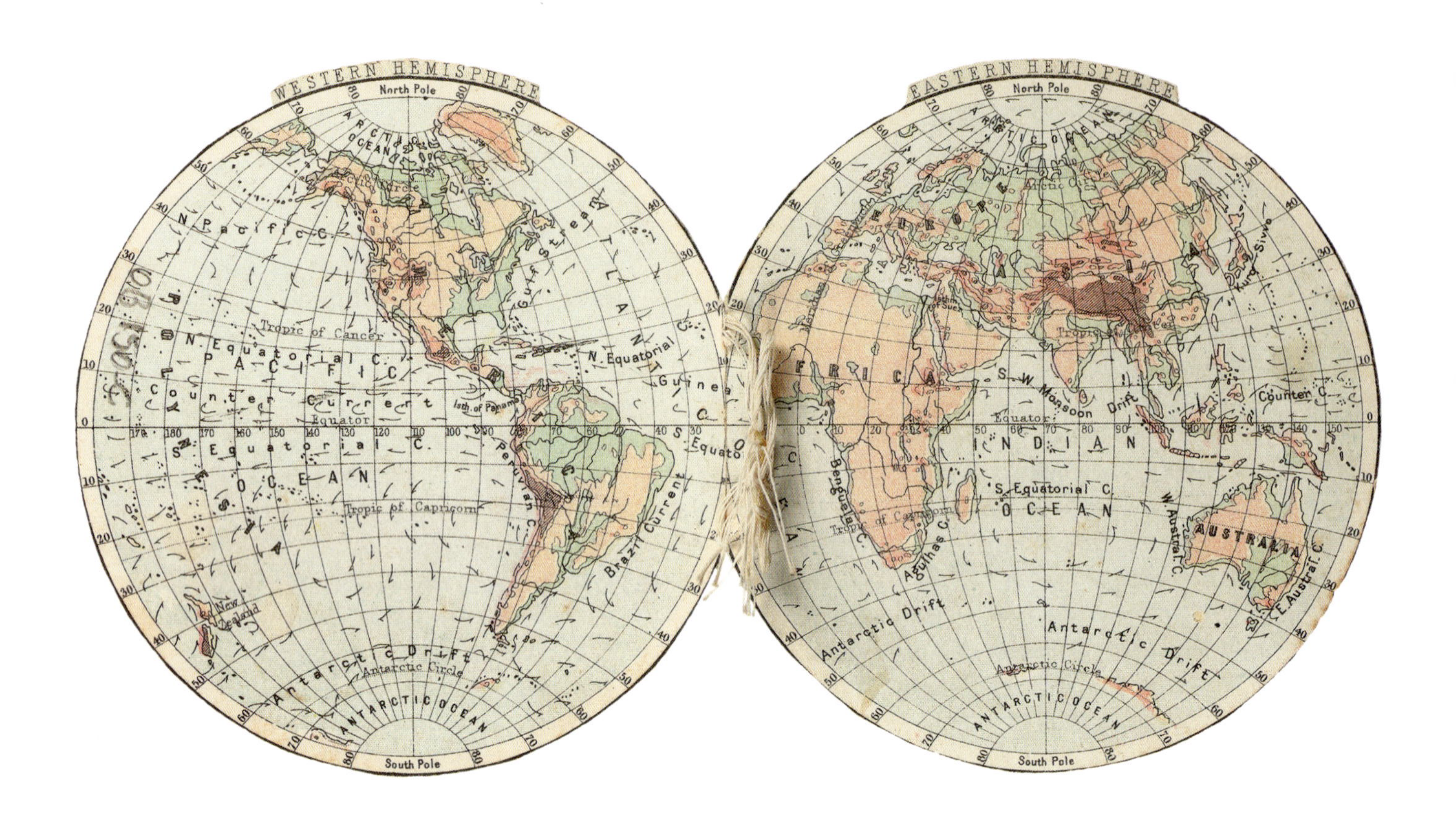

O gracioso cardápio inglês do jantar oferecido, em 1903, pelo prefeito de Liverpool, traz em suas páginas finais o programa musical do banquete, com a observação aos convidados de que, durante o jantar, uma seleção de músicas do programa seriam executadas.

Vale destacar no elegante *menu*, a indicação *Toasts,* que remete à série dos discursos proferidos e ao brinde de honra que encerraria o banquete.

CARDÁPIO DE BANQUETE OFERECIDO PELO PREFEITO DE LIVERPOOL, WILLIAM WATSON RUTHERFORD (1853-1927) AOS REPRESENTANTES DOS PAÍSES ESTRANGEIROS. LIVERPOOL, INGLATERRA, 29.10.1903. 18 x 10 CM.

MENU.

TORTUE CLAIRE.

HORS D'ŒUVRES.

CAVIAR D'ASTRACHAN.

FILETS DE SOLES TARTARE.

ESCALLOPES D'HUITRES.

COQUILLE DE CRABE.

CRÊME DE VOLAILLE.

SELLE DE MOUTON SOUTHDOWN.

LEGUMES.

SOUBET AU RHUM, CIGARETTES RUSSE.

FAISANS ROTIS.

POUDING DE CERISSES.

PATE DE FOIS GRAS.

GLACES.

FRUITS.

TOASTS.

THE KING.

THE RULERS OF THE WORLD.

THE CONSULAR CORPS.

A Royal Mail Steam Packet Company foi uma empresa britânica de navegação fundada pelo escocês James MacQueen, em Londres, no ano de 1839. No dia 15 de novembro de 1903, o navio a vapor *Nilo*, pertencente à companhia, realizou uma grande festa em comemoração aos 14 anos da Proclamação da República.
O cardápio impresso em cores, com destaque para o verde e amarelo, traz no alto as bandeiras da Inglaterra e do Steam Packet Company Royal Mail. Acompanhando o programa musical do banquete, segue o *menu* que oferece opções de iguarias cujos nomes sugestivos fazem referência aos principais estados brasileiros: "*Créme a la Rio de Janeiro*", "*Filet de boeuf pique a la São Paulo*" e "*Pouding a la Pernambuco*".

PROGRAMA MUSICAL E CARDÁPIO DE BANQUETE COMEMORATIVO DOS 14 ANOS DA PROCLAMAÇÃO DA REPÚBLICA, A BORDO DO NAVIO A VAPOR NILO, PERTENCENTE A ROYAL MAIL STEAM PACKET COMPANY. 15.11.1903. 11 x 18 CM.

R.M.S. "NILE."

1889. Sunday, November 15th 1903.

Viva Republica Braziliera.

"Ordem e Progresso"

Diner de Fete.

HORS D'ŒUVRES.

ŒUFS A L'ESTRELLA DU SUD.

POTAGES.

CREME A LA RIO DE JANEIRO. CONSOMME BRAZILIENNE.

POISSON.

FILET DE CORBIN A L'AMERICAINE.

ENTREES.

CROQUETTES DE VOLAILLE A LA PARISIENNE

FILET DE BŒUF PIQUE A LA SAO PAULO.

ASPERGES AU BEURRE FONDU.

RELEVES, ROTIS.

DINDE A LA ROMAINE. LAMB AND MINT SAUCE.

SALADE, LEGUMES.

SALADE A LA FETE DE REPUBLIC.

GREEN PEAS. POTATOES BOILED AND BAKED.

ENTREMETS.

POUDING A LA PERNAMBUCO. GLACE DE SANTOS. SPONGE CAKE.

DESSERT.

ORANGES. PINEAPPLES. FRENCH PLUMS. FILBERTS

CAFE NOIR.

Viva Republica Braziliera.

"Ordem e Progresso"

Musical Programme.

OF THE

R.M.S. "NILE."

CAPTAIN SPOONER.

1889. Sunday, November 15th 1903.

1. MARCH - "Installation" - *Trinkaus.*
2. GRAND OVERTURE "William Tell" *Rossini.*
3. ANDANTE - "Religioso" - *Thomé.*
4. PIANOFORTE SOLO "Andante et Cappriccioso" - *Mendelssohn.*
5. MARCH - "War March of Priests" (Athalie) *Mendelssohn.*

GOD SAVE THE KING.

Palais de la Cochinchine

CONGRÈS COLONIAL

Dîner du 3 Août

Yucca du Gros-Morne
Consommé aux Perles du Cambodge
Melon
Langues de Rennes
Courtbouillon de Dorades
Cuissots de Marcassin à l'Indienne
Calalou
Jeunes Autruches de Zanzibar
Chaudfroid de Salangaues
de Cochinchine
Artichauts de l'Himalaya
Bringelles de Tomates de la Réunion
Glaces Salifou
Desserts

MICHEL, rue de Sèze
Produits Coloniaux
CHEVET, Palais-Royal

CARDÁPIO DE JANTAR OFERECIDO NO PALÁCIO DA COCHINCHINA, DURANTE A EXPOSIÇÃO UNIVERSAL DE 1900, EM PARIS. PARIS, 3.8.1900. 11,5 x 16 CM.

À DIREITA
CARDÁPIO DE BANQUETE OFERECIDO NO PAVILHÃO BRASILEIRO DA EXPOSIÇÃO INTERNACIONAL DE 1904. SAINT LOUIS, ESTADOS UNIDOS, 24.5.1904. 10 x 16,5 CM.

As Exposições Universais ocorridas em fins do século XIX e início do século XX exaltavam o progresso, a ciência, a técnica, a máquina — a modernidade. Nesse ambiente interdisciplinar, eram exibidos os inventos, as máquinas mais modernas e o exótico, que ficavam expostos em vitrines organizadas de maneira didática e enciclopédica, para a curiosidade e satisfação daqueles que visitavam os pavilhões. Banquetes também não faltaram. Olavo Bilac acrescentou à sua coleção dois testemunhos de ocasiões festivas que integravam a agenda social dessas exposições internacionais: o cardápio do jantar oferecido no Palácio da Cochinchina, durante a Exposição Universal de 1900, em Paris e, o *menu* alusivo à participação brasileira na Exposição Internacional de 1904, realizada em Saint Louis, Estados Unidos, em comemoração à anexação do território da Louisiana. Este último cardápio, impresso em inglês, oferecia café e charutos brasileiros aos seus convidados.

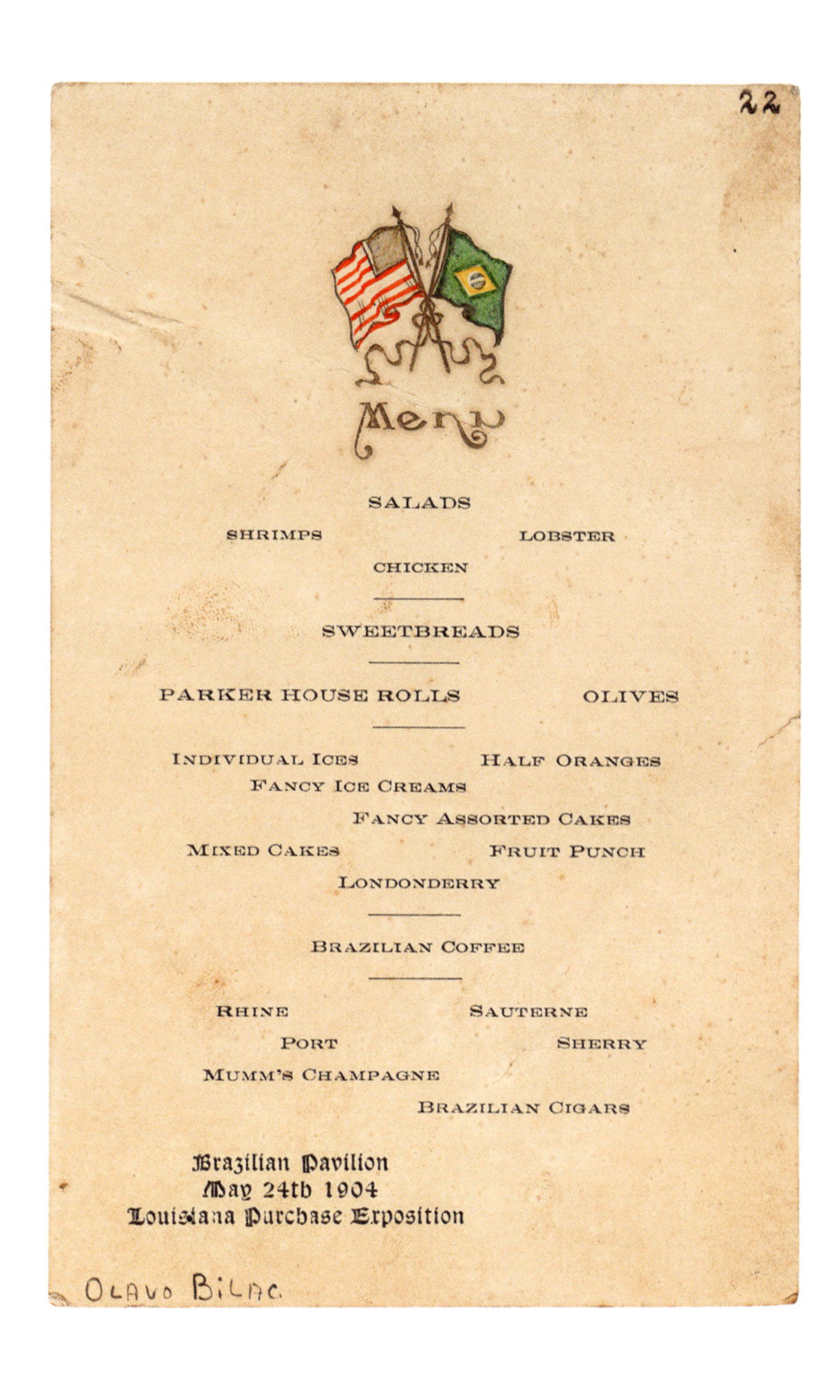

22

Menu

SALADS

SHRIMPS LOBSTER

CHICKEN

SWEETBREADS

PARKER HOUSE ROLLS OLIVES

INDIVIDUAL ICES HALF ORANGES

FANCY ICE CREAMS

FANCY ASSORTED CAKES

MIXED CAKES FRUIT PUNCH

LONDONDERRY

BRAZILIAN COFFEE

RHINE SAUTERNE

PORT SHERRY

MUMM'S CHAMPAGNE

BRAZILIAN CIGARS

Brazilian Pavilion
May 24th 1904
Louisiana Purchase Exposition

Olavo Bilac

24

Delegation
of the
United States of America
to the
Fourth International Conference
of American States

Buenos Aires, August 4, 1910.

OLAVO BILAC

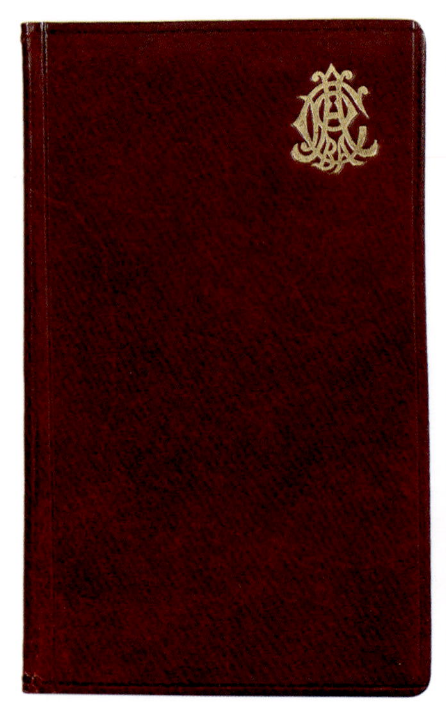

Buenos Aires, Julio de 1910.

El señor Olavo Bilac es Delegado Plenipotenciario del Brasil á la Cuarta Conferencia Internacional Americana.

El Secretario General,

TOASTS

PRESIDENTS OF THE AMERICAN REPUBLICS
Responded to by H. E. The Minister of Foreign Affairs and Worship; Honorary President of the Conference.

PAN-AMERICAN CONFERENCES
Responded to by Mr. da Gama

BUREAU OF AMERICAN REPUBLICS
Responded to by Mr. Larrabure y Unánue.

PAN-AMERICAN DIPLOMACY
Responded to by Mr. Salado Alvarez.

CENTENNIAL INDEPENDENCE DAYS
Responded to by Mr. Cruchaga Tocornal.

CITY OF BUENOS AIRES
Proposed by H. E. The Minister of the United States of America.
Responded to by the Intendente Municipal, Mr. Güiraldes.

MENU

Délices Olga
Consommé Réjane
Paupiettes de Péjerrey Florentine
Cœur de Filet Montpensier
Tomates au gratin *Pommes fondantes*
Mousse de Jambon d'York
Granité au Clicquot
Martinette bardée sur Canapé
Salade Quirinal
Artichauts nouveaux Argentine
Bombe Américaine
Friandises
Café
Grandes Liqueurs

Amontillado Dry
Haut Barsac
Château Lafite 1893
Perrier Jouët Brut 1900

A IV Conferência Internacional dos Estados Americanos, realizada em Buenos Aires, consistiu na reunião de delegados, ministros e presidentes das nações da América, que buscavam fomentar a cooperação entre os estados americanos, de acordo com os princípios do Panamericanismo. Olavo Bilac esteve presente como Delegado Plenipotenciário do Brasil, conforme se pode observar em sua caderneta de identificação.

RELAÇÃO DOS DISCURSOS E CARDÁPIO DE BANQUETE OFERECIDO À DELEGAÇÃO DOS ESTADOS UNIDOS DA AMÉRICA PARA A IV CONFERÊNCIA INTERNACIONAL DOS ESTADOS AMERICANOS. BUENOS AIRES, 4.8.1910. 11x17 CM.

À ESQUERDA, ABAIXO
CADERNETA DE IDENTIFICAÇÃO DE OLAVO BILAC COMO DELEGADO PLENIPOTENCIÁRIO DO BRASIL NA IV CONFERÊNCIA INTERNACIONAL DOS ESTADOS AMERICANOS. BUENOS AIRES, 7.1910. 5,5x9 CM.

1re Classe le 7 Juin 1897

PAQUEBOT "Portugal"

DINER

POTAGE Paysanne

RELEVÉ Rissoles parisiennes

ENTRÉES Pièce de bœuf flageolets
Civet de Lièvre

ROTIS Longe de veau

SALADE [illegible]

LÉGUMES Fonds d'artichauts allemande

ENTREMETS Pompadour

DESSERT Gruyère Chester
Oranges, Ananas, Biscuits

CAFÉ

OLAVO BILAC

IMP. MARSEILLAISE. R. SAINTE, 39

MOD. N° 2

cardápios de viagem

Na passagem do século XIX para o século XX, os navios das companhias de navegação europeias que atravessavam o Atlântico apresentavam aos seus passageiros os *menus* das refeições servidas durante as viagens, que operavam, em geral, com o sistema *all inclusive*. Impressos, constando manuscrita apenas a lista de iguarias, os cardápios de navios contêm ilustrações as mais diversas, que podem lembrar o exotismo de lugares distantes ou distrair os passageiros com caricaturas. Olavo Bilac, em suas muitas viagens, recolheu alguns exemplares desses *menus* para sua coleção, aqui apresentados pela primeira vez.

CARDÁPIO DE JANTAR OFERECIDO A BORDO DA PRIMEIRA CLASSE DO *PAQUEBOT* PORTUGAL, DA *COMPAGNIE MESSAGERIES MARITIMES*. 7.6.1897. 15,5 x 23 CM.

Novr. 12th 1900

R.M.S.S. Danube

DINER.

Potages à la St Germain
Consommé Pate d' Italie
Poisson Courbine à la Minière
Entrées Escallops de Mouton au Petit Pois
Canard Sauvage Sauce Madère
Pimentos à la Genoise
Rôtis Beef & Yorkshire Pudding
Feijoada
Salade & Olives
Légumes Baked & Boiled Potatoes
French Beans
Entremets Apple Tarte
Cheese Cakes
Dessert Oranges Apples Nespras
Walnuts, Barcelonas

Café.

M'CAW, STEVENSON & ORR LTD. 20 CANNON ST E.C. & BELFAST

Menu du Diner
2 Janeiro 1901
Potage: Pointe d'Asperges
Poisson
Bijupirá: Sauce Mayonnaise
Entrées
Poulet au petits pois
Leitão à Brazileira
Legumes
Asperges. Sauce vinaigrette
Rotis
Dindon farci
Desserts
Assortis
Vins
Vieux Bordeaux. Sauternes
Porto. Champagne
Cognac et Liqueurs
Assortis

À ESQUERDA
CARDÁPIO DE JANTAR OFERECIDO A BORDO DO NAVIO *DANUBE*, DA *ROYAL MAIL STEAM PACKET COMPANY*, NO QUAL VIAJAVA OLAVO BILAC DE VOLTA AO BRASIL, APÓS PERMANECER EM BUENOS AIRES, COMO CORRESPONDENTE DA *GAZETA DE NOTÍCIAS*, POR OCASIÃO DAS HOMENAGENS PRESTADAS AO PRESIDENTE CAMPOS SALLES. 12.11.1900. 15,5x23 CM.

ACIMA
CARDÁPIO DE JANTAR OFERECIDO EM VIAGEM. S/L. 2.1.1901. 12x18,5 CM.

P. 220
CARDÁPIO DE ALMOÇO OFERECIDO A BORDO DA PRIMEIRA CLASSE DO *PAQUEBOT ATLANTIQUE*, DA *COMPAGNIE DES MESSAGERIES MARITIMES*. 30.7.1902. 15,5x23,5 CM.

P. 221
CARDÁPIO DE JANTAR OFERECIDO A BORDO DA PRIMEIRA CLASSE DO *PAQUEBOT ATLANTIQUE*, DA *COMPAGNIE DES MESSAGERIES MARITIMES*. 18.5.1901. 15,5x23,5 CM.

PREMIÈRE CLASSE

le 30 juillet 18 ~~18~~ 1912

PAQUEBOT Atlantique

DÉJEUNER

HORS-D'ŒUVRE

Beurre
Radis
Lunch tongue
Artichauts

PLATS DE CUISINE

Oeufs pochés à la Valois
Raie au beurre noir
Poulets sautés à l'Indienne
Côtelettes aux pommes

DESSERT

Hollande
Emmenthal
Bananes
Oranges
Biscuits

CAFÉ

IMP. MARSEILLAISE, RUE SAINTE, 39

MOD. N° 81

PREMIÈRE CLASSE

le 18 Mai 190

PAQUEBOT Atlantique

DINER

POTAGE
Consommé Royale

RELEVÉ
Poule au pot

NTRÉES
Carpe bourguignonne
Gigot poêlé bourgeoise

ROTIS
Aloyau au cresson

SALADE
Laitue

LÉGUMES
Choux de Bruxelles sautés

ENTREMETS
Marignan

DESSERT
Emmenthal - Hollande
Raisins - Pommes - Biscuits

CAFÉ

IMP. MARSEILLAISE, R. SAINTE, 39.

MOD. N° 66

Cardápio importante do ponto de vista gráfico, por ter sido impresso em 1904 pela Maison Devambez. Fundada por Édouard Devambez, é considerada um das mais importantes casas de impressão artística francesa, especializada em gravuras e livros de arte. A excelência dos serviços prestados pela Maison Devambez foi reconhecida, em fins do século XIX, nas Exposições Universais. Em 1897 foi premiada com medalha de ouro em Bruxelas, em 1898 recebeu medalha de ouro em Toronto e, no ano de 1900, na Exposição Universal de Paris, recebeu medalha de ouro na categoria "Gravura e Impressão". Cabe notar a tabela de preços dos vinhos, licores e demais bebidas, não incluídas no serviço, e a reprodução fotográfica de paquebots atracados no Porto de La Ciotat, França.

PP. 223-225
CARDÁPIO OFERECIDO A BORDO DA PRIMEIRA CLASSE DO *PAQUEBOT CHILI*, DA *COMPAGNIE DES MESSAGERIES MARITIMES*.
06.1905. 12 x 17,5 CM.

Devambez. — Imp. Artistique. — 1904

Paquebots dans le port de La Ciotat

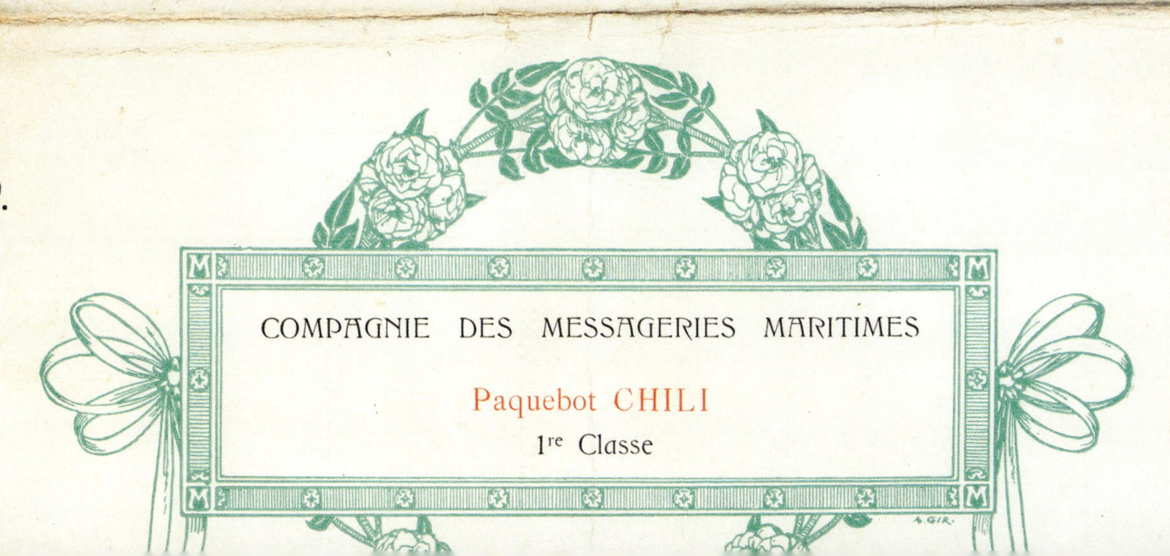

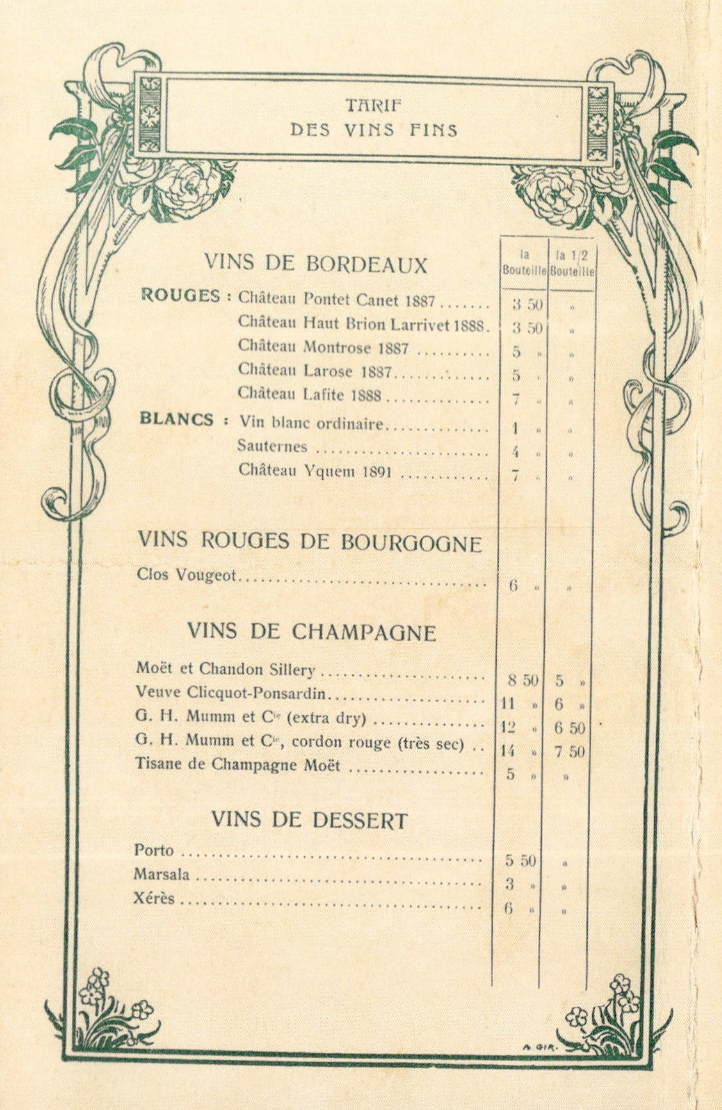

TARIF
DES VINS FINS

VINS DE BORDEAUX	la Bouteille	la 1/2 Bouteille
ROUGES : Château Pontet Canet 1887	3 50	»
Château Haut Brion Larrivet 1888	3 50	»
Château Montrose 1887	5 »	»
Château Larose 1887	5 »	»
Château Lafite 1888	7 »	»
BLANCS : Vin blanc ordinaire	1 »	»
Sauternes	4 »	»
Château Yquem 1891	7 »	»
VINS ROUGES DE BOURGOGNE		
Clos Vougeot	6 »	»
VINS DE CHAMPAGNE		
Moët et Chandon Sillery	8 50	5 »
Veuve Clicquot-Ponsardin	11 »	6 »
G. H. Mumm et Cie (extra dry)	12 »	6 50
G. H. Mumm et Cie, cordon rouge (très sec)	14 »	7 50
Tisane de Champagne Moët	5 »	»
VINS DE DESSERT		
Porto	5 50	»
Marsala	3 »	»
Xérès	6 »	»

A. GIR.

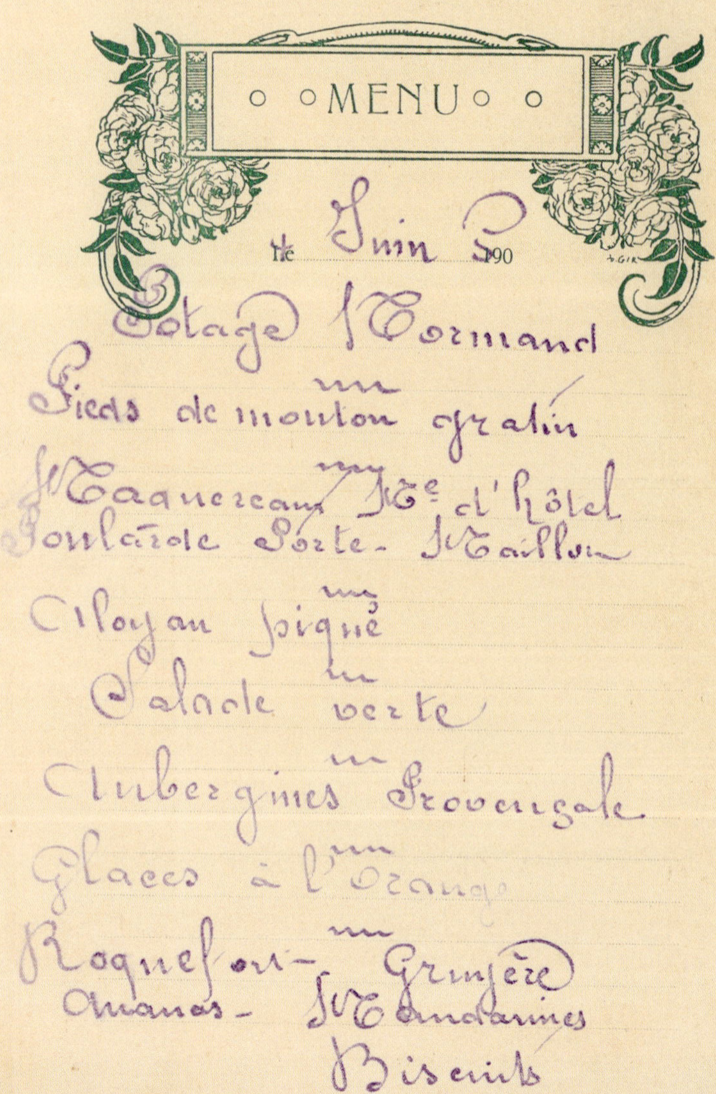

MENU

le Juin 5 190

Potage Normand

Pieds de mouton gratin

Maquereau Mre d'Hôtel

Poularde Porte-Maillot

Aloyau piqué

Salade verte

Aubergines Provençale

Glaces à l'Orange

Roquefort - Gruyère

Ananas - Mandarines

Biscuits

A. GIR.

COMPAGNIE DES MESSAGERIES MARITIMES

Paquebot CHILI

1re Classe

A. GIR.

Devambez. — Imp. Artistique. — 1904

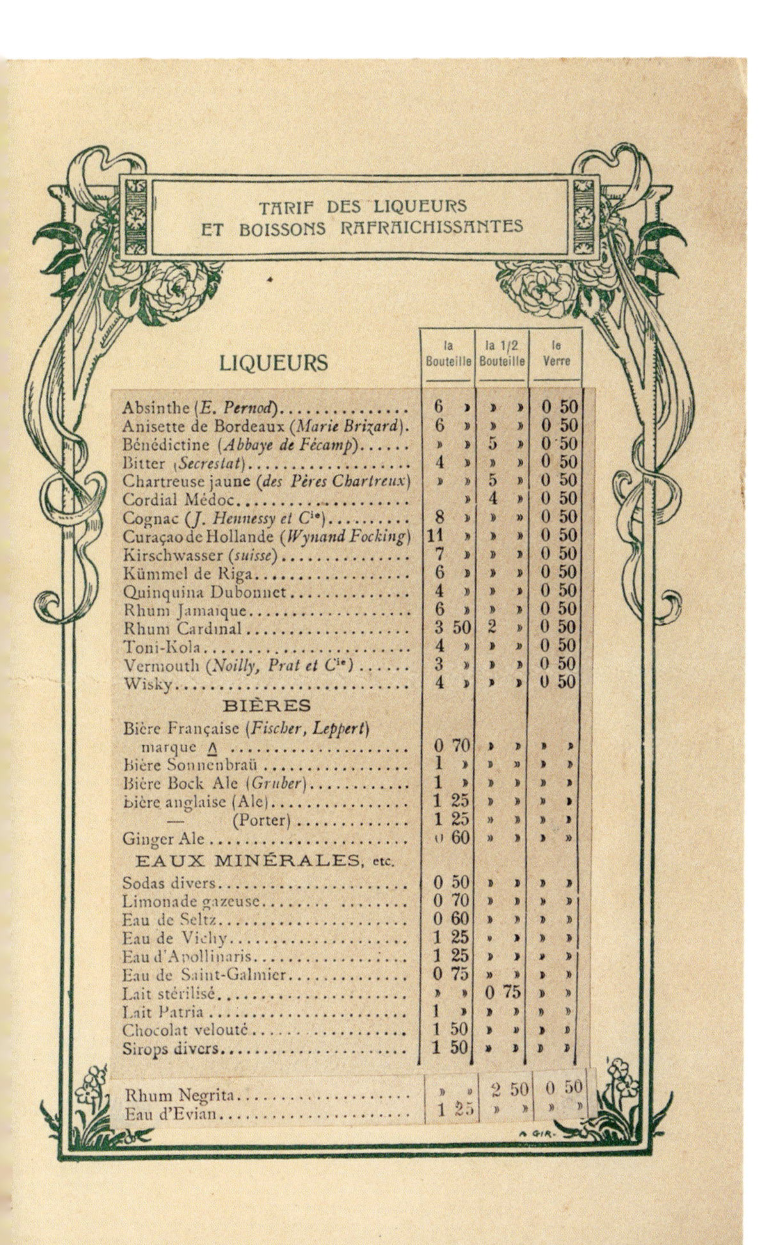

TARIF DES LIQUEURS
ET BOISSONS RAFRAICHISSANTES

LIQUEURS	la Bouteille	la 1/2 Bouteille	le Verre
Absinthe (*E. Pernod*)	6 »	» »	0 50
Anisette de Bordeaux (*Marie Brizard*)	6 »	» »	0 50
Bénédictine (*Abbaye de Fécamp*)	» »	5 »	0 50
Bitter (*Secrestat*)	4 »	» »	0 50
Chartreuse jaune (*des Pères Chartreux*)	» »	5 »	0 50
Cordial Médoc	»	4 »	0 50
Cognac (*J. Hennessy et Cie*)	8 »	» »	0 50
Curaçao de Hollande (*Wynand Focking*)	11 »	» »	0 50
Kirschwasser (*suisse*)	7 »	» »	0 50
Kümmel de Riga	6 »	» »	0 50
Quinquina Dubonnet	4 »	» »	0 50
Rhum Jamaïque	6 »	» »	0 50
Rhum Cardinal	3 50	2 »	0 50
Toni-Kola	4 »	» »	0 50
Vermouth (*Noilly, Prat et Cie*)	3 »	» »	0 50
Wisky	4 »	» »	0 50
BIÈRES			
Bière Française (*Fischer, Leppert*) marque A	0 70	» »	» »
Bière Sonnenbraü	1 »	» »	» »
Bière Bock Ale (*Gruber*)	1 »	» »	» »
Bière anglaise (Ale)	1 25	» »	» »
— (Porter)	1 25	» »	» »
Ginger Ale	0 60	» »	» »
EAUX MINÉRALES, etc.			
Sodas divers	0 50	» »	» »
Limonade gazeuse	0 70	» »	» »
Eau de Seltz	0 60	» »	» »
Eau de Vichy	1 25	» »	» »
Eau d'Apollinaris	1 25	» »	» »
Eau de Saint-Galmier	0 75	» »	» »
Lait stérilisé	» »	0 75	» »
Lait Patria	1 »	» »	» »
Chocolat velouté	1 50	» »	» »
Sirops divers	1 50	» »	» »
Rhum Negrita	» »	2 50	0 50
Eau d'Evian	1 25	» »	» »

A. GIR.

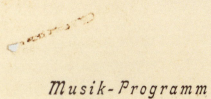

Musik-Programm

der

Schiffs-Kapelle

des

Postdampfers „Pennsylvania“

1. An die Gewehre, Marsch . . . . . . Lehnhardt
2. Ouverture z. Op. „Banditenstreiche“ . . . Suppée
3. Wein, Weib und Gesang, Walzer . . . . Strauss
4. Ich sende diese Blume dir, Lied . . . . Wagner
5. Potpourri a. „Die Fledermaus“ . . . . Strauss
6. Rufus das Pfeifgigerl, Cake walk . . . Mills

38

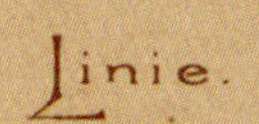

OLAVO BILAC

Nº 19

CARDÁPIO BILÍNGUE DE BANQUETE OFERECIDO A BORDO DO NAVIO A VAPOR *PENNSYLVANIA*, CONSTRUÍDO EM 1896, DA *HAMBURG AMERIKA LINIE* — EMPRESA DE NAVEGAÇÃO MARÍTIMA TRANSATLÂNTICA, COM SEDE EM HAMBURGO, ALEMANHA, CRIADA EM 1847. 12.8.1905. 11,5 x 18 CM.

Postdampfer „Pennsylvania"

Capt. H. Knuth

Sonnabend, den 12. August 1905

Suppe nach Wierzig
Kraftbrühe

Seelachs gekocht
Petersilien-Sauce zerlassene Butter
Kartoffeln

Kalbsnuss auf Herzogin Art
Tomaten-Sauce, Gemischtes Gemüse

Metzer Masthühner
Eingemachte Früchte Salat

Erdbeer-Eis
Wiener Torte

Käse Frucht
Kaffee

Mailsteamer „Pennsylvania"

Capt. H. Knuth

Saturday, August 12., 1905

Potage à la Wierzig
Beefbroth

Boiled Salmon
Parsley Sauce melted Butter
Potatoes

Cushion of Veal Countess Style
Tomato Sauce Mixed Vegetables

Chicken
Preserves Salad

Strawberry Ice Cream
Vienna Tart

Cheese Fruit
Coffee

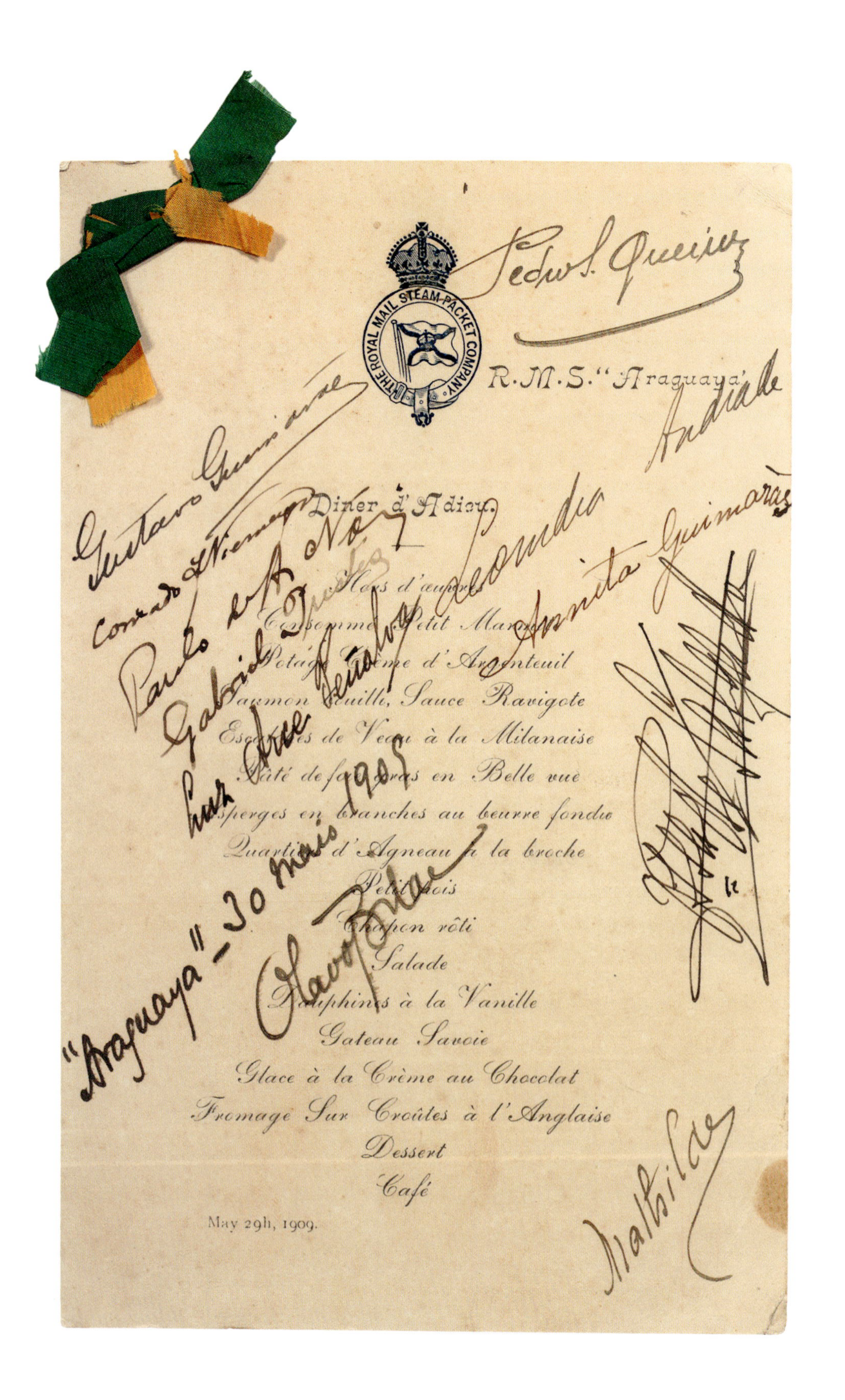

THE ROYAL MAIL STEAM PACKET COMPANY

R.M.S. "Araguaya"

Diner d'Adieu.

Hors d'œuvres

Consommé Petit Ma[illegible]

Potage Crème d'Argenteuil

Saumon Bouilli, Sauce Ravigote

Escalopes de Veau à la Milanaise

Pâté de foie gras en Belle vue

Asperges en branches au beurre fondu

Quartier d'Agneau à la broche

Petits pois

Chapon rôti

Salade

Dauphines à la Vanille

Gateau Savoie

Glace à la Crème au Chocolat

Fromage Sur Croûtes à l'Anglaise

Dessert

Café

May 29h, 1909.

"Araguaya" – 30 maio 1909

CARDÁPIO DO JANTAR DE DESPEDIDA (*DINER D'ADIEU*) A BORDO DO NAVIO A VAPOR *ARAGUAYA*, DA *ROYAL MAIL STEAM PACKET COMPANY*. 29.5.1909. 13 x 19,5 CM.

No *menu* figuram as assinaturas de alguns passageiros presentes no jantar de despedida. Olavo Bilac, a 30 de maio, dia seguinte ao banquete, deixou de próprio punho a informação "Araguaya, 30 de maio 1909". No verso do cardápio, a indicação da rota "Brasil e Rio da Prata" e as tarifas das bebidas e charutos, cobrados à parte.

BRAZIL AND RIVER PLATE ROUTE.

CHAMPAGNE

	Bot. s. d.	½-Bot s. d.
Moët & Chandon, Vintage	12 0	6 6
Pommery & Greno, Ex. Sec	12 0	6 6
Lanson, Père et fils, Vint.	12 0	6 6
G. H. Mumm, Vintage ...	10 0	5 6
Heidsieck, Dry Monopole Vintage	12 0	6 6
Cordon Rouge	15 0	8 6
Ayala, Vintage	10 0	5 6

	Bot.	½-Bot.	¼-Bot.
Sparkling Muscatel, "Big Tree" Brand	5 0	2 9	1 6

CLARET & BURGUNDY

	Bot.	½-Bot.
Château Latour	5 0	2 9
Do. Margaux ...	6 0	3 3
Médoc	2 6	1 6
Bordeaux	1 6	—
Collares Portuguese, Red and White	1 6	—
Rioja, Spanish	1 6	—
Burgundy, Beaune... ...	4 0	2 3

SAUTERNE

	Bot.	½-Bot.
Château Y'quem, Vin. 1888	5 0	2 9
Graves	2 0	1 3
Do. Dry	1 6	—

HOCK & MOSELLE

	Bot.	½-Bot.
Still Hock	4 6	2 6
Still Moselle	3 6	2 0
Bucellas, Portuguese ...	2 0	1 0
Sparkling Moselle ...	6 0	3 3

PORT & SHERRY

	Bot.	Glass
Pale Dry Sherry... ...	3 0	0 6
Fine Old Port	4 0	0 6
Do. do. ½-Bots. ...	1 0	—

LIQUEURS

Vermouth (French and Italian), Cherry Whisky, Sloe Gin per Glass 0 6
Green Chartreux... ... ... per liqueur glass 0 8
Bénédictine, Yellow Chartreux, Crême de Menthe, Curaçao, Cherry Cordial, Kümmel, Maraschino 0 6

SPIRITS

	Bot.	Glass
Otard's Very Old Liqueur Brandy, 1865, per small bottle 2/-	12 6	1 0
Hennessy's *** Brandy	6 0	0 6
Otard's *** Brandy ...	6 0	0 6
Irish Whisky	4 0	0 6
Gin or Rum	3 0	0 6
Scotch Whisky	4 0	0 6

Ale and Stout, per bot. 6d.
Lager Beer, English or German, per bot. 6d., splits, 3d.;
Lager Beer on Draught, 3d. and 6d. per glass.

MINERAL WATERS

Soda Water, large 6d.
Do. small 3d.
Tonic Water, large 6d.
Do. small 3d.

Vichy Water, 1/-; Lerez Water, 6d.; Ginger Beer, 4d.; Perrier Water, Rosbach, Apollinaris, Lemonade, Ginger Ale and Dry Ginger Ale, 6d., split Apollinaris and Lerez Water, 4d.

CIGARS, CIGARETTES & TOBACCO

Cigars—Havana, 4d., 6d., & 1/-; Bahia, 4d. Cigarettes—Nestor Gianacli's or Teofani's, 1d. each or 7/6 per 100; Savory's 2/6 per 50; Three Castles, 1/6 per 50; South American, 6d., 9d. or 2/- per packet.
Tobacco—Pioneer and Capstan, 5/- per lb.; Glasgow Mixture, 6/- per lb.

A empresa francesa Compagnie Internationale des Wagons Lits et des Grands Express Européens (CWL) foi fundada em 1884 e definiu um padrão de alta sofisticação nas viagens ferroviárias, lançando serviços famosos como o Orient-Express, o Nord Express e o Sud Express. A exemplo do que se pode observar no *menu* do jantar aqui reproduzido, oferecido no *voiture-restauran*t de um trem luxo que fazia o trajeto Sud-Express, ligando Paris a Portugal e Espanha, a CWL oferecia aos seus passageiros, sob a forma de anúncios impressos no cardápio, os serviços de uma ampla cadeia de hotéis em grandes cidades europeias.

PP. 231-238
CARDÁPIO DO VAGÃO-RESTAURANTE DO SERVIÇO *LUXE SUD-EXPRESS* OFERECIDO PELA *COMPAGNIE INTERNATIONALE DES WAGONS LITS ET DES GRANDS EXPRESS EUROPÉENS.* S/D. 13,5x22 CM.

Compagnie Internationale

DES

WAGONS-LITS

ET DES

GRANDS EXPRESS EUROPÉENS

MENU

TARIF & CARTE GÉNÉRALE DES VINS

Voiture-Restaurant

LUXE SUD-EXPRESS

EN ESPAGNE ET EN PORTUGAL

S'adresser pour les places à réserver ou pour tout ce qui touche à l'organisation de cette ligne aux agences de :

PARIS, 3, place de l'Opéra. Elysée-Palace Hôtel (Ticket-Office), Grand-Hôtel (Ticket-Office), Hôtel Continental (Ticket-Office), Terminus-Hôtel (Ticket-Office).
LONDRES, 20, Cockspur Street Trafalgar Square, 36, Leadenhall street and inside Victoria and Charing Cross stations.
BORDEAUX, Hôtel Terminus, à la gare de Bordeaux Saint-Jean et à l'Agence Lubin, 30, cours de l'Intendance.
DAX, M. Labèque 11, rue des Carmes.
BIARRITZ, Agence de la Cie, place de la Mairie, 17 et 19.
IRUN (Hendaye), à l'hôtel Imatz et à l'agent de la Compagnie à la gare.
SAN SEBASTIAN, M. Francisco Jornet, Calle de la Alameda, 15.
MADRID, Calle de Alcala, nº 18 (Equitativa) et dans les gares.
LISBONNE, Rua do Principe et au Contrôleur de la Compagnie, à la gare.

Mod. 26. Avril 1904.

Livorno - Arturo Vaccari
PREMIATO-DISTELLERIA

RHUM St-JAMES

« St-James, ce prestigieux pays des Antilles, est le lieu d'origine des premiers rhums du Monde. »

PARIS GRAND HOTEL
800 Chambres

Brasserie de St-Germain-en-Laye
LA ROSE BLANCHE
Fournisseur de la Cie Internationale des Wagons-Lits, de la Cie Générale Transatlantique, des Chargeurs-Réunis, etc.
Médailles d'Or aux Expositions universelles : Paris, 1878
Melbourne, 1888
Hors Concours, Membre du Jury : Exposition Universelle. Paris 1889
DÉPOT A PARIS : 160, Rue Cardinet

KARLSBAD
Savoy Westend-hotel et Villa Cléopatra
First class hotels — A. Aulich et G. Nungovich

CHAMONIX (Hte-Savoie)
GRAND HOTEL MODERNE ET VICTORIA
ASCENSEUR — Ouvert le 1er Juillet 1903 — TÉLÉPHONE
F. PETIT-JEAN, Propriétaire

Norddeutscher Lloyd, Bremen

Brême-New-York
Brême-Baltimore
Brême-Galveston
Gênes-New-York
Brême-Brésil
Brême-La Plata
Brême-Asie-Orientale
Brême-Océanie
Brême-Autour du monde
Carte du Monde portant le tracé des lignes du Norddeutscher Lloyd voir Sleeping-Car.
Prospectus richement illustrés
Dans toutes les Voitures de la Compagnie Internationale des Wagons-Lits

THE AMERICAN, First class, Family hôtel
PARIS — 19, Avenue Friedland (Étoile, Champs-Élysées)
Electricity-Lift, Baths, moderate Terms

Champagne PIPER-HEIDSIECK Reims
Ancne Mon HEIDSIECK FONDÉE EN 1785. KUNKELMANN & Cie Succrs

PÉRA-PALACE (Constantinople)

CARTE DES VINS - WINE LIST

MM. les voyageurs sont informés qu'ils peuvent se procurer les Vins de la Compagnie, tant en gros qu'au détail, en s'adressant aux Caves et Entrepôts de la Compagnie, 17, rue de Clichy, à Saint-Ouen (Seine).

AVIS — Il est perçu un droit de bouchon de 1 peseta aux voyageurs apportant leur vin dans nos voitures

AVIS. — MM. les voyageurs sont priés, dans leur intérêt, de bien vouloir soulever leur verre au moment où ils le remplissent.

MM. les voyageurs qui désirent emporter les bouteilles sont avisés qu'une somme de C.25 est à payer en plus des prix indiqués sur le présent tarif.

	Espagne		Portugal	
	bout. Pts	1/2 b. Pts	bout. Reis	1/2 b. Reis
VINS D'ESPAGNE (En Espagne)				
Rouges Marquis de Riscal	5 »	3 »	—	—
— Rioja Médoc	3 50	2 »	—	—
Blancs Rioja Graves	3 50	2 »	—	—
VINS DE PORTUGAL (En Portugal)	1/2 b.	1/4 b.	1/2 b.	1/4 b
Rouges Collarès	—	—	450	250
— Porto	3 50	2 »	700	400
Blancs Collarès vieux	—	—	800	400
VINS DE LIQUEURS	1/2 b.	1/4 b.	1/2 b.	1/4 b.
Florio Marsala	3 50	2 »	700	400
— Sherry doré	3 50	2 »	700	400
Biscuits Fradin et Chatelain la boîte	30 Pts		60 Reis	
VINS DE BORDEAUX (rouges)	bout.	1/2 b.	bout.	1/2 b.
Margaux	5 »	3 »	1000	600
VINS DE BORDEAUX (blancs)				
Graves supérieur	5 »	3 »	1000	600
Vins recommandés par la Compagnie				
Pontet-Canet	7 »	—	1400	—
Château-Léoville	8 »	—	1600	—
Château-La-Tour-Blanche	8 »	4 50	1600	900

N. B — Les Caves de la Compagnie à Paris, Madrid, Lisbonne, Bruxelles, Bâle, Francfort, Bucarest et Rome, expédient les vins en bouteilles et en barriques aux clients qui le désirent.

Berliner Hôtel Gesellschaft

Hôtel "DER KAISERHOF" BERLIN

Am Wilhelmsplatz

Maison de tout premier ordre, meilleure situation
chambre a partir de Mk. 3,50

NICE - Riviera Palace - NICE

Paris - Elysée Palace Hôtel - Paris

LUCHON. - *Grand Hôtel SACARON*

Ah! Ah! l'acide urique !!
pincé !... enfoncé !!... noyé !!!

VITTEL

La **Grande Source**
est l'eau de table et de régime
des **ARTHRITIQUES.**

GRENOBLE (Dauphiné)

GRAND HOTEL

Jardin THIBAUD, Prop.

Bains et application de boue sulfureuse naturellement chaude. Tous bains thermaux. Hôtels élégants. Cures d'hiver contre les rhumatismes, la goutte et les affections nerveuses. Prospectus gratis, s adresser à la Direction.

ST-LUCAS-BAD
Budapest

SAINT-GALMIER

Sources Romaines

AUTORISÉES PAR L'ÉTAT
Arrêté Ministériel du 2 Août 1889
Eau extra-limpide, extra-gazeuse, inaltérable d'un goût très agréabl
LA MEILLEURE DE TOUTES LES EAUX DE TABLE
pour maintenir ou pour rétablir les fonctions de l'estomac

AUTOMOBILES et GARAGE
SCHRADER & Cie
51. Avenue de la Grande-Armée. PARIS

Hunyadi János

LA MEILLEURE EAU PURGATIVE NATURELLE.
En vente par bouteille d'origine chez les
pharmaciens, droguistes et dans tous les wagons-lits.

BERLIN - Hôtel MINERVA

68a Unter den Linden

Vorzügliche Lage. Zimmer von Mk. 3 an

TARIF DES REPAS

	Espagne pesetas	Portugal reis
1er Déjeuner, Café, Thé ou Cacao Van Houten avec lait, pain et beurre	2 »	400
Déjeûner (Vin non compris)	5 »	1.000
Dîner (Vin non compris)	7 »	1.400

DEJEUNER	DINER
Hors-d'œuvre	Potage
Œufs	Hors-d'œuvre
Viande chaude et garnie	Poisson
Légumes verts	Deux plats de viande
Viande froide	Légumes
Salade	Salade
Dessert	Dessert

N.-B. — Les Enfants paient plein tarif

REPAS A LA CARTE

	Espagne pesetas	Portugal reis
Couvert	» 50	100
Pain et beurre	» 50	100
Consommé ou Hors-d'œuvres	1 »	200
Sandwichs	1 25	250
Poisson ou viande chaude garnie	2 50	500
Œufs ou omelette (3 œufs)	1 »	200
Poulet	3 »	600
Viande froide	2 »	400
Légumes	1 25	250
Salade	» 75	150
Fromages divers	» 75	150
Fruits, Confitures	» 75	150
Biscuits (Fradin et Châtelain)	» 30	60
Café noir	» 50	100
Thé (Terrabona Tea Cy Lted) simple	1 »	200
Cacao (Van Houten)	1 »	200
Lait	1 »	200
Grog	1 »	200
Citronnade ou Orangeade	1 »	200

PARK HOTEL – Dusseldorf

Maison de tout premier ordre située dans le quartier le plus aristocratique (Cornelius Platz), aménagée avec le plus grand confort moderne.

CHAMPAGNE A. & G. LEMAITRE, AY. – M. C. BEAUPERE, PARIS
368, rue Saint-Honoré.

Nice
Riviera Palace
Monte-Carlo

Eau de Vichy
Dans les Wagons-Restaurants **Célestins**

Wm Lanahan & Sons
HUNTER
BALTIMORE RYE
(THE GENTLEMANS WHISKY)
Served by the glass or sold by the bottle, on all'cars of the International Sleeping and Dining Co
A. A. BAKER & Co
LONDON E. C. EUROPÉAN AGENTS
Représentant pour la France, la Belgique et la Suisse **Ch. LAINÉ**, 59, rue Dulong, Paris.

Englischer Garten. WIEN. K. K. Prater
Sommer-Etablissement « VENEDIG ».
Opérettes. — Variétés. — Concerts Vergnuegungen aller Art. — Taeglich geoeffnet bis 3 Uhr Frueh.

GRAND HOTEL WEBER ANVERS

Avenue de Keyser, 1 et 3 (*près la Gare Centrale*)

Lift; Lumière électrique; Chauffage central; Appartements et Chambres avec bains. Grand confort; Maison de 1er ordre.

N. WEBER, PROPRIÉTAIRE.

Cie Internle des Wagons-Lits et des Grands Express Européens

LUXE SUD-EXPRESS

MENU

du Dîner

Consommé au Tapioca
Hors-d'œuvre
Maquereaux grillés M. d'Hôtel
Sauté de veau Printanière
Haricots verts panachés
Poulet de grain rôti au cresson
Salade
Entremets Fromages Fruits.

N.B. — Le Vendredi repas maigre sur demande

OLAVO BILAC

Les Agences de la Compagnie ainsi que les Conducteurs de Voitures ou Chefs de trains sont autorisés à prendre des commandes de ces Vins.

The Company's Agents, and Conductors, are authorised to take orders for these Wines.

MONTEBELLO

Maison
à New-York
127
Broad Street
Maison
à Paris
J. LECOCQ
22
Rue de la Michodière
Londres
GRAINGER ET SON
21, Mincing Lane
Hambourg
Oskar WAGNER
77, Rödingsmarkt

CHAMPAGNE

Alfred DE MONTEBELLO & Cie

DU CHATEAU DE MAREUIL-SUR-AY

Fournisseur de la Compagnie Internationale des Wagons-Lits et des Grands Express Européens, de la Compagnie Générale Transatlantique, des Chargeurs-Réunis, North German-Lloyd, etc.

Imp. Centrale de la Bourse, ALCAN-LÉVY, 117, rue Réaumur. Paris, 2e

Nas viagens realizadas na América do Sul e Europa, Olavo Bilac recolheu alguns *menus* de cafés, restaurantes, e hotéis que conheceu, incorporando-os à sua coleção. Estão aqui reproduzidos exemplares desses cardápios, alguns confeccionados em maior formato — diferentes daqueles *menus* impressos para os banquetes oficiais —, outros apresentando elevado padrão de qualidade na impressão.

CARDÁPIO DE JANTAR A PREÇO FIXO. *MENU* ARTÍSTICO, IMPRESSO PELA ASSOCIAÇÃO DE ARTISTAS DE KARLSRUHE. ALEMANHA. S/D. 12x20 CM.

PP. 241-244
CARDÁPIO BILÍNGUE DE ALMOÇO
SERVIDO NO RESTAURANTE
SPEISEN KARTE. MAIPÚ, ARGENTINA,
28.10.1900. 42 x 32,5 CM.

P. 245
CARDÁPIO DE ALMOÇO SERVIDO
NO RESTAURANT DEL FERRO
CARRIL DEL SUD. ARGENTINA,
2.11.1900. 20,5 x 36,5 CM.

Speisen Karte

Restaurant Ersten Ranges

Luzio Hnos

San Martin esq. Piedad

Sucursal Maipú esq. Cuyo

Domingo

Astrachan Caviar 1.00 Salpicon
Salpicon

Frühstück

VORSPEISEN

Butter 10, Anchois 40, Sardinen....	45
Sardellen 40, Caviar..	70
Salzgurken 20, Aal in Gelée ..	40
Marinirter Hering	40
Kieler Sprotten....	45
Gesalzener Hering	40
Lachs in Oel 50, Thunfisch....	40

KALTE SPEISEN

Sortirter Aufschnitt	50
Gänsebrust $ 1, Schweinssauer	40
Henne in gelée 60, Galantine.	40
Entensauer, Truthahnsauer	40
Corned beef, Rauchfleisch	40
Schweinsrippen ..	40
Westphälischer Schinken.	60
Gekochter Schinken....	50
Roastbeef 40, Kalbsbraten	40
Enten, Kücken 50, Truthahn...	60
Hamburger Wurst	60
Cervelat, Leber u. Blutwurst..	40
Zunge 40, Milchschwein ..	60
Gänseleberpastete	80
Eisbein, Lammsbraten	40
Wildpretpastete ..	60

SALAT

Heringssalat, Russischer Salat	30
Rote Beet-Salat, Grüner Salat	20
Kartoffelsalat, Englischer Salat	30

MINUTES

Beefsteak Bismarck ..	50
» Tartar.	50
» Bier-Convent	50
Hamburger Beefsteak	45
Rumpsteak, Chateaubriand	50
Hammelfilet á la Rossini.	80
Chateaubriand á la Luzio	80
Hammelcoteletten á la Nelson	75
Lammscoteletten á la Carême	90
Hammelcoteletten	40
Doppelte Hammelcoteletten	40
Schweinecoteletten.....	40
Panirte Kalbscoteletten	40
Entrecôte 60, Knackwurst	20
Entrecôte Casserole....	80
Bratwurst, Blutwurst..	40
Frankfurter Wurst	60
Mutton-chop, Churrazco....	40
Schweinepfoten, Andouillettes	40
Leber, Nieren, Hirn ..	35
Wiener Schnitzel	70
Würste mit Sauerkraut	50
Geflügelleber á la Richelieu....	75
Nieren á la Stuart	70
Huhn á la Casserole.	80

EIERSPEISEN

Eierkuchen 35, Pfannkuchen ..	25
Omelette mit Compot	45
Omelette soufflée	80
Pfannkuchen mit Früchten	40
Schweizer Pfannkuchen....	35
Gekochte Eier	30
Rühreier 35, mit Tomate..	50
Spiegeleier, Verlorene Eier	35
Eier mit Schinken	70
Eier á la Sarah Bernhardt	80
Eier á la Rossini	80
Eier á la Malibrand..	$ 1 00
Eier á la Richelieu....	75
Welsh Rarebit	70
Apfelschnitte gebacken	50

$ m/n

SUPPEN

Nierensuppe ... Gemüsesuppe ... 2
Nudelsuppe .. 20, Fleischbrühe ... 1

FISCHE

Frische Krabben ...
Fischmayonnaise 50, Gebackene Pejereyfilets ... 3
Gebackene Weissfischchen ...
Meerbrasse m/ brauner Butter Mero ...
Corbina sauce hollandaise Palometa ...
Gebackene Seezunge ...
Frischer Europäischer Hering ...
Froschschenkel 80, Miesmuscheln vom Feuerland ... 6

TAGESGERICHT

Empanadas
Irish stew ...
Lazagnettes au jus ...

ENTRÉES

Rindfl. m. Gemüse 40, Gekochte Henne m. Gemüse ... 6
English Roast-beef ... 4
Hühnerklein m/ jung. Erbsen
Rinds-Schnitzel Charcutière
Blutwurst m/ Kartoffelbrei
Rühreier m/ Parmesan

GEMÜSE

Spinat 25 Artischoken. Blumenkohl
Frische junge Erbsen. Grüne Bohnen
Frische Spargel ...

BRATEN

Rinderbraten auf dem Roste, Matambre ... 4
Hühner, Tauben, Rebhühner ... 6
Becasas $ 1.00, Schnepfen ... 7
Pariser Zwieback

NACHTISCH

Vanille Eis 30 Apfel Torte ...
Schlagsahne 40, Plum-pudding mit Rhum ... 5
Milchreis mit Pflaumen 50, Yema Quemada ... 4
Huevos quimbos ... 3

COMPOT

Kronsbeeren 50, Quitten	30	Aprikosen 30, Pfirsiche.	40
Aepfel, Birnen.	30	Pflaumen 35, Guayaba..	50

KÄSE

Emmenthaler, Pâtegras.	40	Gervais 40, Brie	3
Chester 50, Mainzer	40	Holländischer, Moroköse	4
Camenbert, Pont l'Evêque....	30	Echter Camenbert....	60
Gorgonzola, Copiapó	40	Früchte der Jahreszeit.	
Limburger	50		

Las reclamaciones deben hacerse á la ca

28 de Octubre 1908

...de Volaille 50. Caviar d'Astrakan
...de Boeuf 40

Dêjeuner

	$ m/n
POTAGES	
Kidneys soup ... Cultivateur	20
Petit dés ... 20, Consommé	15
POISSONS	
Crevettes fraiches	70
Mayonnaise de poisson 50, Filets de Pejerey frit	35
Friture de Goujons	35
Raie au beurre noir. Mero Salmonete	40
Courbine sauce hollandaise	40
Sole frite	60
Hareng frais d'Europe	60
Grenouilles sautées 80, Moules d'Ushuaia a la criolla 40	60
PLAT DU JOUR	
Mouton a l'Irlandaise	40
Lazagnettes au Jus	40
ENTRÉES	
Bœuf garni 40, Poule au pot	60
English Roast-beef	40
Abatis de Volaille petit pois	50
Emincé de Boeuf Charcutière	45
Boudin grillé purée de pommes	45
Oeufs brouillés Parmesan	45
LÉGUMES	
Epinards 25 Artichaut. Chou fleurs	30
Petit pois frais. Haricots vert	40
Asperges fraiches	60
RÔTIS	
Rôti grillé, Matambre	40
Poulet, Pigeons, Perdreaux	60
Bécasses $ 1.00, Bécassines	70
Gallette Parisienne 30	
ENTREMETS	
Tartes aux pommes 30 Glace Vanille	30
Crême chantilly 40, Plum-pudding au Rhum	50
Riz Condé 50, Yema quemada	40
Œufs quimbos	30

CONFITURES

Kronsbeeren 50, Coings	30	Abricots 30, Pêches	40
Pommes, Poires	30	Prunes 35, Guayaba	50

FROMAGE

Emmenthal, Pâtegras	40	Gervais 40, Brie	35
Chester 50, Mayence	40	Holande, Queso del Moro	40
Camenbert, Pont l'Evêque	30	Camenbert d'Europe	60
Gorgonzola, Copiapó	40	Fruits de saison	
Limbourg	50		

HORS D'ŒUVRE

Beurre 10, Anchois 40, Sardines	45
Sardelles 40. Caviar	70
Cornichons 20, Anguille en gelée	40
Hareng mariné	40
Kieler Sprotten	45
Hareng salé	40
Saumon à l'huile 50, Thon	40

FROIDS

Viande assortie	50
Poitrine d'oie $ 1, Porc en gelée	40
Poularde en gelée 60, Galantine	40
Canard en gelée, Dinde en gelée	40
Corned beef, Viande fumée	40
Côtes de porc	40
Jambon de Westphalie	60
Jambon cuit	50
Roastbeef 40, Veau rôti	40
Canard, Poulet 50, Dinde	60
Saucisson d'Hambourg	60
Saucisse de foie, Boudin	40
Langue 40, Cochon de lait	60
Pâté dé foie gras	80
Jambonneau, Agneau rôti	40
Pâté de chevreuil	60

SALADES

D'hareng, à la Russe	30
Betterave, Laitue	20
De pommes 25, à l'Anglaise	30

MINUTES

Beefsteak Bismarck	50
» Tartar	50
» Bier-Convent	50
» Hambourgois	45
Rumpsteak, Chateaubriand	50
Filet Mignon à la Rossini	80
Chateaubriand à la Luzio	80
Côtes de mouton à la Nelson	75
Côtes d'agneau á la Carême	90
Côtelette de mouton	40
Côte double	40
Côte de porc	40
Côte de veau milanaise	40
Entrecôte 60, Chorizos	20
Entrecôte Casserole	80
Saucisse blanche, Boudin	40
Saucisse de Frankfort	60
Mutton-chop, Churrazco	40
Pieds de porc, Andouilletes	40
Foie, Rognons, Cervelles	35
Filet de veau à la Viennoise	70
Choucroûte garnie	50
Foie de volaille à la Richelieu	75
Rognons à la Stuart	70
Poulet à la Casserole	80

PLATS A ŒUFS

Omelette 35, Crêpes	25
Omelette à la confiture	45
Omelette soufflée	80
Crêpe aux fruits	40
» suisse	35
Œufs à la coque	30
» brouillés 35, aux tomates	50
» au plat, Œufs pochés	35
Jambon à cheval	70
Œufs á la Sarah Bernhardt	80
» à la Rossini	80
» à la Malibrand	$ 1 00
» à la Richelieu	75
Welsh Rarebit	70
Beignets de pommes	50

...ara que sean atendidas inmediatamente.

VINOS DE BURDEOS

TINTOS

	Botella ½	Botella 1/1
	$ m/n	
Côtes supérieures	0.70	1.40
Médoc	0.70	1.40
Recommandé	1.00	2.00
Cussac-Médoc	0.80	1.60
St. Jacques.	0.80	1.60
Saint Estèphe	1.20	2.30
Saint Emilion	1.30	2.40
Pauillac	1.30	2.50
Saint Julien	1.50	3.00
Cantenac	1.50	2.90
Margaux	1.90	3.70
Pontet Canet	2.10	4.00
Chât Margaux	2.60	5.00
» Léoville	4.20	8.00
» Pontet Canet	3.10	6.00
» Biré	1.80	3.50
» Duplessy	2.60	5.00
» Lafitte	4.80	9.00
» Lafitte 1878	—	14.00
» Larose	4.80	9.00
» Palmer	2.60	5.00
» La Treille	1.20	2.00
» Latour	—	14.00
» Camponac, 1893	3.00	6.00
» Mouton Rotschild	6.00	12.00

BLANCOS

	½	1/1
Grave	1.00	2.00
Barsac	1.30	2.50
Sauternes	2.00	4.00
Haut Barsac	3.00	6.00
Haut Sauternes	3.60	7.00
Château Greteau	1.30	2.50
» Yquem	3.60	7.00
Olivier, 1893	3.00	6.00

Vinos del Rhin y Mosela

BLANCOS

	½	1/1
Moselwein	1.00	2.00
Zeltinger	3.30	6.00
Laubenheimer	1.60	3.00
Hochheimer	—	5.00
Niersteiner	2.60	5.00
Liebfrauenmilch	3.20	6.00
Rauenthaler Berg	—	10.00
Rüdesheimer Berg	—	10.00
JohannesbergerSchloss	—	12.00
Scharlachberger	3.60	7.00
Forster Engerweg	3.20	6.00
Piesporter	2.60	5.00
Steinwein, alter	—	9.00
Wachenheimer	—	6.00
Eeidesheimer Riesling.	—	6.00
Forster Jesuitengarten.	—	7.00
Bernkastler Doctor	—	6.50

VINOS DEL RHIN

TINTOS

	½	1/1
Oberingelheimer	1.50	3.00
Assmannshäuser Hinterkirch	1.80	3.50
Zeller	—	6.80
Elsasser Burgunder	—	5.00

VINOS SUIZOS

BLANCOS

	½	1/1
Dezalez	1.20	2.30
Ivorne	1.50	3.00

VINOS SUIZOS

TINTOS

	Botella ½	Botella 1/1
	$ m/n	
Montagna	1.00	2.00
Sassella	2.30	4.00
Grumello	1.90	3.50
Inferno	2.00	4.00

VINOS ARGENTINOS

	½	1/1
Alto Mendoza (tinto)	0.60	1.20
Cordero	—	2.00
Trapiche (tinto)	0.60	1.20
Trapiche (blanco).	0.75	1.50

VINOS HÚNGAROS

TINTOS

	½	1/1
Vilány	0.85	1.70
Perla del Danubio	1.00	2.00
Vöslauer.	1.50	3.00
Ofener Adelsberg.	3.00	6.00
Château Palugyay	2.60	5.00

BLANCOS

	½	1/1
Ruszter Ausbruch, dulce	—	5.00
Pressburger (Chateau	—	5.00
Paluguay), seco	2.60	5.00
Tokayer (Imperial)	—	7.00
Vösslauer auslese	1.80	3.50
Tokayer Ausbruch dulce y seco	—	6.00
Vilany Cabinet, seco	2.30	4.50

VINOS DE BORGOÑA

TINTOS

	½	1/1
Volnay	2.60	5.00
Beaune	2.00	4.00
Chambertin	4.20	8.00
Pommard	3.00	6.00
Nuits	2.80	5.50
Corton	2.80	5.50
Chablis (blanco)	1.80	3.50
Savigny 1886	—	12.00
Macon Louis Latour	1.50	3.00
Beaujolais » »	1.25	2.50

VINOS ITALIANOS

TINTOS

	½	1/1
Ricomandé Italien	0.80	1.60
Chiaretto	0.70	1.40
Barbera vecchio	1.30	2.50
Chianti Caselli	1.50	3.00
» Pomino	2.60	5.00
» Carmigniano	1.50	2.80
» E. Tafani.	1.50	3.00
» Ernesto Mori	1.50	3.00
Grignolino	1.50	2.80
Marsala	—	3.00
Gattinara.	1.50	2.80
Barolo	1.50	2.80
Valpollicella Extra	1.40	2.80
Tauraso	1.00	2.00
Barolo vecchio	2.00	4.00

BLANCOS

	½	1/1
Moscato	—	2.80
Spumante Asti	—	3.50
Grand Spumante Champagne	—	5.00

CHAMPAGNE

	Botella ½	Botella 1/1
	$ m/n	
Veuve Clicquot Ponsardin	5.50	10.00
G. H. Mumm & Cie.	5.50	10.00
Pommery Greno	5.50	10.00
Louis Roederer	5.50	10.00
Cenry Clicquot	5.50	10.00
Möet & Chandon	5.50	10.00
Cordon Rouge très sec	6.00	11.00
Cordon Rouge Magnum	—	21.00
Pieper Heidsieck	5.50	10.00
Heidsieck Monopol	5.50	10.00
George Goulet	5.50	10.00
Champagne du Valais	—	8.00
Grand Impérial Chs, Farre	6.50	11.00
Ayala	5.50	10.00
Duc de Montebello	5.50	10.00
Grande Tizane Luzio	3.00	9.00
Teophile Rœderer.	5.50	10.00
Kaiser-Sect	—	6.00
Sparckling Hock	—	6.00
Moscato Champagne	—	5.00
» Regina	—	4.00
Cuvé espèciale de la maison Luzio	4.50	8.00
Moussirender Hocheimer	—	6.00

OPORTO

	½	1/1
Genuino—1863—	—	5.00
Blanco	—	6.00
Particular B. B	—	8 00
Reservé—1834—	—	10 00
Oporto Oscuro	—	5.00
Oporto Superior	—	8.00
Oporto Dom Luiz.	—	8.00
Oporto 1847	—	8.00
Duque	—	8.00

JEREZ

	½	1/1
Oro seco	—	5.00
Very-pale	—	6.00
Amontillado Inglaterra	—	8.00
Solera Fragante	—	7.00
Moscatel Reina de España	—	7.00
Manzanilla	—	6.00
Madera	—	6.00
Málaga	—	4.00

VINOS DE ESPAÑA

	½	1/1
Priorato	0.60	1.20
Don Pepe	1.00	2.00
Riojano	0.70	1.40
Sidra Imperial	1.50	3.00
Sagardua.	1.00	1.80
Sidra Champagne.	1.00	1.80

VINOS DE CHILE

	½	1/1
Château Errázuriz Panquehué.	1.50	2.80
Subercaseaux		
Macul-Cousiño, VERDOT	1.60	3.-

LIT. GUNCHE WIEBECK Y TURTL. PIEDAD 576 B. A.

RESTAURANT

DEL FERRO CARRIL DEL SUD

Menú

Dejeuner du 2 de Novembre 1901

Hors d'Oeuvre

	PRIX
Sardines á l' huile	40
Salade d'anchois	50
Thon á l' huile	50
Saumon	40
Paté de Strasbourg	60
Caviar	60

Froids

	PRIX
Jambon d' York	60
Jambonneau	30
Côte de porc	40
Saucisson Milan	40
Roast-beef	30
Galantine de volaille	60
Dinde	60
Poulet 1/4	40
Perdreau en escabeche	40
Langue de la maison	35
„ de Campana	40
Mayonnaise aux choix	

Oeufs

	PRIX
Coque	25
Au plat	30
Omelette	30
Crêpes	30
„ confiture	40
Meyerbeer	50
Rossini	50
Richelieu	50

Potages

	PRIX
Végétal	25
Riz au gras	25
Consommé	15
Mock Tortue	25

Poissons

	PRIX
Filet de pejerey frit	30
Tourbine sc aux huitres	30
Sole au vert-pré à Védias	40
Truite à la mtre d'hôtel	60
Grenouilles Lyonnaise	50

Entrées

	PRIX
Bœuf garni	30
Poule au pot	60
Beef Steak Bismark	45
Tête de veau vinaigrette	35
Cotes de porc poêlées purée de pommes	50
Cervelles au beurre noir	35
Gras double aux petits pois	35
Canard au cresson	50
Bécassines bardées	50

Légumes

	PRIX
Asperges	70
Artichauts	40
Petits pois	40
Haricots Verts	35

Rotis

	PRIX
Poulet	40
Roast-beef	30
Agneau	30
Churrasco 35 Matambre	30
Foies de volaille	40

Minutes

	PRIX
Châteaubriand	50
Filet	40
Entrecôte	50
Beef-Steak	40
Rump-Steak	40
Rôti grillé	40
Côtes de veau	40
„ „ mouton	35
„ „ agneau	35
Mutton chop	35
Porc chop	35
Saucisses Oxford	60

Volaille

	PRIX
Poulet 1/4	40
Dinde	60
Canard	50

Entremets

	PRIX
Pruneaux au jus	50
Oeufs Quimbos	30
~~Riz au lait~~ Pudding	30
Biscuit roulé	30
Fraises	60

Fromages

	PRIX
Gruyère	40
Chester	40
Gorgonzola	40
Copiapó	40
Camembert d'Europe	50

Confitures

	PRIX
Guayaba	40
Coing	30
Huevos Quimbos	30
St. James	50
Crosse & Blackwell	40

OLAVO BILAC

TACITUS·AM·RHEIN
Als er am anderen Morgen
Sich seinen Jammer besah,
Da schrieb er aus Wut und Rache,
In die Germania:
Die alten Deutschen, sie wohnen
Auf beiden Seiten des Rheins,
Sie liegen auf Bärenhäuten
Und trinken immer noch eins.

Rathsweinkeller zu Hamburg

HAMBURG, 10. Februar 1903.

Diner à 3 Mark

von 2—7 Uhr.

Amerikanische Okrasuppe
Erbsensuppe auf deutsche Art
Consommé Ravioli

Filets von Barbue nach Morney

Frische Schweinskeule garniert
Bayrischer Kohl

Fasanen gebraten
Compot und Salat

Reispudding mit Fruchtsauce

Käse

TACITUS

M. DUMONT SCHAUBERG, KÖLN

Die alten Deutschen.

Sitz' ich in froher Zecher Kreise
Und nehm' das volle Glas zur Hand,
Trink' ich nach alter deutscher Weise,
Und nippe nicht nur an dem Rand!
Die Väter haben's uns gelehrt,
Wie man die vollen Humpen leert!
Denn die alten Deutschen tranken ja auch;
Sie wohnten am Ufer des Rheins
Und lagen auf der Bärenhaut
Und tranken immer noch eins!

Wer Bacchus und Gambrinus ehret,
Der lebt gar löblich in der Welt;
Dieweil uns die Geschichte lehret,
Dass beide waren hochgestellt!
Der eine wohl ein König war,
Der andere ein Gott sogar!
Und die alten Deutschen etc.

So lasset uns die Gläser heben
Und stimmet fröhlich mit darein;
Lasst Bacchus und Gambrinus leben,
Sie sollen hochgepriesen sein!
Doch auch der Väter sei gedacht;
Auch ihnen sei der Trunk gebracht!
Denn die alten Deutschen etc.

CARDÁPIO DE JANTAR A PREÇO FIXO SERVIDO EM RESTAURANTE ALEMÃO. HAMBURGO, 10.2.1903. 15x22 CM.

PP. 249-251
CARDÁPIO DE JANTAR SERVIDO
NO RESTAURANTE DO GRAND
HOTEL EM PARIS. MENU
A PREÇO FIXO (TABLE D'HÔTE).
PARIS, 8.6.1904. 13,5x21,5 CM.

OLAVO BILAC

VICHY CÉLESTINS

Diner du

Consommé à la Julienne

—•×•—

Turbot sauce Normande
Pommes Nature

—•×•—

Jambon d'York aux Epinards sauce Madère
Pain de Rouennais à la Gelée

—•×•—

Poulet nouveau en Cocotte
Salade de Saison

—•×•—

Asperges sauce Hollandaise

—•×•—

Aspic de Fraises à la Cambacérès

—•×•—

Gâteau Pont-Neuf
Petits Fours --- Fruits

Programme du Concert

1. *Marche des Gladiateurs* .... E. Tavan
2. *KOSTKI*, Ouverture .... Ch. Lecocq
3. *Fleur de Jeunesse* .... W. Dewin
4. *Les Inconstantes*, Idylle .... H. Strobl
5. *Gavotte de la Princesse* .... Czibulka
6. *MANON*, Trio, Violon, Violoncelle et Piano .... J. Massenet
7. *KOL NIDRÉI*, pour Violoncelle, M. BOURGEOIS .... Max Bruch
8. *Souffle d'Ivresse*, Impromptu .... Farigoul
9. *Sur la plage* .... Waldteufel
10. *Guard of Honour* .... Karl Kaps

—•/•—

Artistes des Concerts Lamoureux, Gabriel LEMAITRE, Chef d'Orchestre

Bouteilles et Demi-Bouteilles

Juin 1904

Maisons Recommandées

DEUTZ & GELDERMANN'S

"GOLD LACK" CHAMPAGNE

PARIS :
Caves du Grand-Hôtel
12, Boulevard des Capucines

LONDON :
J.-R. Parrington & C°
12, Crutchedfriars, E. C.

NEW-YORK :
G.-H. Arnold
51, Broard-Street

CAVES & PATISSERIE
DU
GRAND-HOTEL

Magasin Cour d'Honneur

LIVRAISONS A DOMICILE
DANS TOUT PARIS
PAR
Deux Services Quotidiens

EXPÉDITIONS
En Province & à l'Etranger
FRANCO D'EMBALLAGE
Par Caisses de 6, 12, 25, 36, 50 Bouteilles

1, Rue Auber, 1

AFTERNOON TEA

Grand Choix de Gâteaux
Petits Fours
Entremets, Glaces, etc.

Vins de Dessert

FIVE O'CLOCK TEA

Dépôt de Thés & de Pâtes d'Auvergne

CHAMPAGNE BULTEAUX PÈRE

Carte des Vins & Liqueurs

VINS EN CARAFE		la carafe	1/2 car
Rouge		» 60	» 30
Blanc		» 70	» 35

VINS ORDINAIRES		bouteille	1/2 bou.
Vin rouge		1 »	» 50
Bordeaux rouge		1 20	» 60
Bordeaux blanc		1 20	» 60

BORDEAUX ROUGES			
Bordeaux supérieur		1 50	» 75
Médoc		2 »	1 »
Saint-Emilion		2 50	1 25
Saint-Julien		3 »	1 75
Léoville	1898	4 »	2 25
Pontet-Canet	1895	5 »	2 75
Pomerol	1893	6 »	3 25
Pichon-Longueville	1895	8 »	»
Cos d'Estournel	1893	8 »	»

BORDEAUX BLANCS			
Graves		1 50	» 75
Graves supérieur		2 »	1 »
Sauternes		3 »	1 75
Barsac		4 »	2 25
Sauternes	1895	5 »	2 75
Haut-Sauternes	1890	7 »	»

TOURAINE			
Chinon	1898	2 50	1 25
St-Nicolas-de-Bourgueuil	1898	2 50	1 25
Chinon	1893	4 »	»
Vouvray Sec.	1898	4 »	»
Vouvray Mousseux		5 »	»

VINS DU RHIN			
Moselle	1898	3 »	1 75
Hochheimer	1893	8 »	»
Rauenthaler	1893	10 »	»
Liebfraumilch	1893	10 »	»

VINS DE DESSERT	le verre
Sherry extra sec	
Madère Blandy	
Xérès	
Muscat de Frontignan	» 50
Malaga	
Porto rouge	
Porto blanc	

BIÈRES & CIDRE	bouteille	1/2 bout
Brasserie Tourtel bière brune ou blonde	» 70	»
Bière Allsopp's Pale Ale	1 50	» 75
Bière Guinness's Stout	1 50	» 75
Limonade	» 60	» 30
Cidre	» 90	»

EAUX MINÉRALES		
Schweppe's Soda Water	»	» 50
Eau de Seltz	» 30	» 20
Couzan (*Source Brault*)	» 45	» 30
Saint-Galmier (*Source Badoit*)	» 45	» 30
Vichy Etat (*Célestins, etc.*)	» 90	» 60
Saint-Yorre	» 80	» 50
Evian (*Source la Croix*)	» 80	» 50
Vals (*Saint-Jean, etc.*)	» 90	» 60
Vittel	» 90	» 60
Source Perrier (*Eau gazeuse*)	» 90	» 60

BOURGOGNES ROUGES		bout	1/2 bout
Mâcon vieux		1 50	» 75
Thorins		2 »	1 »
Beaune		2 50	1 25
Beaune des Hospices	1896	4 »	2 25
Mercurey-Tramier	1898	3 50	2 »
Pommard	1898	4 »	2 25
Volnay	1898	4 »	2 25
Nuits	1895	5 »	2 75
Chambertin	1895	6 »	3 25
Corton	1895	7 »	3 75
Musigny	1893	7 »	3 75
Clos-Vougeot	1889	9 »	»

BOURGOGNES BLANCS			
Chablis		2 »	1 »
Pouilly		2 »	1 »
Chablis 1er	1898	2 50	1 25
Pouilly-Fuissey	1895	3 »	1 75
Chablis-Moutonne	1893	4 »	2 25
Meursault	1889	5 »	2 75
Montrachet	1885	6 »	3 25

CHAMPAGNES			
Tisane Prieur		5 »	2 75
Montebello Cordon noir		7 »	3 75
Montebello Carte bleue		10 »	5 50
Montebello Crémant Maximum sec		12 »	6 50
Montebello Crémant	1898	14 »	»
Moët et Chandon		10 »	5 50
Louis Rœderer		14 »	7 50
Pommery et Greno extra sec		14 »	7 50
Heidsieck Monopole sec		14 »	7 50
Heidsieck Dry Monopole		15 »	8 »
Veuve Clicquot Ponsardin demi-sec		14 »	7 50
Ayala et Cie, quality Dry		16 »	»

Tous les Vins sont servis rafraichis (frappés 1 fr. en plus)

LIQUEURS	le verre
Cognac, Rhum	» 30
Fine Champagne	» 50
Fine Champagne 1870	» 75
Courvoisier et Curlier	1 »
Armagnac très vieux	» 75
Rhum vieux	» 50
Kirsch	» 60
Marc de Bourgogne 1898	» 50
Calvados 1889	» 50
Old Tom Gin	» 50
Scotch Whisky John Dewars	» 50
Canadian Club Whisky	» 60
Eau-de-Vie Russe Popoff	» 50
Schiedam	» 60
Curaçao Simon	» 50
Curaçao Fockink	» 60
Anisette Fockink	» 60
Cherry Brandy Fockink	» 75
Anisette Marie Brizard	» 50
Prunelle Simon	» 50
Bénédictine	» 50
Kummel Eckau oo	» 50
Chartreuse jaune	» 60
Chartreuse verte	» 75

Liqueurs spéciales CUSENIER à la fine Champagne

Peach Brandy	» 60
Suprême Orange	» 60
Prunelle	» 60
Cherry-Brandy	» 60
Kummel doré	» 60
Mandarinette	» 60

CAVES A CHABLIS, MERCUREY & BORDEAUX

CARDÁPIO DE JANTAR SERVIDO NO RESTAURANT BOUILLONS. IMPRESSO POR *MENUS ARTISTIQUES A. NOEL*. PARIS, 10.8.1904. 21 x 31,5 CM.

ETABLISSEMENTS E. BOULANT

34, Bd St Michel
35, Bd des Capucines
1, Bd Montmartre
22, Rue de Douai

MENU

· La maison n'est pas responsable des Objets ou Vêtements perdus ou échangés ·

DINER du MERCREDI 10 AOUT 1904

Glace à rafraîchir... » 10

POTAGES

Consommé brunoise » 50 crème de volaille Elisa 0 50 Potage bonne femme » 40
Potage au vermicelle 0 40 Consommé chaud ou froid 0 50 Bouillon 0 30 Bouillon aux légumes 0 40 Potage au pain ...» 40.

HORS D'ŒUVRE

Salade de tomates 0 70 Crevettes grises 0 40
Melon 0 80 Salade de concombres 0 60 Sardines à l'huile 0 50 Artichaut poivrade ...» 70. Radis et beurre 0 40
Cervelas de Strasbourg 0 50 Thon mariné ...» 50. olives et beurre 0 50 Anchois de Norwège 0 50 beurre 0 30
Galantine de Porc aux pistaches 0 70 Saucisson de Lyon 0 50 Saucisson d'Arles ...» 50.

ŒUFS

Œufs sur le plat » 50 Omelette nature » 60 Œufs à la coque 0 60

POISSONS

Coquille de Turbot Mornay 0 70 Cabillaud au beurre fondu 0 70 Brochette d'éperlans 0 60 Colin froid sauce rémoulade 0 60 Raie au beurre noir 0 70
Maquereau grillé à la Maître-d'hôtel 0 70 Filets de Barbue Saint-Malô 0 80 Hareng grillé sauce moutarde 0 50 Rouget grillé au beurre d'anchois 0 80
Friture de Goujons 0 80 Turbot sauce Hollandaise 1 »» Turbot froid sauce Tartare 1 »» Truite saumonnée sauce verte ... 1.25
Merlan frit » 70 Sole à la Jean-Bart 1 25 Saumon sauce mousseline 1 25 mayonnaise de Homard 1 10
Langouste mayonnaise le quart ...2 »».

ENTRÉES

Contrefilet rôti bouquetière ...» 90. ~~[illegible] à la gelée 0 80~~ Bœuf salé de Hambourg froid aux pickles 0 70 Fricandeau de Veau à l'oseille ...» 90.
Bœuf bouilli aux légumes » 60 Filet de Porc froid Salade Parmentier » 80 Gigot de Pré-salé aux pommes fondantes ...» 90. Tête de veau à l'huile 0 80
Quasi de Mouton grillé aux pommes Pont-Neuf ...» 90. Noisette de Veau sautée aux petits pois ...» 90. Pigeon braisé aux olives le demi 1 25
Langue de Veau braisée aux nouilles 0 80 Filet en chevreuil sauce poivrade et purée de marrons ...» 90. Poussin en cocotte Grand'mère le quart ... 1.25

ROTIS

Gigot au jus ...» 80. Veau — Rosbeef au cresson » 70 Poulet l'aile ...1 50. la cuisse ...1 25. Pigeon le demi 1 10

GRILLADES

Rognons grillés au cresson ...» 90. garnis ...1 »». Côte de mouton première — Filet grillé ...1 »». garnis... 1.25
Côtelette de Mouton — Beefsteak » 70 garnis 0 80 Rumpsteak — Chateaubriand ...2 »». Mutton chop ...1 25. Steak ...1 25.

VIANDES FROIDES

Langue écarlate 0 70 Jambon Daudens à la gelée ...» 70. Viandes froides assorties mayonnaise ...» 80. Poulet froid l'aile ...1 50. la cuisse ... 1.25
Terrine de Canard truffée ...1 »». Galantine de Porc aux pistaches » 70

LÉGUMES

petits pois à la Française 0 80 Aubergines farcies. 0 70 laitues braisées 0 70 Haricots verts au beurre » 70 artichaut sauce ou huile » 70
Pommes sautées 0 50 Haricots blancs nouveaux au beurre 0 60 Tomates au gratin » 70 Choux-fleurs sauce 0 60 Epinards au velouté 0 50
salade de Haricots blancs 0 60 Macaroni à l'italienne 0 50 Macaroni au gratin 0 60

SALADES

Salade de Haricots blancs 0 60 Laitue 0 50 Chicorée frisée 0 50 Romaine 0 60 Cœur de Romaine 0 80 Œuf dur ...» 20.

GLACES ET ENTREMETS

Crème renversée au caramel » 50 ~~Tartelette aux fraises~~ 0 60 Glace Vanille pralinée » 60 Bombe Brésilienne 0 60
Omelette au rhum — au kirsch — aux confitures ...» 90

FRUITS ET DESSERTS

Melon 0 80 Figues fraîches » 50 Pêche » 80 Raisin blanc » 80 Prunes » 60
Petites fraises des bois » 60 Amandes vertes » 60 Compote d'Ananas 0 60 Compote de Pêche 0 60
Crème fraîche d'Isigny ...» 50. Petits beurre L. U. 0 40 Gaufrettes Chantilly 0 50 Gaufrettes vanillées. 0 40 Biscuits roses Fossier 0 30
Gaufrettes fourrées L. U. ...» 40. Meringues à la Chantilly ...» 50. Cerises à l'eau-de-vie 0 40 Prunes à l'eau-de-vie 0 40
Confiture de Groseilles 0 40 — d'Abricots 0 50 — de Fraises 0 50 Nougat 0 30

FROMAGES

Cœur à la crème » 50 Brie 0 30 Gruyère 0 30 Hollande 0 40 Chester 0 40 Pont-l'Evêque » 40
Pommel demi-sel 0 30 Coulommiers 0 50 Port-Salut 0 40 Roquefort 0 40 Gervais 0 40 le demi 0 25

Café, 0,30 — avec Cognac, 0,40 — au Lait, 0,60. Thé, 0,50 — avec Rhum, 0,60. Chocolat Ménier, 0,60.

PP. 255-257
CARDÁPIO DE ALMOÇO SERVIDO
NO CAFÉ RICHE. IMPRESSO
NA MAISON DEVAMBEZ, IMPRESSIONS
D'ART. PARIS, 12.8.1904.
18x26 CM.

Café Riche
Impressions d'Art, DEVAMBEZ.

Five o'clock Tea

Déjeuners - Dîners - Soupers

Maison ouverte toute la Nuit

Créations Nouvelles

de la Maison

Consommé Riche

Sole Gisèle

Homard Doria

Suprême de Béhague Favorite

Poulet poêlé Forestière

Médaillon à la Riche

Ris de Veau Belgrand

Caneton de Rouen à la Française

Terrine de Foies gras Bonnaure

Salade Ninette

Souffle Jaffa

Pêches Thaïs

SELECT ORCHESTRE

Menu

Téléphone 286-29

Déjeuner du 12 Août 1904

Melon, 1,50

HORS D'ŒUVRE-VARIÉS

(0,75 centimes par personne)

Œuf froid Vénitienne, 1,25 — Omelette à l'Oseille, 1,25
Œuf plat Bercy, 1,25

POISSONS

Mayonnaise de Saumon, 1,75 — Filet de Turbot Colbert, 1,50
Goujons frits, 1,25 — Merlan Bonne Femme, 1,50
Maquereau Dieppoise, 1,50 — Rouget Beurre Noisette, 1,75
Raie aux Câpres, 1,75 — Anguille au Chablis, 1,50
Sole frite, 1,50 — Demi-Langouste Tartare, 4,50

ENTRÉES

Sauté de Veau à la Créole, 1,50

Entrecôte Minute Pommes Pont-Neuf, 2, 3,50
Cervelle au Beurre noir, 1,50 — Poussin sauté à l'Estragon, 4,50
Epigramme d'Agneau aux Petits Pois, 2 fr.
Foie de Veau Meunière, 1,50 - Pigeon à la Casserole, 4 fr.
Gigot de Pré-Salé froid Salade Russe, 1,75

ROTS

Selle d'Agneau – Caneton Rouennais – Reine, 12, 14 fr. — Poularde

FROIDS

Jambon, 1,50, 2,50 — Roastbeef, 1,50, 2,50
Langue Valenciennes, 1,50, 2,50
Poulet froid, l'aile, 3 fr ; la cuisse, 2.50
Terrine de Volaille truffée, 2, 3,50 — Perdreau — Caille
Mauviettes à la Riche — Hure de Sanglier, 1,50, 2,50
Terrine de Canard aux Truffes, 2 fr. p.p.

LÉGUMES

Artichauts, 1,50 — Epinards, 1,50, 2,50
Haricots Verts, 1,50, 2,50 — Choux-Fleurs, 1,50, 2,50
Petits Pois à la Française, 1,50, 2,50 — Cèpes Bordelaise, 1,50, 2,50
Cèpes frais, 2, 3,50 — Truffes au Champagne
Aubergines au Gratin et à la Grecque, 1,50

DESSERTS

Fruits : Pêche Extra, 2,50 — Pêche Thaïs, 2,50
Pêche Cardinal, 2 fr.
Grosses Fraises — Petites Fraises, 2 fr. — Framboises — Cerises
Oranges, 0,75 — Confiture Bar, 1,25 — Tarte, 0,60

CARDÁPIO DE ALMOÇO SERVIDO
NO HOTEL WILTCHER. IMPRESSO
NA MAISON GOUPIL ET CIE.
[PARIS], 5.7. ANO NÃO IDENTIFICADO.
16,5x26,5 CM.

94
OSTENDE Hôtel Wiltcher — King's Hôtel OSTENDE
LA BÉNÉDICTINE en FRANCE
Chalon
LANGUEDOC
Luncheon du 5 Juillet
Tomates farçies aux Crevettes
Rump Steak aux Pommes
Pigeon Rôti
Salade
Fromage.
Liqueur : BÉNÉDICTINE. . . 0 fr. 50
OLAVO BILAC

CARDÁPIO DE RESTAURANTE
CUJA LISTA DE IGUARIAS
É MANUSCRITA EM LÍNGUA
PORTUGUESA. IMPRESSO
EM BERLIM, POR PRAGER & LOJDA.
S/L. S/D. 15x22 CM.

Entradas

~~Lombo de Minas c/ feijão branco~~
Frango c/ arroz de forno
Roupa velha de carneiro
Lingua fresca á Parmesão
Coelho au champignon
Cabeça de leitão au picante
Rim guisado c/ petit-pois
Peito de carneiro cosido á Inglesa
Bifes á Brasileira = Picadinho jardineira
Lombinho c/ palmito = Blanquete de mouton

Legumes

Alcachofas - 1500
Couve-flor
Vagens
Palmito
Xuxú
Tomates

Sobre-mesas

Pancakes
Compotas de mamão
" ameixa e Marmello
Fructas,
Maçãs - Uvas
Morangos &.

Frios

Mayonnaise de badejo
Caviar
Ostras frescas
Sardinhas de Nantes "lata
" Canja "

Peixes

Ovas de tainha á Bahiana
Garoupa de forno
Linguado frito
Sardinhas " verde

Grelhados

Costelletas de porco
Filet grisette
Costelletas de carneiro
Rounteacks
Entrecôts
Churrascos Rio Gde
Frangos assados

PRAGER & LOJDA, BERLIN.

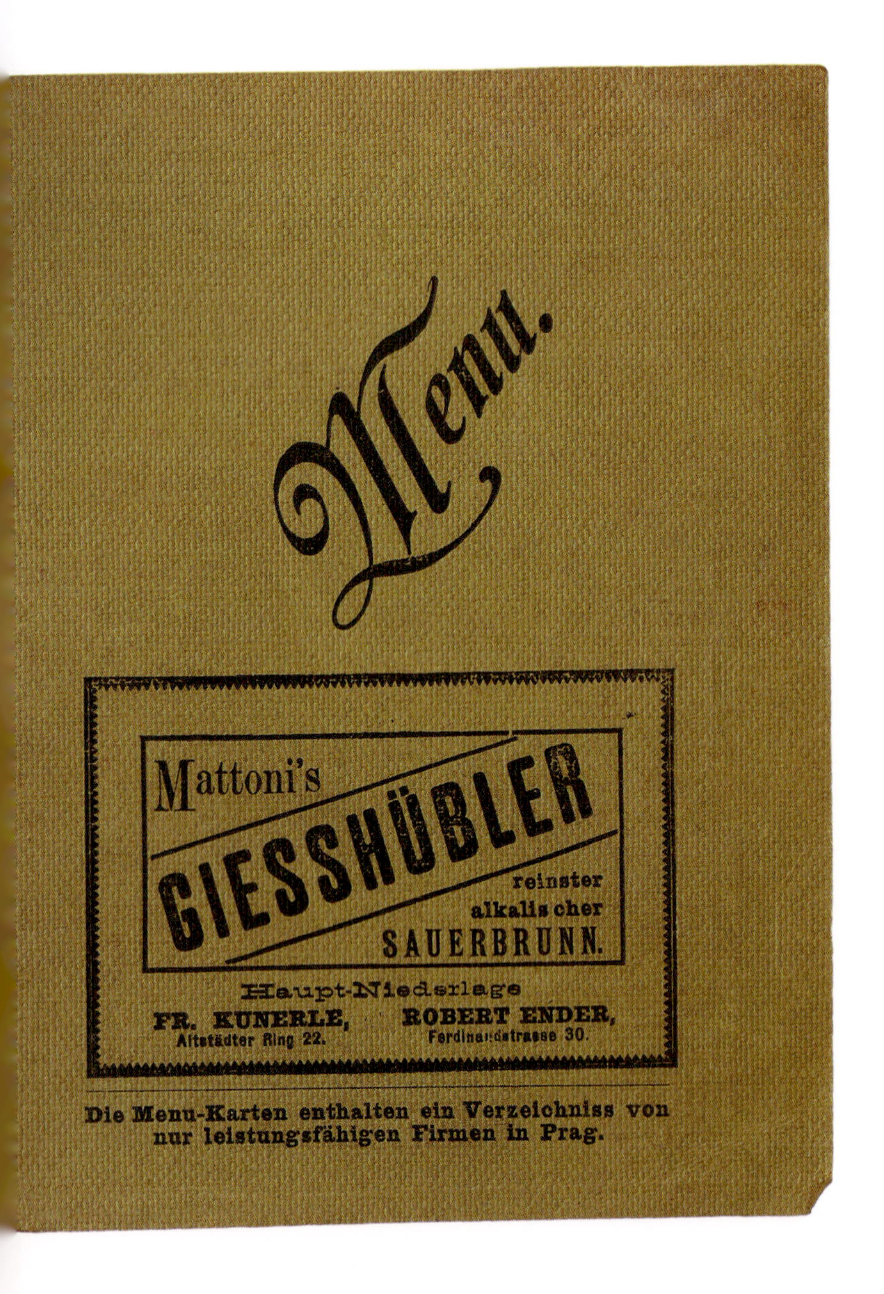

PP. 262-267
CARDÁPIO A PREÇO FIXO SERVIDO NO RESTAURANTE DO HOTEL SCHWARZES ROSS. PRAGA. S/D.
11,5 x 15,5 CM.

Törley Talisman Sec

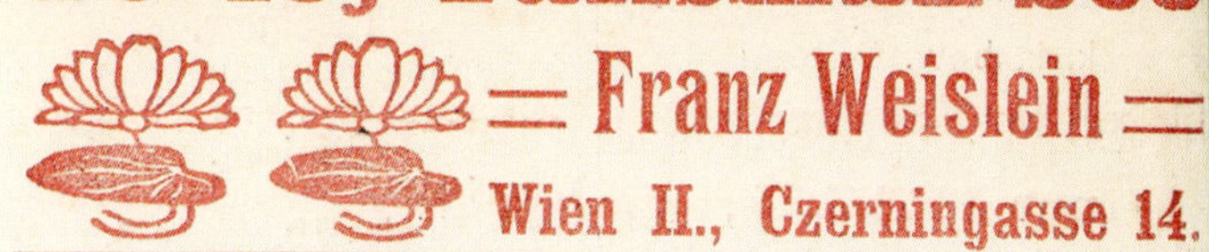

M. WUNSCH, Prag I., Bergmannsgasse 3.

Wein, Delicatessen, Colonialwaaren,

Cognac, Thee & Rum, Südfrüchte, feinste Liqueur-Specialitäten etc. etc.

Geschmackvolle belegte Frühstück-Brödchen à 6 kr.

Spielwaaren & Scherzartikel.

Beste Einkaufsquelle

für in- u. ausländ. Spielwaaren & Scherzartikel

Carl Fischel

Prag,

Heinrichsgasse 1 „Palais Generali“.

Damen-Paletot-Stoffe

feinste Qualitäten

L. J. Pohl & Co.

PRAG,

Obstgasse, Thonethaus.

Straight Front Corset.

Das Neueste und Beste auf diesem Gebiete

erzeugt

Miederfabrik

Federer & Piesen

PRAG,

Graben Nr. 14 u. Zeltnergasse 17.

Wechselstube

der Filiale der k. k. priv. österreichischen

Credit-Anstalt

für Handel u. Gewerbe.

Prag, Graben Nr. 10.

Capitalsanlagen, Couponeinlösungen, Belehnung v. Werthpapieren. Verzinsung von Geldeinlagen.

Inserate werden von der Administration **„Mercur Wegweiser“** entgegengenommen und **billigst** berechnet.

Prager Gewerbehalle.

Automobille. Ženišek & Steinhilber, Jungmannstrasse 26.

Blousen. Mieder. „Zur Kronprinzessin“. Graben 3.

Badewanne im Tisch. Patent **J. Wollmann.** Myslikgasse 2.

Brückenwaagen. Adalbert Pelikan & Sohn, Mariengasse 3.

Bürsten-Waaren. Al. Schlesinger, „Platteis“ im Hofe.

Cartonagen-Fabrik. Berth. Süssland, Tuchmachergasse 25.

Damenhut Mode-Salon. Ferdinandstr. 27, I. Et.

Damen-Confection. B. Šimek, Zeltnerg. 17.

Decorateur. Ludwig Martinek, Taborg. 27.

Eisenmöbel. Em. Jaroměřský, Langeg. 4.

Fahrräder. Just. Löschner, Wenzelspl. 7. **Sportgeschäft.**

Fechtrequisiten. Jos. Wenisch, Herreng. 7.

Kaffee. S. Bauer, Eisengasse 7.

Möbel. J. Ponec, Tischlerg. 7 und Werkstätte Nr. 16.

Rasiermesser. H. Rychlik, Prag, Eckhaus der Obstgasse u. Jungmannstrasse.

Stampiglien. Jos. Kubias, Charvatgasse.

Tapeziermöbel. R. Buresch, K. Weinberge, Karlstr. 9.

Zähne. Johann Watzka. Karolinenthal, Königstrasse 13.

I. Prager internationales Reise-Bureau D. SCHICK & ROSENBAUM.

K. k. Hauptmann a. D.

Janouškovec,

k. k. bew. Bureau

für militär. Angelegenheiten

nur PRAG-II.,

Elisabethstrasse 1080, II. St.

Unerreichbar

ist mein

Apparat f. verkürztes Bein

mit welchem dasselbe dem gesunden gleichgestellt wird, keine Schuhsohlenerhöhung!

FRANZ HAAS,

Erzeuger

orthopädischer Apparate,

Prag, Herrengasse 6.

Siegfried Fantl,

Cartonnagen-Erzeugung,

Prag, Marienplatz 101—103,

empf. sein mit den vorth. Maschinen ausgest. Etablissement zur Verfertigung von Cartonnagen f. sämmtl. Geschäftszweige. Elegante Ausführung, dauerhaft. Lagercartons.

Telephon 557.

Damen-Hut-Salon

A. Hoffmann-Austerlitz

befindet sich jetzt

Hybernerg. 4, Hauptst. II. St.

A. ZIEGLER

Taschner.

Erzeugung von Lederwaaren u. Reiserequisiten zu billigsten Preisen.

Wenzelsplatz 50 (neben Primas)

Filiale: Husgasse 4.

Carl Liebl,

Herrenmodesalon,

Prag. Poříč Nr. 1039-II.

Telephon Nr. 2278.

Specialität: Uniformen aller Branchen.

Herren-Wäsche und Cravatten

nur eigene Erzeugung

bekannt solideste Bedienung.

Wilhelm Schick,

PRAG, Wassergasse Nr. 19

Ecke der Palackýgasse.

Erstes u. grösstes Seiden- u. Modenwaarenhaus

Moritz Schiller,

Prag, Graben 9-11.

Gustav Löschner,

PRAG, Graben 15 (Bodega).

Verkaufs-Bureau für

Schreibmaschinen

Remington, Yost, Underwood, Smith-Premier und Hammond.

C. KIRSCHNER
Wein-
grosshandlung
PRAG,
Wenzelsplatz 31.
Vorzügl. in- u. ausländ. Weine,
Champagner, Spirituosen etc.
Billigste Preise.
Qualität garantirt.
Telefon 647.
Die
k. u. k.
Telefon 647.
Hofsilberwaaren-Fabrik
Alfred Pollak, Prag,
II. Bredauergasse 11.
empfiehlt ihr reichhaltiges Lager von
Brautausstattungen, Hochzeits- u. Gelegenheits-Geschenken.
Sport-Preise.
Geigen
vom B. Lantner, Prag
aller Musik-Instrumenten-Fachmann
bedient am besten.

GRAND RESTAURANT - - - - HOTEL
SCHWARZES ROSS, PRAG.
MENU à 2 fl.
Suppe m. Fisch
od. " m. Omelette Risollen
Karpfen gebraten
Rindfleisch od Madera-braten garnirt
Paprica-huhn m. Nocken
od. Schöpsenschlegel m. Salat
Germ Knödel
od. Zimt-Rollen
Dessert
30/1.
DEN P. T. MITTAGS-GÄSTEN WIRD DER
ABENDBESUCH
DES RESTAURANTS UND GRABENKELLERS BESTENS ANEMPFOHLEN.
AMERICAN BAR. TÄGLICH CONCERT.

Jehlička's bestbekannt
Wildprethandlu
Prag, Martingasse Nr. 4 neben Plateis und am Be
Telephon Nr. 817
liefert zu jeder Zeit alle Gattungen von Wi
Specialität Iª böhmische Fasanen prompt u. b

Reiserequisiten, Jagdtaschen, Hund halsbänder, Gamaschen, Pferdgeschirre, Wirtschaftsdecken, Fiaker decken, Kotzen, Haus- und Kücher geräthe für Hotel, Restauratione und Hausgebrauch,
Brautausstattungen
in allen Preislagen liefert
Carl Lüftner, Prag
Wenzelsplatz Nr. 7.

Fangoheilanstalt,
Prag, Stefansgasse 67.
Modernes Heilanstalt für die fysikalische Behandlung.

Gasglühlichtk und Beleucht gegenständen
LEOPOLD MICH

H. Vopálka
Prag, Perštýn 13.
Englische u. französische moder & Tuche, Loden für Herren & Havelock, Ulster, Schlafröcke, b

Alte u. neue
elektrische und
Gas-Luster
aus Gelegenheitskäufen verkauft billigst Austerlitz, Hibernergasse 4, 2. Stock, neben Hotel de Saxe.

Tel. 2541. Blumensalon
Josef Matuna,
Zeltnergasse 40
in der Nähe des Pulv
empfiehlt sich zur Au
von moderner
Blumenarbeit
wie Bouquets- und Kran
aus frischen Blu

CARL JEITELES,
Prag, nur Wassergasse 28.
Gegründet 1780.
Beste Bezugsquelle
Complette Brautausstatt
einzelne Stücke, grösste
garant. solide Arbeit, b

Küchengeräthe,
Lampen, Luster & Blitz-Lampen
Fr. Skrčený,
Prag, Wassergasse 32.

Dekoration
u. Tapezierar
werden von
Ludwig Martinek
Taborgasse 27
billig u. rasch ausg

Einladung
zu der
Blousen-Ausstellung
die an
jedem Sonntag den ganzen Tag in den neuerrichteten Localitäten der Firma
Brüder Brož, Prag
stattfindet.

Gegründet 185
F. R. Schro
Conditore
Prag, Eisengo
Eröffnete seine Reprä Localität in der Obst Palais d. Prager Bank. Empfiehlt se zeugnisse.
Uebernimmt Soirr- & Balla

Lacke auf Fussböden EM. BINOVEC, Prag, Po

Stoffe
men,
gst.

el. 2541.
rag,
aurm,
arung
,
derei

Möbel
n und
wahl,
st.

ten
rag,
t.

pta
3.
15
it-
Er-
rmru
21.

Rendez-vous & Vergnügungs-Etablissement.

Théâter „Variété".

Café „Corso", Graben.

Brüder Austerlitz, Heinrichsgasse

Engros-Haus.

Leinenwaaren. * Wäsche. * Ausstattungen.

PRAG, Graben Nr. 17. **STEIN** A. ADORJAN, Geschäftsleiter.

feinste echte Salon-, Speise-, Schlaf- u. Herrenzimmer-Teppiche konkurrenzlos billig.

Besichtigung ohne Kaufzwang.

Gegründet 1827.

☼ Daniel Hock's Wittwe ☼

Prag, Wenzelsplatz 11.

Seidenwaaren. Weihnachts-Occasion.

Waffen- und Fechtrequisiten **Jos. Wenisch**, Prag, Herrengasse 7.

CARDÁPIO DE BANQUETE COM
ILUSTRAÇÕES PARODIANDO
UM DOS DEZ MANDAMENTOS
"NÃO MATARÁS". S/L. 2.5.1908.
14x23 CM.

Olavo Braz Angelico Martins dos Guimarães Bilac

bibliografia

ASSIS, Machado de. *A Semana.* Introdução e notas de John Gledson. São Paulo: Editora Hucitec, 1996.

BASTOS TIGRE, Manoel. *Reminiscências. A Alegre Roda da Colombo e Algumas Figuras do Tempo de Antigamente.* Brasília: Thesauros, 1992.

BENCHIMOL, Jaime Larry. *Pereira Passos: Um Haussmann Tropical.* Rio de Janeiro: Prefeitura da Cidade do Rio de Janeiro, Secretaria Municipal de Cultura, 1992.

BILAC, Olavo. "A Eloquência de Sobremesa". *Kosmos.* Rio de Janeiro, jun. 1906.

——."Chronica". *Kosmos.* Rio de Janeiro, vol. 1, n. 3, mar. 1904.

——. *Últimas Conferências e Discursos.* Rio de Janeiro: Francisco Alves, 1924.

BROCA, Brito. *A Vida Literária no Brasil.* Rio de Janeiro: José Olympio/ Academia Brasileira de Letras, 2004.

CARDOSO, Rafael (org.). *Impresso no Brasil (1808-1930). Destaques da História Gráfica no Acervo da Biblioteca Nacional.* Rio de Janeiro: Verso Brasil Editora, 2009.

CARVALHO, Afonso de. *Bilac: O Homem. O Poeta. O Patriota.* Rio de Janeiro: José Olympio, 1942.

CARVALHO, José Murilo de. *Pontos e Bordados. Escritos de História e Política.* Belo Horizonte: Editora da UFMG, 1998.

CASCUDO, Luís da Câmara. *Antologia da Alimentação no Brasil.* Rio de Janeiro/ São Paulo: Livros Técnicos e Científicos, 1977.

——. *História da Alimentação no Brasil.* São Paulo: Global, 2004.

DIMAS, Antonio. "Bilac em Lisboa". Via Atlântica. São Paulo, USP, n. 2, jul. 1999, pp. 175-189.

——. *Bilac, o Jornalista.* 3 vol. São Paulo: Imprensa Oficial do Estado de São Paulo, 2006.

EDMUNDO, Luiz. *O Rio de Janeiro do Meu Tempo.* 5 vol. Rio de Janeiro: Conquista, 1957.

FLANDRIN, Jean-Louis e MONTANARI, Massimo (dir.). *História da Alimentação.* São Paulo: Liberdade, 1998.

Fon Fon. Rio de Janeiro, ano VII, n. 9, 1.3.1913.

FONSECA, Gondim da. *Biografia do Jornalismo Carioca.* Rio de Janeiro: Quaresma, 1941.

GINZBURG, Carlo. *Mitos, Emblemas, Sinais. Morfologia e História.* São Paulo: Companhia das Letras, 2003.

GOLDBERGER, Ana M.; NETO, C.; BONUMA, S. *Lévi-Strauss.* São Paulo: L'Arc Documentos.

LACERDA, Rodrigo. 110 *anos da Academia Brasileira de Letras.* Rio de Janeiro: Academia Brasileira de Letras, 2007.

LIMA, Herman. *História da Caricatura no Brasil.* 4 vol. Rio de Janeiro: José Olympio Editora, 1963.

LOPES, Antônio de Castro. *Neologismos Indispensáveis.* S/l. S/e. 1909.

MAGALHÃES JR., Raymundo. *Olavo Bilac e sua Época.* Rio de Janeiro: Ed. Americana, 1974.

MOTTA, Artur. "Perfis Acadêmicos. Olavo Bilac". *Revista da Academia Brasileira de Letras.* Ano XX, volume XXX, n. 90, jun. 1929.

NEEDELL, Jeffrey D. *Belle époque tropical — Sociedade e Cultura de Elite no Rio de Janeiro na Virada do Século.* São Paulo: Companhia das Letras, 1993.

NEVES, Fernão. *A Academia Brasileira de Letras. Notas e Documentos para sua História (1896-1940).* Rio de Janeiro: Academia Brasileira de Letras, 1940.

NEVES, Guilherme Pereira das. "História: A Polissemia de uma Palavra". *Estudos Ibero-americanos.* Porto Alegre, v. 10, n. 1, jul. 1984, pp. 17-39.

OTÁVIO, Rodrigo. *Minhas Memórias dos Outros.* 3 vol. Rio de Janeiro: José Olympio, 1934.

PASSOS, Guimarães "Olavo Bilac". O Álbum. Rio de Janeiro, ano 1, n. 13, mar. 1893.

PESAVENTO, Sandra Jatahy. *Exposições Universais. Espetáculos da Modernidade do Século XIX.* São Paulo: Hucitec, 1997.

PONTES, Eloy. *A Vida Exuberante de Olavo Bilac.* 2 vol. Rio de Janeiro: José Olympio, 1944.

RENAULT, Delso. *A Vida Brasileira no Final do Século XIX.* Visão Sócio-Cultural e Política de 1890 a 1901. Rio de Janeiro: José Olympio/ INL, 1987.

REVEL, Jean-François. *Um Banquete de Palavras. Uma História da Sensibilidade Gastronômica.* São Paulo: Companhia das Letras, 1996.

RODRIGUES, Domingos. *Arte de Cozinha,* 1680. Receitas atualizadas [e adaptadas] por Flavia Quaresma; Paula Pinto e Silva, introdução; Sergio Pagano, fotografias. Rio de Janeiro: Editora SENAC Rio, 2008.

SENNA, Ernesto. *O Velho Comércio do Rio de Janeiro.* Rio de Janeiro: G. Ermakoff Casa Editorial, 2006.

SILVA, Antonio Moraes. *Diccionario da lingua portugueza — recompilado dos vocabularios impressos ate agora, e nesta segunda edição novamente emendado e muito acrescentado, por Antonio de Moraes Silva.* Lisboa: Typographia Lacerdina, 1813.

SODRÉ, Nelson Werneck. *A História da Imprensa no Brasil.* Rio de Janeiro: Civilização Brasileira, 1966.

SOUZA, Cláudio Mello. *Impressões do Brasil.* São Paulo: Práxis Artes Gráficas, 1986.

STRONG, Roy. *Banquete. Uma História Ilustrada de Culinária, dos Costumes e da Fartura à Mesa.* Rio de Janeiro: Jorge Zahar Editor, 2004.

cronologia

1865 No dia 16 de dezembro nasce no Rio de Janeiro Olavo Brás Martins dos Guimarães Bilac, filho do médico Brás Martins dos Guimarães Bilac e de Delfina Belmira dos Guimarães Bilac.

1880 Uma autorização imperial de 3 de agosto permite a matrícula de Bilac na Escola de Medicina, onde inicia seus estudos em 1881, abandonando o curso cinco anos mais tarde.

1883 Bilac inicia-se como jornalista e publica textos curtos e poemas na *Gazeta Acadêmica* do Rio de Janeiro e em jornais do interior fluminense.

1885 No dia 12 de dezembro Artur Azevedo apresenta Olavo Bilac ao público, no *Diário de Notícias*.

1886 Em 16 de dezembro troca a Faculdade de Medicina do Rio de Janeiro pela Faculdade de Direito de São Paulo.

1887 Colabora no jornal *Diário Mercantil*, em São Paulo.

1888 Rompe o noivado com Amélia de Oliveira, abandona o curso de Direito e retorna ao Rio de Janeiro onde publica *Poesias*, com grande repercussão.
Inicia a colaboração na *Cidade do Rio*, que se estende até o ano de 1893.

1889 Proclamação da República.

1890 No mês de abril inicia longa e próspera colaboração na *Gazeta de Notícias*.
É nomeado Oficial da Secretaria de Instrução Pública e Particular do Estado do Rio de Janeiro.
Faz sua primeira viagem à Europa, onde permanece por sete meses.

1891 Morre seu pai, Brás Martins dos Guimarães Bilac.

1892 No mês de Fevereiro é demitido do serviço público.

1893 É exilado para Ouro Preto, onde permanece até fevereiro de 1894. Na cidade mineira convive com o jornalista igualmente exilado Afonso Arinos, na ocasião professor da Faculdade Livre de Direito de Ouro Preto.

1894 Segue para Juiz de Fora, onde permanece até meados de 1894, quando volta para o Rio de Janeiro. Publica *Crônicas e Novelas*.
Inaugurada a Confeitaria Colombo.

1895 No mês de maio, com Julião Machado, lança *A Cigarra*.
Inicia sua colaboração em *A Notícia*, que se estende até novembro de 1908.

1896 Em fevereiro, também com Julião Machado, lança *A Bruxa*, suspensa em maio do ano seguinte.

1897 Em 20 de julho ocorre a sessão inaugural da Academia Brasileira de Letras. Olavo Bilac é o primeiro ocupante da cadeira de número 15, cujo patrono é Gonçalves Dias.

1899 Inicia seu trabalho como Inspetor Escolar.

1900 Viaja a Buenos Aires, como representante da *Gazeta de Notícias*, para registrar as festas oferecidas à comitiva do Presidente da República Campos Salles.

1905 No dia 15 de novembro é inaugurada a Avenida Central (atual Rio Branco), para cuja abertura foram demolidas duas ou três mil casas.

1906 Atua como Secretário na III Conferência Pan-Americana.

1907 Trabalha como Secretário do prefeito Souza Aguiar.
A iluminação elétrica chega às ruas do Rio de Janeiro e os festejos duram vários dias.

1909 Morte de Delfina Belmira dos Guimarães Bilac, mãe do poeta.
Inaugurado o Teatro Municipal, em 14 de julho.

1910 Integrou a delegação brasileira junto à IV Conferência Pan-Americana.

1913 Eleito Príncipe dos Poetas Brasileiros pela revista *Fon Fon!*.

1916 Em março é homenageado em Lisboa pela Academia das Ciências e pela revista *Atlântida*.
No mês de agosto, ao lado de Miguel Calmon e Pedro Lessa, funda a Liga da Defesa Nacional.
Excursiona por Curitiba, Belo Horizonte e Porto Alegre proferindo discursos de caráter nacionalista.

1917 Publica *Defesa Nacional* e dá continuidade ao trabalho em defesa do serviço militar obrigatório, viajando a São Paulo, Paraná e Rio Grande do Sul, onde realizou palestras em quartéis para difundir o ideário nacionalista.

1918 No mês de maio a *Revista do Brasil*, dirigida por Monteiro Lobato, publica sonetos de Bilac.
Em 28 de dezembro, acometido por deficiência cardíaca e pulmonar, Olavo Bilac morre no Rio de Janeiro.

sobre os autores

Alberto da Costa e Silva nasceu em São Paulo em 1931. Diplomata de carreira, serviu em Lisboa, Caracas, Washington, Madri e Roma, antes de ser embaixador na Nigéria, no Benim, em Portugal, na Colômbia e no Paraguai. É membro da Academia Brasileira de Letras. Estreou em 1953 com *O parque e outros poemas*. Publicou depois sete livros de poesia. Seus *Poemas reunidos* foram editados em 2000. Como memorialista, escreveu *Espelho do príncipe* (1994) e *Invenção do desenho* (2007) e, como ensaísta, *O pardal na janela* (2002) e *Das mãos do oleiro* (2005). É autor de *Castro Alves, um poeta sempre jovem* e de oito livros sobre a África e a sua história, entre os quais se destacam *A enxada e a lança: África antes dos portugueses* (1992) e *A manilha e o libambo: a África e a escravidão, de 1500 a 1700* (2003). Pela Imprensa Oficial do Estado de São Paulo publicou o livro de ensaios *O quadrado amarelo* (2009), e o de poesias *Livro de linhagem* (2010).

Lúcia Garcia nasceu no Rio de Janeiro em 1979. É doutora e mestre em História Política pela Universidade do Estado do Rio de Janeiro. Participou de vários projetos de pesquisa histórica documental e iconográfica nos últimos quinze anos, tendo colaborado como consultora na *Comissão para as comemorações do Bicentenário da Chegada de D. João ao Rio de Janeiro* (Prefeitura da Cidade do Rio de Janeiro – 2008). Publicou *Euclides da Cunha: escritor por acidente e repórter do sertão* (São Paulo: Companhia das Letras/ Selo Claro Enigma, 2009); *A transferência da família real para o Brasil 1808-2008* (com outros autores, Lisboa: Tribuna da História, 2007); *Rio e Lisboa: construções de um Império* (Lisboa: Câmara Municipal, 2007) – catálogo da exposição homônima que percorreu Lisboa, Coimbra, Porto e outras cidades portuguesas em 2007 – e *Registros escravos. Documentos oitocentistas na Biblioteca Nacional* (coautoria de Lilia Schwarcz, Rio de Janeiro: Biblioteca Nacional, 2006). É coautora do livro *Impresso no Brasil: Destaques da História Gráfica no acervo da Biblioteca Nacional*, organizado por Rafael Cardoso (Rio de Janeiro: Verso Brasil Editora, 2009).

créditos das imagens

Academia Brasileira de Letras —
Centro de documentação ABL
pp. 3, 5, 6, 7, 12, 16, 17, 25, 27, 28, 30, 31, 36-39, 41, 46, 50, 52, 54, 55, 57-60, 64-66, 72, 73, 75-77, 79-82, 90-93, 95, 97-99, 101, 103, 105, 107, 108, 111, 112, 114, 117, 119, 120, 123-125, 127, 128, 130, 131-139, 141, 142, 144, 145, 147-154, 156-161, 163-165, 167-171, 173 -175, 177, 179, 181, 183-187, 189-198, 200, 201, 203, 216, 218-221, 223-229, 231-239, 241-247, 249-253, 255-257, 259, 261-267, 269

Arquivo Público Mineiro p. 100

Fundação Biblioteca Nacional p. 33

Instituto Moreira Salles pp. 20, 23

agradecimentos

agradecimentos da autora

A minha filha Ana Beatriz,
pela amorosa e suave companhia
de todos os dias.

Ao Rafael Cardoso pela sua sempre
gentil colaboração e amizade.

Adriana Freitas
Aline Montenegro
Camila Mattos da Costa
Carla Vitalina Chaves Basso
Cintia de Resende Siqueira
Elizabeth Ferreira
Guto Nejaim
Jeane Coelho
Leandro Assis Santos
Luiz Antonio de Souza
Maria Oliveira
Paulino Cardoso
Pedro Galdino
Priscila Serejo
Raquel Martins
Renata Augusta dos Santos Silva
Rosa Garcia

agradecimentos dos editores

Alberto da Costa e Silva
Anna Naldi
Denis Soares da Silva
Mônica Rizzo
Odette J. C. Vieira
Samuel Titan Jr.

Arquivo Público Mineiro
Fundação Biblioteca Nacional
Instituto Moreira Salles

Biblioteca da Imprensa Oficial do Estado de São Paulo

Garcia, Lúcia

Para uma história da belle époque: a coleção
de cardápios de Olavo Bilac; prefácio Alberto da Costa
e Silva/ São Paulo: Imprensa Oficial do Estado
de São Paulo; Rio de Janeiro: Academia Brasileira
de Letras, 2011.
288 p. il.
ISBN 978-85-401-0030-5 (Imprensa Oficial)
ISBN 978-85-7440-227-7 (Academia Brasileira de Letras)

1. Bilac, Olavo, 1865-1918. 2. Cardápios – Século XIX –
Brasil. I. Silva, Alberto da Costa e, 1931-. II. Título.

Índice para catálogo sistemático
Brasil: Cardápios – História 642.810 7

Foi feito o depósito legal na Biblioteca
Nacional (lei n. 10.994, de 14.12.2004)

Grafia atualizada segundo o Acordo
Ortográfico da Língua Portuguesa
de 1990, em vigor no Brasil desde 2009

Impresso no Brasil 2011

Imprensa Oficial do Estado
de São Paulo
Rua da Mooca, 1.921 Mooca
03103-902 São Paulo SP Brasil
sac 0800 0123401
sac@imprensaoficial.com.br
livros@imprensaoficial.com.br
www.imprensaoficial.com.br

Academia Brasileira de Letras
Av. Presidente Wilson, 203
20030-021 Rio de Janeiro RJ Brasil
academia@academia.org.br
sac 21 3974-2500
www.academia.org.br

Academia Brasileira de Letras

comissão de publicações
Antonio Carlos Secchin
José Murilo de Carvalho
Marco Lucchesi

coordenadora das publicações
Monique Cordeiro Figueiredo Mendes

Imprensa Oficial
do Estado de São Paulo

coordenação editorial
Cecília Scharlach

assistência editorial
Viviane Vilela

preparação e revisão de textos
Eugênio Vinci de Moraes

estagiária
Ariadne Martins

projeto gráfico
Warrakloureiro

reprodução fotográfica dos cardápios
e tratamento de imagens
Motivo / Jorge Bastos

supervisão e acompanhamento da impressão
Jorge Bastos
Edson Lemos

ctp, impressão e acabamento
Imprensa Oficial do Estado
de São Paulo

formato 21 x 28 cm
papel miolo couche fosco 150 g/m²
capa couche fosco 150 g/m²
guardas colorplus los angeles 180 g/m²
tipologia walbaum
número de páginas 288
tiragem 2.000
CTP, impressão e acabamento imprensa oficial
do estado de são paulo